les murs de montréal

L'auteur de cet ouvrage a bénéficié d'une subvention du ministère des Affaires culturelles du Québec à titre d'aide à la création et à la recherche.

Maquette de la couverture: Jacques Léveillé.

ISBN 0-7761-3025-0

les murs de montréal

jean-paul filion

LEMÉAC

DU MÊME AUTEUR

DU CENTRE DE L'EAU, poèmes,
Les Éditions de l'Hexagone, 1955.

DEMAIN LES HERBES ROUGES, poèmes,
Les Éditions de l'Hexagone, 1962.

UN HOMME EN LAISSE, roman,
Les Éditions du Jour, 1962. (épuisé)
(Prix de la Province de Québec, 1963.)

CHANSONS, POÈMES ET LA GRONDEUSE
Leméac/l'Hexagone, 1973.

*SAINT-ANDRÉ-AVELLIN... LE PREMIER CÔTÉ
DU MONDE,* roman,
Leméac, 1975. Robert Laffont, 1976.

MON ANCIEN TEMPS
Réédition d'*Un homme en laisse,* roman,
La Maison de Jean-Bel, pièce en un acte,
La Pitro, nouvelle,
Leméac, 1976.

À ma femme
À mes enfants
À mes amis
Au temps qui vient

Première Partie

LES ENFANCES

Le dire comme je le vois. Maintenant. L'exprimer comme je l'ai vécu, ou rêvé, je ne sais plus. Pendant que Yo et Manu s'amusent dehors dans la neige, tout se passe de l'autre côté du fleuve, derrière l'Île d'Orléans, bien loin au fond du large de l'hiver. C'est clair, c'est embrouillé. Traversant la croix de ma lucarne, mes yeux voient tout ça d'un seul coup. Je me confonds à l'image. Je suis perdu dedans. C'est effrayant comme il y en a grand à regarder, à écrire. J'ai peur que deux yeux ne me suffiront jamais et que deux mains non plus.

1

Descendant d'un train tout emboucané, je marche sur un quai de bois plus long que le trottoir du Grand Village de Saint-André-Avellin. Des gens pressés m'accrochent les épaules; des valises, plus belles que la mienne, me frôlent et me donnent des coups sur les cuisses. Au bout, en avant, un mur de pierres grises avec une immense porte ouverte. C'est noir comme un trou de caverne aux chutes du Diable que j'appelais, enfant, la ouache des loups. Le monde s'y engouffre, on dirait le courant d'une rivière, et me voilà charrié dans la gare comme une pitoune qui fait des culbutes. Pour ne pas me noyer, je lève les yeux, la tête, les deux bras et ma valise avec. Le plafond n'en finit plus d'être haut et des pendrioches lumineuses éclairent une salle dix fois grande comme une église. Pour parler au monde, je rabaisse mes bras et remets ma tête à sa place.

— Vous auriez pas vu mon chum... mon ami?

— Qui ça?

— Benoît Bleau... Y m'a dit qu'y serait icitte pour m'attendre...

Trois visages plus loin, je recommence.

— Pardon, vous auriez pas vu Ben Bleau?

— T'es malade toé, l'jeune?

Partout je me cogne sur des corps agités, indifférents, et mes yeux bloquent sur des faces si étranges que j'en ai presque peur. Enfin, une apparition: Benoît est là, juste devant moi. Son air gêné et son visage de carême me rassurent. Merci doux Jésus. Saluts, serrage de mains, rires bébêtes, on marche déjà pour se sortir de la djamme.

Dehors, il fait clair d'une vraie lumière d'automne comme par chez nous. C'est l'après-midi. Cou cassé, le ciel est un peu dur à découvrir, mais on finit par se rendre compte qu'il est bien là. Je prends un gros respir qui me soulage, même si je trouve l'air un peu plus graisseux qu'à Saint-André.

— Icitte, on est sur la rue Windsor... Là, tu vois la grosse église noire? C'est la cathédrale... En face, la grande bâtisse, c'est la Sun Life...

De la voix, des yeux, des bras, Benoît parle vite, comme s'il me débitait un chapelet. On voit aisément qu'il a quitté la campagne avant moi. M'aidant de son assurance, je braque mon regard partout. Ça prendrait de la ouate dans mes oreilles, faudrait aussi que j'aie, en plus des miens, les yeux de papa, ceux de maman, ceux de mon frère Marcel... ça ne serait pas de

14

trop. Sapristi que ça grouille!... Mais que c'est beau! Oui je rêve en plein jour... Un vrai rêve comme quand on dort. On dirait un grand miroir agité à perte de vue. Je ne sais pas si je marche à côté de Ben ou si je flotte sur l'eau d'un lac qui danse. Pas le temps de parler. Des chars, des chars, des chars... Qui roulent dans tous sens tous côtés. Ils vont se lutter... Des nez longs, des convertibles, des grosses valises bombées, des coupés avec rumble seat, des vert feuille, des rouge vin, des jaune moutarde. À travers ça, des tramways drabs décorés de lignes brunes et de numéros, avec une cloche qui sonne comme celle des vaches de pépère Désormeaux, et une longue queue en l'air accrochée après un fil, et qui se frayent un chemin en pleine rue sur des vraies rails comme celles du train qui m'a amené de Papineauville. Les maisons, ce n'est plus des maisons mais des châteaux de pierres, des hôtels avec des tours, des magasins avec des vitrines comme de la glace, enfin... partout des montagnes de briques pleines de rangées de châssis. Les arbres, parce que j'en vois quand même de temps en temps, ont des feuilles en or, ou en argent... Je ne peux pas dire si c'est à cause du soleil ou si c'est à cause d'une sorte d'arbres que je n'ai jamais vus, en tout cas, à travers les poteaux de fer, les poteaux de bois, et tous les fils électriques, je vois de l'or et de l'argent comme des milliers de morceaux de papier brillants accrochés dans les branches. Comme spectacle, c'est à rendre fou n'importe qui.

La ville, je sens bien qu'il me faudrait du génie pour expliquer exactement comment je trouve ça beau. Tellement beau que ce n'est pas disable. J'ai quasiment envie de ne pas m'essayer... Pourtant, il faut bien que j'en parle un peu. Génie ou pas, je peux au moins faire mon possible... Après tout, j'ai seulement quinze ans.

Eh bien Montréal, c'est ça. J'y suis en plein dedans, et comme pendu au bras de mon chum Benoît. Nous marchons dans un paradis avec des fumées colorées qui se baraudent partout, des airs de moteurs par centaines, et du monde comme je n'ai jamais vu ça. Tout ce que j'ai pu manquer là-bas à la campagne! Je m'excite, un vrai enfant, en apercevant des liquides bleus, jaunes, rouges qui coulent en gigotant dans des tubes de verre tout croches au-dessus des portes de restaurants. Près d'une fenêtre où c'est écrit BAR, me voilà figé raide, plus capable de grouiller un doigt. Je suis devant une femme d'une beauté terrible. Cheveux rouge carotte jusqu'en bas des épaules, les yeux grimés en noir par-dessus noir, une robe pleine de fleurs, des souliers hauts comme des échasses, accotée sur un mur elle fume une cigarette en regardant passer le trafic. Devant elle, ça sent l'eau de Cologne à largeur de trottoir. J'entends de la musique de ville qui sort de tous les murs des alentours. Benoît m'apostrophe:

— Reste pas là comme un piquet...

— La connais-tu, elle?

— Fais pas l'nono, viens-t'en, y a un bordel juste à côté.

— Comment ça?

Là, je me sens mêlé en pas pour rire. J'ai la beauté de la femme dans toute ma tête et Ben me parle de bordel pendant que je le suis comme un chien de poche. Je n'ai pas le choix, c'est quand même lui qui va me faire avoir une djobbe à l'hôpital où il travaille.

— C'est l'fonne les p'tits chars, c'est rien qu'des vitres... On peut voir partout en même temps.

Dans le tramway qui nous emmenait, Benoît a bien ri de ma remarque. Mais moi, les vitres, c'était sérieux: elles me permettaient de découvrir Montréal d'un seul coup. Des maisons toutes collées, des automobiles toutes collées, des poteaux collés, le monde collé, assez qu'on ne pouvait pas voir le moindre petit trou nulle part. Ça gigotait, ça courait, on sentait qu'il y avait du désennui dans toutes les rues...

Maintenant, fini le bruit, le moment est grave. On arrive à pied en face de l'hôpital Notre-Dame. Benoît entre, je ne le lâche pas d'une semelle. Première chose que je vois: une belle statue de la Sainte Vierge, blanche et bleue, avec une couronne de lumières sur la tête. Deuxième chose: un long long corridor. Partout ça pue le camphre, l'alcool, l'iode et les remèdes. J'ai le nez qui ne fournit pas. Enfin... Benoît frappe à une porte et l'ouvre comme si de rien n'était.

— Bonjour ma Sœur... C'est lui mon ami d'la campagne.

Je deviens blanc de peur, sourd d'émotion, et comme tout aveuglé. Je ne sais qu'une chose, c'est que la sœur me parle assez gentiment, non... plutôt froidement; que je réponds oui oui oui à tout ce qu'elle dit et que me voilà engagé comme garçon d'ascenseur et que je commence demain matin avec un petit coat blanc que je prendrai à la buanderie. Clac! La porte.

Dans le long long corridor qu'on refait à l'envers, Benoît me sert le bras joyeusement:

— La sœur s'est pas faite prier, hein?

— J'ai été chanceux en grand...

Bureaux, chambres, salles, salons, urgence, admission, couloirs, escaliers, dortoirs, mon chum me trimbale jusqu'à l'heure du souper. À 5 heures tapant, il fonce dans une porte:

— C't'icitte qu'on mange.

Je n'ai jamais vu ça une cuisine d'hôpital. Ni une cuisine de collège, ni une cuisine de prison. Elles doivent bien toutes se ressembler. J'entre dans celle-ci avec les yeux plus grands que la panse. C'est plein de monde et ça jacasse comme dans un poulailler. Il y a des rangées de tables pour au moins cinq cents repas en même temps. Une odeur fade me monte au nez. Cabaret à la main, Ben et moi on passe devant un long comptoir comme en métal gris frotté, et qui est bourré d'énormes marmites, de vaisseaux, de lèchefrites, avec partout des micouennes grandes comme pour nourrir des bûcherons.

Habillés en blanc d'hôpital, avec sur la tête un chapeau de boulanger et pissant du visage, des cuisiniers remplissent nos assiettes à travers des nuages de fumée. On s'installe. On mange. Un mot pas plus haut que l'autre. Ça goûte ce que ça sent. Il faut mettre beaucoup de sel. On dirait qu'ils ont fait bouillir les patates et les navets dans de l'eau de Javel...

Quand tout est fini, bien avalé jusqu'au fond, on remonte au dortoir pour s'habiller et sortir prendre un peu d'air.

— C'est la rue Sherbrooke... Là, l'École Normale Jacques Cartier...

Ben me paye une cigarette et nous parlons des filles, de la ville, et d'avenir. Il veut se marier jeune, pour tuer l'ennui qu'il me dit. Passé la Bibliothèque municipale, nous traversons Amherst, Saint-Hubert, Saint-Denis.

— Y fait noir de bonne heure...

— L'automne avance...

Les autos, les autobus enterrent tout ce que l'on dit. Je dois m'égosiller deux fois plus qu'à Saint-André.

— On va retourner...

Benoît mène tout, décide tout. Revenus à l'hôpital, au dortoir on s'avance à tâtons, on se déshabille à tâtons. Comme chez nous, je fais ma prière à genoux à côté de mon lit. On s'endort, moi en fixant une petite lumière rouge au pied du mur qui me fait face, Ben... je ne sais pas.

Mon premier matin se passe dans l'énervement. À la cuisine, déjeuner en gang, avec de la soupane cuite à l'eau de Javel. À la buanderie, essayage de petits coats blancs : j'en ai justement un qui me fait, bien empesé, raide comme de la tôle. Ben m'accompagne jusqu'à mon ascenseur, une affaire que je ne connais pas pantoute et que je n'ai jamais ronnée de ma vie. Un grand gars maigre aux manières comme une femme est là pour me montrer. Ben me salue avant de disparaître : « Bonne chance, Popaul... »

— Ça, c'est l'tableau avec les numéros d'étages qui s'allument. Ça c'est la poignée pour partir pis arrêter l'ascenseur. T'ouvres ta porte comme ça... avec ta main gauche. Je reviens à midi t'remplacer pour ta demi-heure de lunch.

Il est huit heures et le grand gars maigre aux manières de femme me laisse tout seul comme un chien dans une cage. Une garde-malade arrive avec un morceau de bonnet blanc sur la tête et portant un cabaret plein de bebelles de verre comme je n'ai jamais vu ça. Un docteur la suit, vêtu d'une longue jaquette vert pâle :

— Quatrième.
— Septième.

Je ferme la porte, comme si j'avais fait ça depuis des années, et pars la machine. Au quatre, ma main droite manque de ramener la poignée à temps. Ça passe tout droit. Silence de mort dans la cage. Nous sommes entre deux étages, ça se voit sans parler. Je mets la machine sur le reculons. Ça repasse tout droit, mais moins qu'en montant. Deux trois coups de manivelle, ça branle partout, et les planchers finissent par vouloir s'ajuster. J'ouvre la porte, tête basse. J'ai mauditement chaud dans tout mon corps, mais l'ouvrage c'est l'ouvrage, on continue. Au septième, ça passe moins tout droit que tantôt et mon dernier passager a l'air de sortir content. En redescendant, j'arrête au cinq qui s'est allumé. Entre une civière avec un homme endormi dessus. Ça sent fort une affaire dont je ne peux pas dire le nom. Huitième, premier, troisième, sixième, j'ai toutes les misères à fournir des deux mains. Une chaise roulante avec un vieux, les jambes coupées; un enfant, la tête enveloppée de rubans blancs; une femme avec tout un bras en plâtre; une sœur avec une belle capine et un paquet de feuilles blanches dans ses deux mains blanches.

Dans un ascenseur comme le mien, c'est effrayant le nombre de blessés et d'à moitié morts qu'on peut promener dans un seul avant-midi. Et je ne parle pas des râles et des braillages dans mes oreilles à tout bout de champ. Des crachats que les gens n'osent pas cracher. Ni des taches de sang qui m'arrivent en pleine face sans que je sois prévenu de rien... Pour tout dire, un ascenseur d'hôpital c'est ça: une charrette qui trimbale les maladies et les souffrances entre ciel et terre et qui cherche des guérisons. Et ça... sur le coup, je peux le dire sans gêne, je ne trouve pas que c'est facile à digérer.

Pendant trois jours, je fais strictement la même chose, ni plus ni moins : voyager les blessures d'un monde étrange et étranger sans dire un maudit mot. Rien qu'écouter les mots des autres... Pendant trois jours : travailler de longues heures, manger fade, prendre des marches de santé avec Ben, se coucher et dormir comme une bûche. La vie à Montréal, est-ce que c'est rien que ça ? Je me sens déjà un peu comme un prisonnier devant un mur épais de six pieds.

La quatrième journée, en plein trois heures de l'après-midi, une idée de fou me prend et me tiraille la tête de tous les bords sans lâcher. Je suis pogné d'un ennui épouvantable qui me va jusqu'au fond du ventre. Ennui de Saint-André, ennui de Marcel, de mes chansons, ma guitare, mes dessins encadrés aux murs de la shoppe de barbier... Ennui des chiens de papa et de toute la famille. Ça y est, je lâche mon ascenseur et me sauve au dortoir en courant. À plat ventre sur mon lit, j'ai des feuilles de papier, j'écris une longue lettre à maman pour lui conter ma vie de long en large, tout lui dire dans les moindres détails.

Mon soulagement n'a pas la chance de me faire du bien longtemps car le lendemain matin, la Sœur Économe me fait venir dans son bureau de chef de police pour me dire avec un air de beu de passer au personnel me faire payer mes jours d'ouvrage. Pour un coup, c'est un coup... Je le sens jusque dans le bas de mon nombril et encore plus bas.

— Pourquoi vous m'sacrez à la porte? J'ai rien fait d'mal...

— À l'avenir, vous saurez mon garçon qu'il y a des temps pour travailler et des temps pour écrire à sa mère.

— Christ!

À Montréal, je viens de lâcher mon premier sacre. Pas un vrai ni un fort, juste un petit... entre mes dents.

2

J'ai eu beau faire l'homme, mais au fond, ça m'a demandé toutes mes forces. Il m'a fallu du secours. J'ai eu juste le temps de faire semblant de le dire à Benoît qu'il est devenu encore une fois mon sauveur. Aujourd'hui, c'est son jour de congé, mine de rien il m'emmène marcher sur Sherbrooke vers l'ouest, plus loin que la rue Saint-Denis.

— J'ai un oncle qu'est gérant d'un gros club, on va aller l'voir...

— Quelle sorte de club?

— Y appellent ça un club social... C'est rien qu'des big shots qui viennent là.

— Ça doit être gênant...

Arrivés au coin d'une rue nommée Laval, on s'arrête devant une bâtisse en pierre qui a l'air d'un vrai château. Tapis rouge dans les marches de ciment, portique avec une belle lanterne comme pour une église, grandes portes avec des poignées en cuivre qui brillent.

— C't'icitte.

On entre sur le bout des pieds. Mon souffle est resté dehors et le cœur me fend en quatre. Je ne m'étais pas trompé, c'est un château comme dans les contes. On ne voit pas les plafonds tellement ils sont haut. Du premier coup d'œil, tout ce que je peux distinguer c'est le tapis de Turquie partout, les lampes torchères en or, les tentures de velours, les murs en boiseries cent fois plus belles qu'au presbytère de Saint-André. Benoît s'avance jusqu'à un comptoir et parle à une femme cachée derrière et assise devant quatre téléphones et un tableau plein de trous et de gros fils bleus blancs rouges.

— J'voudrais parler au gérant, mon oncle Max...

La femme n'a pas le temps de nous répondre, elle parle plutôt au téléphone: « Ici le club Saint-Louis... »

Comme par hasard, venant d'un corridor sombre, un bel homme blond aux cheveux cochés et en habit noir aux basques reluisantes s'approche de nous en souriant.

— Bonjour Benoît... Qu'est-ce qui t'amène?

— Mon oncle, j'vous présente Jean-Paul... C't'un ami d'Saint-André... Vous auriez pas d'l'ouvrage pour lui?...

Là il se produit un miracle. Un vrai comme ceux que j'ai entendu dire qui arrivent à l'Oratoire Saint-Joseph. Le mon oncle Max de Ben me fait un sourire comme je n'en ai jamais vu à la campagne, et quand il m'a bien montré ses dents en or, il me dit :

— J'ai justement besoin d'un jeune comme bell-boy.

— Chu pas si jeune que ça... Combien ça paye ?

Là, je viens juste de ne plus me reconnaître. On dirait que la ville commence à me donner du cran.

— Quarante piastres par mois, à part les tips, nourri, costume fourni.

— C'est quoi ça bell-boy ?

— C'est le garçon qui travaille sur le plancher d'en bas. Il répond aux portes, il a des heures sur le switchboard, des heures pour servir les consommations dans les salons... Il fait le ménage des salles de toilette, frotte les cabarets, fait un peu d'époussetage le matin et s'occupe aussi de la bibliothèque.

Le paradis sur un plateau d'argent, ça ne se refuse pas. Juste le temps de me trouver un lit dans une maison de chambres du voisinage, le temps de retourner avec Ben à l'hôpital prendre ma valise et me voilà parti pour la gloire dans un monde de parfum et de tapis de Turquie. Adieu l'ascenseur, les senteurs d'éther et les patates cuites à l'eau de Javel.

Mon premier jour au club Saint-Louis est un jour de découvertes. L'oncle Max porte un œillet blanc à sa boutonnière et une belle boucle noire à son collet de chemise plus blanche que mon petit coat d'hôpital. Comme pour me donner de l'importance, il me passe une main dans le cou avec beaucoup de gentillesse. Il me présente le chef des waiters qui, lui, franchement, marche comme une vraie femme de la ville. Encore plus délicat que le gérant, il m'emmène aussitôt dans une salle pour que je me trouve un costume à ma taille. Le plus petit me va sans se forcer. Il est gris fer avec des basques rouge vin. Devant un miroir, collet empesé et petite boucle, jamais de ma vie je me suis trouvé beau de même. Si chez nous me voyait...

Mon chef waiter me conte sa vie le plus naturellement du monde. Il a été Frère dans une communauté et a tout lâché pour la vie civile. Il travaille ici depuis trois ans à la salle à manger et fait beaucoup d'argent. Il y en a d'autres dans le même cas que lui... mais il se défend bien d'être une tapette de mauvaise vie:

— Tu connais pas ça un fifi qui pense qu'à faire du mal aux jeunes?... Fais attention... Moi, c'est pas mon genre. Si tu veux être smatte, on peut très bien s'entendre tous les deux... T'as l'air d'avoir une belle nature, j'pourrai t'sortir le soir et t'montrer plein d'choses...

D'un coup de langue, il décolle son dentier du haut et le fait claquer en le remettant à sa place avec un sourire encore plus grand que celui du gérant.

— Viens que j'te montre les airs...

On sort du trou à costumes et j'apprends les airs avec une bonne volonté qui, en partant, mériterait un prix. Le salon des messieurs avec fauteuils en cuir noir, un foyer en marbre pas fait pour du vrai feu, des statues en bronze et des cadres dorés plein les murs. Le salon des dames... Il y a déjà des big shots qui entrent pour le dîner. Léon, mon chef waiter, commence à se dépêcher. Ma bonne volonté ne lâche pas. Les airs c'est aussi le bar pour les commandes de boisson, le bureau du comptable, les salles de poker, un mot que j'entends pour la première fois, la salle de bowling, la bibliothèque bourrée de rayons de livres à dos rouge, la salle de toilette, un immense salon avec assez de sofas pour faire boire au moins deux cents personnes à la fois, la grande salle à manger avec, au plafond, des lustres en verre taillé les plus beaux du monde. On débouche enfin sur la grande cuisine des cuisiniers habillés en blanc et avec des chapeaux de boulanger comme à l'hôpital Notre-Dame. Tout ça éparpillé sur quatre étages, avec des escaliers partout recouverts de tapis assez épais qu'on cale dedans.

Léon me laisse en me donnant un ordre:

— Va prendre la commande à c'te table-là. Le gros homme que tu vois avec ses amis, c'est le lutteur Yvon Robert... Soigne-le aux p'tits oignons, c't'un bon tipeux.

Petite serviette au bras, cabaret à la main, je m'avance, jambes en guénille, mais ça n'a pas l'air de trop paraître...

— Qu'est-ce qu'on peut vous servir?

— Un martini sec.

— Un manhattan.

— Un gimlet.

— Pardon, un quoi?...

Je barbouille tout ça sur mon petit pad et cours au bar le visage pas normal à force d'excitation. Commande donnée, commande reçue. Je quitte le bar les deux mains sous mon cabaret chargé de verres brillants qui tremblent au point de me faire marcher comme si j'avais des barrures aux genoux. Enfin j'arrive à mes clients et pose tous mes drinks sur la table sans renverser une seule goutte de rien. Mon premier tip, trente sous.

Une autre table: deux scotchs Black and White, trois ryes V.O., un gin De Kuyper. Des fois avec de la glace, des fois pas. C'est commencé. C'est parti. Dix commandes, vingt commandes, et toujours de la boisson forte avec des noms anglais comme du chinois et qui sent fort à m'en lever le cœur. Mon père à Saint-André, avec sa p'tite bière, c'était rien à côté de ça. Je n'ai jamais vu du monde boire autant. Hommes d'affaires, John Collins; millionnaires, champagne; députés, Fine Napoléon, ma tête devient si embourbée que je finis par me sentir comme soûl sans avoir rien bu. Ouf!

Dans l'après-midi, quand le club s'est complètement vidé, je fais du ménage dans tous les salons sales et prends mon premier cours de téléphoniste au switchboard.

— Tu dis toujours poliment: « Ici le club Saint-Louis ». Prends garde parce que tu sais

29

jamais qui c'est qui parle. Ça peut être le maire de Montréal, Camilien Houde, ou son Directeur des Finances, Lactance Roberge. Ça peut être le Président de la Banque Canadienne Nationale ou Maurice Duplessis quand il arrive de Québec. Au bout de la ligne tu peux aussi bien avoir le propriétaire des viandes de Canada Packers que le grand boss de Marine Industries. Alors, fais attention...

Dire l'affolement qui me secoue partout n'est pas possible. Trop c'est trop. Et l'oncle Max qui m'arrive en plus pour me faire ses remontrances sur les lavabos pas assez blancs à son goût et me donner toutes sortes d'instructions comme : les horloges à crinquer tous les matins, les abat-jour de lampe à éclaircir, les allées de la salle de bowling à mopper, les livres de la bibliothèque à guetter, et encore bien d'autres affaires que j'écoute comme du latin.

Ma journée finie, je rentre mort dans ma chambre de la rue Sherbrooke et me garroche sur mon lit, l'esprit tout viraillé de club Saint-Louis, club Saint-Louis, club Saint-Louis...

Le lendemain et les lendemains d'après, je continue à apprendre mon ouvrage. Comme un bon. J'apprends aussi le monde, le grand monde d'une ville qui m'est encore toute mystérieuse. Les waiters me parlent des théâtres, des tavernes et des clubs de la rue Sainte-Catherine, des grands magasins à rayons, du Parc Belmont, du carré Viger, du marché Bonsecours, d'une montagne pas loin qui s'appelle le Mont-Royal, des rues Saint-Laurent, de Bullion et Sanguinet où l'on peut voir de ses yeux des vraies putains qui couchent avec n'importe qui pour deux piastres. Ils me parlent enfin du port de Montréal où il y a des bateaux plus gros que des hôtels. L'eau à la bouche, j'écoute tout ça en me disant que je ne vivrai jamais assez vieux pour voir tant de choses.

3

Un samedi soir de congé, Léon le chef waiter m'invite à sortir. C'est la première fois. Je
me mets sur mon trente-six, me peigne comme
il faut et m'arrose le visage de lotion à barbe
même si j'ai rien que trois poils au menton. Il
me trouve de son goût et nous partons, en taxi
ma chère. Ça tricote dans des belles avenues
pleines de lumières et nous voilà sur une rue
où il y a assez de monde et d'enseignes électriques que n'importe qui de Saint-André en de-
viendrait malade.

— C'est elle la rue Sainte-Catherine.

— Oh...

Le taxi s'arrête. Léon paye. On sort et il me
fait entrer dans un endroit sombre dont il ne
m'a même pas parlé. C'est une salle pas trop
grande, on entend de la belle musique, c'est
plein de boucane, plein de monde, rien que des
hommes, et qui prennent des verres de quelque
chose, qui parlent, qui rient et qui font toutes

sortes de manières comme si c'était des femmes costumées en habit. Pas fou, je comprends tout sans faire le surpris. Je dis à Léon à l'oreille:

— C't'une place de fifis, hein?...

— Non, c'est un club d'homosexuels. Tout du bon monde. Tu comprendras plus tard que la société est moins belle que c'que tu peux voir icitte à soir. T'as qu'à regarder les gens du club Saint-Louis... Les riches, les voleurs, les exploiteurs...

Ces mots me rassurent et me voilà en train de boire une bière puis deux bières avec mon Léon qui doit savoir ce qu'il dit, lui qui a quand même fait des études dans une communauté religieuse. Sur un carré de plancher, il y a des couples d'hommes enlacés qui dansent le plain collé. Léon m'explique tout et veut me montrer à faire comme les autres:

— Viens, c'est *Begin the Beguine* avec l'orchestre de Benny Goodman...

Il a la bouche comme avec du miel dedans et les yeux dans le beurre. Moi j'éclate d'un grand rire que toute l'assistance remarque. Ma tête vient de faire un maudit saut en arrière jusqu'à Saint-André-Avellin et je me vois tout à coup, plus jeune, en train de danser la gigue à l'hôtel du village juste en face du violon de mon père. J'entends la Grondeuse...

— J'sais danser mais pas c'te genre-là...

— Tu veux vraiment pas que j't'apprenne?

J'enfile un autre verre pour mieux me sentir. Léon n'insiste pas, me serre tendrement la main et boit du scotch. À un moment donné,

33

je commence à voir du brouillard partout...
Léon me dit qu'il est temps de partir, qu'il habite chez sa mère, pas loin, et qu'il m'emmène
coucher avec lui.

Dans mon brouillard s'allument des étoiles
qui me font rire pour des riens. Une patte en
l'air, l'œil gai comme jamais, je suivrais mon
chef waiter jusqu'au diable vert. Dehors, encore un taxi, Jésus que ça va lui coûter cher,
c'est lui qui a tout payé au club. Et, à travers
mes étoiles, je regarde, pâmé, toutes les couleurs des rues électriques. La vie est belle. Le
char s'arrête. On débarque.

— Faut pas parler en entrant, ma mère
dort...

Du trottoir on monte un grand escalier.
Léon m'ouvre sa porte et j'entre dans le noir
sur la pointe des pieds. Ça sent le vieux... le
renfermé. Il me prend par la taille et m'entraîne jusque dans sa chambre où il fait enfin
de la lumière. C'est attrayant, c'est tout en tapisserie beige et bleue et le lit est recouvert
d'un beau couvre-pied en satin jaune or.

Mon brouillard s'est changé en envie de
dormir. Je bâille comme si je venais de bûcher
trois cordes de bois sans m'arrêter. Assis sur le
bord du lit je niaise, la face contre le mur.
Léon m'offre à boire, on dirait qu'il veut continuer à veiller. Plus de cœur à rien, je me
déshabille et me glisse sous les couvertes
comme si j'étais chez moi.

— Seigneur, te v'là indépendant!...

Le lit tourne. La tapisserie, le plafond tournent. Ma tête avec... Je fais de mon mieux

pour ne pas grouiller et me ferme les yeux deux fois plus qu'il n'en faut. J'entends Léon qui se déshabille à son tour, qui éteint la lumière et vient s'allonger tout contre moi. L'effronté, il est tout nu comme un ver. C'est vrai qu'il est chez sa mère, dans son lit à lui, mais quand même... il y a des limites. En plus de ça qu'il sent la tonne, l'haleine de scotch ça porte au cœur, et qu'il se colle comme si j'étais sa blonde. Il me caresse déjà une épaule et me donne sur la joue, sans ma permission, un long bec tout mouillé. Sa main tremblante se promène sous ma camisole, sous mon caleçon, avec une nervosité comme si elle était malade. Ma tête sort de la chambre et déguerpit loin dans le temps, jusque sur la paillasse de mon lit d'enfant où mon grand-père m'avait fait la même chose. Le cœur me saute, le cœur me manque. Comme malgré elle, ma tête revient à Montréal... dans la chambre où je suis. Léon me force une main pour que je lui caresse la pissette qui est grosse, dure et brûlante pas touchable. Encore sans la moindre permission, il m'embrasse carrément sur la bouche, et avec sa langue sortie en plus de ça. Ma tête repart en flèche pour Saint-André-Avellin. Tout droit sur la montagne du Calvaire où, cinq ans plus tôt, j'avais crossé un bûcheron maniaque accoté sur un gros chêne. Léon fait une culbute sur tout mon corps et me ramène de ma montagne. Il a des respirations de fou, il transpire, cherche à me sucer, me mordre partout entre les jambes... Pour me protéger, je me retourne sur le ventre et là, monsieur, il cherche à me faire quelque chose de grave. Aussi bien le dire tout de suite pour en finir. Il essaye d'entrer un de ses doigts au creux de mes fesses. À ce moment précis, le bon Dieu m'apparaît en coup de vent et me dégrise net. Avec une violence et une force qui sont loin de m'appartenir, je me défais de l'emprise du diable et, de mes deux pieds à la fois, je frappe Léon juste à la bonne place, au bas de son corps en délire. Le voilà qui prend une débarque au pied du lit en hurlant comme un cochon que l'on tue, lui qui m'avait si bien prévenu de ne pas faire de bruit pour ne pas réveiller sa mère...

Dans le temps de le dire, je suis tout rhabillé et me sauve de la chambre en courant, avec ma peur et ma panique. Dans la rue, c'est la pleine nuit, je flaille un taxi pour la paix de ma chambre à moi.

Rue Sherbrooke, dans ma chaleur, dans mon lit, je m'endors en pensant que c'est demain jour de congé, que j'irai à la messe à Saint-Louis-de-France, que je mangerai un spaghetti, tout seul, quelque part sur la rue Ontario, et que je flânerai dans les rues, même si c'est plate, Montréal, les dimanches d'automne quand tous les trottoirs sont vides.

4

Au club Saint-Louis, la vie ne met pas de temps à se remettre en marche et Léon me boude, humilié, offensé. Je m'en sacre de tout mon cœur et m'applique avant tout aux exigences de mon travail.

L'oncle Max est fier de moi et veut me le prouver un soir en m'invitant à aller veiller chez lui pour me montrer ses beaux appartements. Comme je m'aperçois que lui aussi a du miel qui lui sort de la bouche, je lui réponds un vrai non, net fret sec, comme si j'étais à la campagne en face d'un habitant pas gênant.

— Grimpe pas dans les tentures!... Ce sera pour une autre fois...

Avant tout, je l'ai dit, ce qui compte c'est mon travail. Dans mes heures calmes, quand j'ai fait mon temps de switchboard et bien torché toilettes et lavabos; quand il n'y a pas trop de congrès, ni noces ni bals, qui laissent toujours du vomi un peu partout — dans ce monde-là, on a beau être millionnaire et s'appeler le Directeur Général du Trust Royal ou être la femme d'un député, on vomit pareil quand on est soûl — dans mes heures tranquilles donc, je m'occupe de la bibliothèque avec une joie jamais sentie et qui me fait le plus grand bien. Aux murs, pleins de rayons de livres à dos rouge, j'ouvre au hasard des portes vitrées et fais semblant de faire de l'ordre, mais c'est rien que pour regarder les auteurs et les titres, toujours écrits en lettrage doré. Alphonse Daudet, *Lettres de mon moulin.* Anatole France, *Les dieux ont soif.* Émile Zola, Alexandre Dumas, Honoré de Balzac... des noms dont je n'ai jamais entendu parler nulle part. Je lis encore: Stendhal, *Le Rouge et le Noir...* je tire le livre de sa tablette et commence à lire dedans. C'est la première fois de ma vie que, sans obligation de ma part, j'ouvre un vrai livre. Je remets vitement Stendhal à sa place car quelqu'un vient d'entrer en appelant d'une voix râleuse. Sortant de ma bibliothèque, je me trouve face à face avec un gros homme vêtu d'un capot de poil, ceinture rouge par-dessus, et tuque de laine sur la tête même si on n'est rien qu'en novembre.

— Garçon, apportez-moi un rhum blanc Captain Morgan double sans-glace avec de l'eau.

Pendant qu'il s'installe au salon des hommes en toussant comme s'il était consomption, je le reluque de tous les côtés et grimpe l'escalier pour avertir le barman qui me parle déjà avant que j'arrive:

— C'est l'major Cayer... J'l'entends s'époumoner d'icitte... C'est son heure.

— Y est habillé en capot d'chat...

— Un énergumène... Toujours tout seul comme un sauvage.

— On dirait pas d'un membre du club...

— Non... un artiste manqué, un philanthrope...

— Philan quoi?

— Philanthrope. Biberon. Millionnaire. Propriétaire d'un grand journal. Manoir à l'Île Perrot... Y a fait la première Grande Guerre pis on dirait qu'ça y a monté que'que part. Y veut son rhum blanc double, j'suppose?

— C't'en plein ça.

En me montrant la face au salon, le major Cayer m'attrape solidement.

— Mets ça là. Verse-moi de l'eau. Pas trop. Encore.

— Oui, major...

— T'es nouveau ici? Tu viens d'où?

— De Saint-André-Avellin...

— Je connais ce coin-là, je viens d'acheter la villa Papineau au Lac-des-Plages.

Il vide la moitié de son verre d'une seule gorgée.

— Tu te plais ici?

— Pas trop pire...

Fixant une peinture au mur, il tombe dans une sorte de rêve tout en continuant à parler.

— Aimes-tu la peinture?

— Oui, j'ai déjà fait des dessins... surtout avant d'venir en ville...

— Rapporte-moi la même chose.

Je regrimpe au bar et reviens à la course.

— Regarde bien toutes ces peintures... nous avons des chefs-d'œuvre ici au club. Roberts, Morrice, Ozias Leduc, Clarence Gagnon... des grands noms, des âmes fortes, des élus...

Au quatrième rhum double, mon major commence à m'amuser pour vrai en même temps qu'il n'arrête pas de m'intriguer. Il tousse, bave et se mouche dans un grand mouchoir carreauté rouge. Sa voix est de plus en plus rauque, des fois forte comme un vrai militaire, des fois douce comme un mouton. Ses yeux se mouillent lorsqu'il m'entretient de choses étranges comme l'armée, la guerre 14-18, le récent raid de Dieppe, l'art, la musique, les femmes, la religion, l'amour, la fortune: mille questions qui me mélangent comme si c'était moi qui buvais le rhum.

— La même chose.

Quand je reviens le servir, je vois bien qu'il est soûl comme une botte et qu'il déparle en récitant:

— *Voici des fruits et des branches, et mon cœur qui ne bat que pour vous... Ne le déchirez pas avec vos mains blanches, et qu'à vos yeux l'humble présent soit doux...*

Ça y est, il délire comme papa autrefois quand il rentrait tard de l'hôtel. J'ai toujours été impressionné de voir un homme chanter et pleurer en même temps. Je me demande bien ce que mon major peut avoir de caché au fond de l'âme... Pendant que j'essaye de répondre à ma question, son chauffeur privé entre et s'occupe de lui comme d'un enfant.

Quand ils sont sortis, je fais de l'ordre au salon, la tête pleine de curiosités.

Le temps coule. Je travaille comme un nègre. Au club, j'ai peu ou pas d'amis. Ou bien les waiters sont trop vieux ou bien ils sont comme Léon. Autant dire que je me sens pas mal tout seul dans mon coin. Un jour, Max, belles dents en or comme toujours, décide de me parler amicalement :

— T'as l'air fatigué... tu devrais sortir un peu plus pour te distraire...

— Pas d'courage pour ça... Mes journées finies, j'rentre à ma chambre, j'lis pis j'dors.

— Aimerais-tu ça qu'on engage un autre bell-boy pour t'aider ?

Fou de joie, je lâche un gros oui.

— Connaîtrais-tu quelqu'un ?

Un éclair me passe en dedans et je pense à Rhéo, mon frère cadet. Je n'ai pas aussitôt prononcé son nom que le gérant, gentil comme jamais, se montre d'accord sans la moindre réticence :

— On va laisser passer l'temps des Fêtes, il pourra commencer tout d'suite après.

— C'est parfait... j'descends à Saint-André pour mon congé d'Noël pis j'reviens avec...

Une espèce de coup de tonnerre vient nous couper la parole. Léon s'amène tout énervé :

— Max, c'est trop, on va devenir fous !

Il enchaîne comme une vieille pie :

— Le Président vient d'annoncer une réunion de tous les membres dans la grande salle à manger avec Monseigneur Charbonneau comme invité d'honneur. Du même coup, il a dit qu'il y aura bientôt trois noces, sans réservation, pour accommoder des amis intimes, et, comme si c'était pas assez, il a lancé la nouvelle que l'club fera en janvier une grosse réception pour la chanteuse Lily Pons...

Max part en flèche, je vole dans un escalier, le diable est aux vaches et le barman s'arrache les derniers cheveux qu'il a sur la tête. Au club Saint-Louis, quand le feu est dans l'air, le temps passe plus vite. Mon congé de Noël m'arrive déjà comme par surprise. Tellement que j'ai à peine le temps de faire un peu de magasinage dans un quinze-cennes, de m'acheter une paire de claques neuves et me voilà, un matin, embarqué dans le tramway Bleury qui m'emmène direct à la gare Jean-Talon prendre le train pour Saint-André.

5

Une vacance courte, mais qui m'a valu ce qu'on appelle une pinte de bon sang. Messe de minuit, réveillon, cadeaux, famille en fête, chansons, vin de blé, musique, cœurs contents, et mon frère Rhéo, heureux à en brailler que je le ramène avec moi travailler en ville. Dans l'intimité, Marcel et moi on a piqué une jasette qui en a dit long sur notre ennui l'un de l'autre. Il m'a parlé de sa vie d'apprenti électricien à Lachute; je lui ai tout dit de mes découvertes et de mes ambitions à Montréal: « Icitte, j'me sentais inutile, niaiseux; là-bas j'ai décidé d'm'instruire et d'racheter ben des affaires... »

Un congé de Noël, c'est toujours trop court. Au moment de mon départ avec Rhéo, maman a eu gros de larmes aux yeux. Pour elle, comment s'habituer à ce maudit snowmobile qui emmène ses enfants les uns après les autres au train de Papineauville?

— Bonté divine... Y nous reste quasiment p'us personne à la maison...

Papa, lui, s'est aidé d'une couple de verres de bière pour nous saluer avec bonne humeur:

— Écrivez les gars... ça va nous désennuyer...

La ville. C'est maintenant au tour de Rhéo de me suivre comme un chien de poche. Exactement comme j'avais fait avec mon chum Benoît quand j'étais arrivé à Montréal. Le train, la gare Windsor, le carré Dominion, les tramways, les rues toutes décorées de néons, les parcs, les hôpitaux, les théâtres, je peux tout lui nommer sans me tromper. Il s'épate, se pâme, trouve tout beau. Rue Sherbrooke, je l'emmène à ma chambre, qu'il partagera avec moi jusqu'à tant qu'il soit tanné et qu'il s'en prenne une pour lui tout seul. Chaque chose en son temps...

Au club Saint-Louis, je le présente à Max, il passe à l'essayage de son petit costume gris fer aux basques rouge vin et le tour est joué: il n'a déjà plus l'air d'un gars de la campagne et commencera à travailler «demain matin, en ville pas d'lambinage», lui dit le gérant en lui montrant ses dents en or.

Du switchboard aux chambres de toilette, de la bibliothèque à la salle de bowling, des salons des hommes à ceux des dames, je fais passer mon nouvel aide en lui expliquant tout dans les moindres détails: «Icitte on essuie avec un linge sec, là on lave à grande eau; icitte on frotte avec un nettoyeur spécial, là on éclaircit les vitres... » Je lui parle des membres qu'il aura à servir : des capricieux, des smattes ; des peignes, des bloods ; des soûlons, des tempérants ; des durs à cuire et des catiches. Je n'oublie surtout pas de lui faire le portrait de mon major Cayer, l'original, qui vient de temps en temps enfiler sept ou huit rhums blancs doubles en râlant et toussant... mais qui donne des tips comme pas un.

Rhéo apprend bien. J'avoue même qu'il a plus le tour que moi de parler au monde. Pas gêné pour deux cennes, il se fait ami avec les waiters, tapettes pas tapettes, beaucoup plus facilement que moi. Vif, intelligent, serviable, il ne se fait jamais tirer l'oreille pour s'occuper des clients paquetés, des malcommodes, des malendurants. Nous sommes deux frères, ça paraît, et les gens nous prennent facilement en affection. Les soirs de bal ou de grande réception, on nous gâte beaucoup : nous regagnons toujours notre chambre, raqués morts, mais les poches bourrées d'argent.

À travers cette vie, pas si belle qu'elle en a l'air, une drôle d'image commence à germer au fond de mes idées. C'est quelque chose de plutôt gris... et qui sent l'ennui. Je m'aperçois que cette existence-là ne peut me contenter longtemps. Toujours travailler, et rien que ça ; toujours torcher le grand monde du club, et rien que ça, me crée par en dedans une sorte de tourment que je suis loin de trouver drôle. Je gagne des sous et m'habille bien, Rhéo aussi, mais, pour moi, il y a dans ma tête un trou qui se creuse et qui commence à me faire mal. Cherchant à me comprendre, je fais mille réflexions sur les livres que je lis, la blonde que je n'ai pas, la nature de Saint-André qui n'arrête pas de me manquer... Le soir, dans mon lit, je pense sérieusement à toutes ces choses et je tricherais en prétendant que je m'endors le cœur léger.

Une fin de semaine, pour me changer les idées, je décide de sortir de la ville et m'en aller à Terrebonne en autobus me promener chez mon cousin Jean-Marie qui joue du violon comme un diable et dont le tempérament est si gai qu'il n'arrête pas de chanter. Ce sera aussi une manière de me retremper dans mon monde, de faire de la musique et d'avoir du fonne comme si Marcel était là.

En m'apercevant dans sa porte, Jean-Marie me saute au cou et court à son téléphone pour inviter des amis:

— Câline!... moé qu'avais tant l'goût d'une p'tite veillée...

— L'samedi soir, on aime ça fêter, ajoute en riant sa femme Emma.

Jean-Marie ne perd pas de temps et prend aussitôt le bord de la rue «chercher une grosse caisse de Molson pis deux quarante-onces de vin Saint-Georges», qu'il dit, l'eau à la bouche. Deux minutes après, il revient en coup de vent et me sert déjà à boire. Les amis arrivent. Parmi eux, une petite noire que la femme de

Jean-Marie me présente: « C'est Ange-Aimée...
elle va t'accompagner. »

À Terrebonne, le fonne commence de
bonne heure. Comme si c'était une noce,
Jean-Marie a déjà sorti violon et guitare et
s'amène au salon en faisant son step. Il part un
reel, aussi beau que ceux de papa... Je l'accompagne. J'en joue un à mon tour et il m'accompagne aussi. On claque des pieds comme
des bons, les femmes rient, tout le monde finit
par chanter. Je bois du Saint-Georges à pleins
verres, un vrai major Cayer, et Ange-Aimée,
visage boutonneux, l'air canaille, en prend autant que moi et ne me lâche pas d'un pouce.

Dans une veillée pareille, ce qui doit arriver
arrive toujours; au beau milieu de la nuit, plus
rien à boire, la gang se disperse à quatre pattes. Les amis d'un bord, Jean-Marie et sa
femme dans leur chambre, la petite noire et
moi dans une autre chambre où tout est mêlé
du plancher jusqu'au plafond.

Depuis que je suis un homme, c'est la
première fois que je couche avec une fille. Je
n'ai rien demandé, elle est avec moi, collée
comme une teigne, un point c'est tout. Elle a
l'air d'avoir de l'expérience, moi pas une
graine. Sous les couvertes, elle est déshabillée de
la taille aux talons, tandis que je n'ai même pas
pensé d'enlever mes culottes ni mes bas. Niaiseux... Faut dire que je suis plus que chaudasse
et que mes idées ne sont pas démêlables. J'ai
même de la misère à savoir quand exactement
je dois ouvrir ma braguette pour essayer de
faire la chose qui m'attire le plus au monde.

Elle, Ange-Aimée, au lieu de m'aider, de me montrer le chemin, passe son temps à me taquiner et à ricaner jusqu'à ce que mes zigonnages idiots finissent par se perdre loin loin derrière les vapeurs du vin Saint-Georges. Brusquement, c'est le sommeil qui a raison de nous...

Le lendemain, c'est le mal de bloc, les bromos, les cafés, les mots caducs, les remords... Aussi l'envie d'aller à confesse. Dans l'autobus qui me ramène à Montréal, je me demande bien si Terrebonne est la meilleure place pour me désennuyer.

En remettant les pieds au club, maladie, allergie, le trou de ma tête recommence à se creuser. Je fais ce que je dois faire: chercher coûte que coûte à m'en sortir. Un dimanche matin, je me rends à la messe de sept heures dans un cloître, rue Sherbrooke, à deux minutes de ma chambre. La chapelle est grande comme ma main et pleine d'odeurs saintes et de silence. C'est là que me vient enfin une inspiration: je vais me lancer dans les études. Dans mes temps libres, je ferai mon cours commercial... Tête penchée, priant comme si j'étais en retraite fermée, je concentre mon esprit sur un projet qui me donnera de l'avancement... qui me grandira. C'est comme une lumière gratuite qui m'arrive de Dieu en personne. Je me répète: Après tout, j'ai rien à perdre... bell-boy c'est pas une vie... Le major Cayer me l'a presque dit la dernière fois qu'y

48

est venu. Et pis, j'suis pas fou, au club même j'aurais des chances de m'placer dans l'bureau comme commis, une fois mon cours terminé. C'est l'comptable lui-même, monsieur Larivière, qui me l'a laissé entendre l'autre jour en me disant : « J'pense à toi... avant longtemps j'aurai besoin d'aide. » Comme c'est un homme blême, gêné, et qui parle à personne, j'imagine que l'peu qu'y dit doit vouloir dire quelque chose...

Dès le lendemain, me voilà déjà en train de fouiller dans les pages jaunes du gros livre de téléphone. Je m'arrête sur l'annonce « Outremont Business College ». J'appelle. Prends rendez-vous. C'est sur la rue Bleury, tout près. La lumière divine m'arrive encore gratuitement et je l'apprécie en maudit.

Le soleil a juste le temps de passer trois fois au sud de ma chambre que je suis inscrit et admis en bonne et due forme à mon Business College où j'irai m'instruire. Et en anglais s'il vous plaît. Cours de sténo, de dactylo, de conversation et de comptabilité. Tout y est. Même si ça me coûte les yeux de la tête, en un an j'aurai fait un saut terrible pour grimper dans l'échelle sociale et « me tailler une place au soleil », une belle phrase que je viens de lire dans un livre et qui me remonte comme un cadran. Je sens bien que la vie aura plus d'allure si je m'accroche à quelque chose.

Tout nouveau tout beau, j'étudie déjà... et ma chambre se bourre tranquillement de livres comme si j'étais un vrai étudiant d'université.

Toutes mes heures libres y passent: je vais au collège le soir et prépare mes travaux comme je peux, la nuit, le dimanche, même au club... en cachette. Monsieur Larivière, le comptable, me fait encore plus de promesses que de coutume. Tout va pour le mieux... et le trou de ma tête s'est comme rempli d'un seul coup. Rhéo m'encourage et le major Cayer, qui m'a entrepris comme si j'étais son fils, me fait remarquer que je devrais aussi continuer à faire des poèmes et des dessins comme j'en faisais à Saint-André.

— Oui, oui... donnez-moé une chance. Je bûche sans relâche... Un jour, vous verrez.

Sur ces entrefaites, chanceux que je suis, une blonde me tombe du ciel. Une rencontre, comme ça, en plein dimanche, au moment d'une promenade dans le nord de la ville chez mon oncle Josaphat. Des cousins, des cousines sont là. Il y a aussi des amis à eux. Elle est assise parmi la gang, jolie, souriante, séduisante, des beaux cheveux brun-roux et l'œil pogné dans le mien et qui ne veut pas s'en décoller. Quelqu'un m'apporte une guitare... je l'accorde, on se met à chanter. Le feu est pris, on boit du Pepsi à pleines bouteilles.

Elle s'appelle Georgette, elle vient de Saint-Lin. Travaille à l'usine de munitions de Saint-Paul-l'Ermite, chambre dans l'est de la ville, et je lui prends la main avec émotion. M'approchant d'elle, même si je trouve qu'il y a dans ses cheveux comme une senteur de boucane de cartouches, j'ai l'âme qui fait la culbute et ça me rend tout mal.

Le soir, quand je rentre tout seul retrouver mes livres de cours commercial, mon chavirement est si terrible que je manque de place pour mon travail d'anglais. Subitement, je trouve ma vie si chargée qu'elle m'apparaît comme une rivière qui déborde au printemps.

Club Saint-Louis, club de sueur au front et de fatigue dans les jambes. Club de fifis, de boisson, de beau monde qui se fait servir comme si j'étais venu de la campagne rien que pour lui torcher le cul. L'argent que je fais ne me sert qu'à m'habiller, payer ma chambre, mes cours... Heureusement qu'une fois par semaine, je me dételle de tout pour aller rencontrer ma belle Georgette qui est aussi pâmée sur moi que je le suis sur elle. Un dimanche, je lui fais une surprise... J'emporte avec moi une guitare que je viens de m'acheter sur la rue Craig... rien que pour elle. En m'en allant la voir, dans mon tramway Ontario, je sors tout bonnement mon instrument de sa boîte, moi pourtant si gêné et si timide, et me mets à jouer et à chanter des complaintes du soldat Lebrun comme si j'étais tout seul dans ma chambre. Je ne me comprends plus. Le monde me regarde comme un oiseau rare. Le conducteur, un vieux, a la larme à l'œil. Comme quoi l'amour est bien capable de tout...

— Allô, chérie!... Tiens regarde... j'ai une belle guitare neuve.

Je trouve Georgette de plus en plus jolie, de plus en plus fine. Avec ça, la bonté même.

Nos rencontres sont toujours plus qu'agréables. Ou bien je l'emmène voir la vue *Le Bonheur* avec Charles Boyer au théâtre Saint-Denis, ou bien on reste à sa chambre à chanter, faire du chesterfield, se caresser, se donner des baisers qui sont des fois si prolongés que ça nous brûle partout.

— Ça va ben tes cours?

— Oui... et rien au monde pourra m'en déranger.

Georgette comprend ce que je veux dire et tâche de prendre le moins de place possible.

À force de courage, d'entêtement, une vraie mule, j'arrive à abattre tant de besogne que je me mets à rire tout seul du temps où, enfant, je faisais avec Marcel de l'effardochage dans les bois de Saint-André... Dans ce temps-là, c'est avec une petite hache de rien du tout que je travaillais; aujourd'hui, c'est avec mes mains sur une machine à écrire, avec ma plume dans un ledger, avec ma tête. « The accounts receivable statements should be mailed to our clients on the first day of each month... » Dire comment j'aime ça n'est pas possible. Mon Business College m'apparaît comme une bénédiction. Je peux taper sans faute, et tout en anglais, des longues lettres d'affaires comme si c'était pour vrai. Je peux converser et faire une tenue de livres comme un étudiant de Westmount. Tout mon avenir se trace devant moi et je le regarde avec des yeux grands à n'en plus finir.

Georgette, mon amour, est subitement devenue toute malheureuse. On ne peut plus se voir comme elle le voudrait. Tannée de l'ouvrage à son usine de munitions, elle pense déjà à des choses comme le mariage. Moi, c'est plus que le contraire. J'ai encore trop de choses à apprendre et à prouver. Un dimanche soir, dans ma chambre, elle a le visage écrasé dans mon cou, mes livres m'attendent sur une petite table à côté du sofa, je ramasse mon courage et lui dis avec un aplomb tremblant que c'est fini entre nous, qu'il faut casser, que je n'ai plus de temps pour l'amour...

— Pourtant j't'aime...

— J'suis prête à t'attendre un an, deux ans s'il le faut...

Moment toffe, presque insupportable. La larme à l'œil, elle s'habille aussitôt, me donne un bec en sanglotant et, comme un oiseau malade, sort si doucement que je m'en aperçois quasiment pas.

Moi un dur? Jamais dans cent ans. Georgette partie, je m'allonge en travers de mon lit, l'air bête, les yeux plus loin que le vide du plafond et un gros motton pris dans la gorge. Ah, l'amour!... Ah, Montréal!... Ma blonde si fine, mes études si pressantes... Et ce sacré Saint-André-Avellin encore si souvent achalant tout au fond de mon cœur.

Je vais de temps en temps au port voir les bateaux qui partent... Ou au Mont-Royal me

53

guérir l'âme en me collant contre les arbres. Un beau jour, c'est ma victoire. Ma peine s'en va comme par enchantement. Au Business College, je passe tous les examens de fin d'année et cela me vaut le premier diplôme de ma vie. Un vrai beau. Tout en lettres gothiques, qu'ils me disent. Je l'embrasse comme une relique et cours le montrer au comptable du club qui n'attendait que ça pour me faire transférer dans son bureau. En un clin d'œil, nouvel habit, nouveau salaire, nouvelle vie. Fini le torchage des riches et des salons crottés. Maintenant, je commence à neuf heures et finis à cinq heures. Un vrai petit gentleman, tranquille, toujours propre et bien peigné. Je tire du grand et me mets à fumer régulièrement des cigarettes rien que pour me donner un air important. Monsieur Larivière a beau ne pas me parler à journée longue, je vois quand même à son air qu'il est content de mon travail appliqué. Lettres au dactylo, factures additionnées à la machine, entrées dans le grand livre de comptabilité avec ma plus belle main d'écriture, tout se fait avec perfection et dans un silence comme si chaque jour était un dimanche.

D'où peut bien me venir ce besoin effrayant de bonne conduite et cette docilité angélique? Est-ce l'exemple de monsieur Larivière qui se tient comme une carte de mode ou est-ce par crainte de déplaire et d'être chicané? Des fois je pense que j'ai besoin de me montrer plus fin qu'un autre; des fois il me semble que la propreté et la sainteté sont nécessaires pour bien effacer de mon esprit toutes les misères de mon enfance alors que j'étais atriqué comme la chienne à Jacques. On dirait qu'une sorte de main invisible m'indique une voie irréprochable à suivre... coûte que coûte. On dirait que toute faute m'est interdite. Je ne pense presque pas à m'amuser, à sortir, encore moins à me dévergonder... j'en aurais honte. J'aime mieux veiller seul et lire *Les Méditations poétiques* de Lamartine, même si ça me fait un peu bâiller. Quand je vais au restaurant, je mets des sous dans la machine à disques et j'écoute, les yeux dans le vague, *Stardust, In the Mood* et autres choses que je comprends mal. Quand je monte au théâtre Château, c'est pour m'asseoir dans le noir et regarder un beau spectacle de sketches, de chansons, avec des vrais artistes accompagnés par un grand orchestre dirigé par un nommé Maurice Meerte. À part de ça, quoi faire? Aller fleureter des filles au parc Lafontaine en mangeant des sacs de chips?... Niaiser, faire des folleries?... J'ai beau chercher et ne trouve rien de drôle, ni dans les salles de danse, ni dans les gangs, ni dans la boucane des clubs de nuit. Alors, je rêve à d'autres mondes. Je suis fait de même...

Au club, quand le major Cayer a appris que j'étais rendu commis de bureau, il m'a fait descendre dans la bibliothèque, où il buvait son rhum en toussant comme toujours, pour me dire que je m'étais mal orienté, que ma place n'était pas là, que j'étais trop intelligent pour ça, que je devrais plutôt penser aux choses de l'art et essayer de prendre des cours de peinture vu que j'avais déjà fait du dessin...

— Mon pauvre Jean-Paul, tu es artiste dans l'âme et trop bête pour t'en rendre compte.

— Moé artiste?

— Tout est écrit dans tes yeux...

Il me sort un sermon à tout casser, tant et si bien qu'il réussit en quelques minutes à mettre la hache dans tout mon cours commercial et à faire de mon travail de bureau un beau paquet de marde. Je m'en retrouve tout à l'envers, tremblant et incapable de fermer l'œil pendant trois nuits d'affilée. Une autre affaire rien que bonne pour me remaudire un autre beau trou dans la tête, moi qui l'avais si bien fait disparaître avec mon Business College. Doux Jésus, ayez pitié de moi!...

Le temps ne met pas de temps à prouver que le major avait pas mal raison. Le bureau me pue déjà au nez. La petite routine m'écrase. Me blêmit partout. Monsieur Larivière, toujours tiré à quatre épingles, et même plus, m'ennuie comme une statue de plâtre. Ma chambre se fait déprimante et la ville baisse dans mon estime à vue d'œil. Quoi devenir? Dans un moment pareil, je fais ce que j'ai toujours fait: mains jointes, je me sacre à genoux au bord de mon lit et j'implore la Sagesse Divine avec toute la foi et l'abandon que je peux. Mes prières ressemblent à celles que papa faisait, la nuit, toutes lumières éteintes, quand il demandait que Dieu le guérisse de son goût de boisson et lui montre le droit chemin. Pensant à lui, ça me donne justement l'idée de lui écrire longuement. Une lettre des plus importantes. Lui seul peut m'aider à me refaire une existence plus à mon goût...

6

— Simonac! me chante papa, quand j'ai compris qu'tu voulais t'en r'venir, j'ai pas perdu d'temps pis j't'ai trouvé ça en criant ciseau.

— Ç'a pas traîné...

— Tu vas être ben au magasin d'la vieille Clément... Des gages pas trop pires...

— A vous a-tu dit qu'a m'ferait travailler dans son bureau?

— Ben certain! A sait toute pour ton cours pis ton instruction...

Je viens de faire un saut terrible. Le major Cayer m'a parlé avec tant de force, les militaires ont le tour, qu'il m'a tout reviré de bord. Pas longtemps après, un matin d'avril, j'ai lâché le club, bigne bagne! comme si j'avais tiré un coup de fusil. Départ le front haut, sans hésitation, ni larmes ni remords, et go pour Saint-André. Adieu les waiters lèche-culs, salut mon frère Rhéo et bonne chance pour ton avenir à Montréal. Moi je retourne là-bas où c'est tranquille, où m'attend la paix. J'ai écrit à papa, il m'aidera à me placer au village dans un magasin général et je ferai une vie douce à portée du grand air et des rivières. À même la nature. J'en ai un maudit grand besoin.

À la maison, il ne reste que Mado et Pierrette, les deux plus jeunes. Toutes les autres filles sont en dehors et travaillent à Lachute, à Brownsburg, dans des manufactures ou comme bonnes dans des maisons privées. Marcel tient toujours le coup comme apprenti électricien. Un jour il reviendra dans la place s'installer à son compte, qu'il a dit. Ça m'encourage.

Papa continue son métier de barbier qui le fait sacrer depuis des années. Il garde encore une vache et des poules, élève un cochon pour le lard, s'est acheté plusieurs chiens, des lapins, des siffleux, des souris blanches, toujours pour maquignonner. Parle encore de jardinage et de bois de chauffage comme autrefois. Il aura bientôt une agence de dynamite car, dit-il, la grande guerre est loin d'être finie et les années s'annoncent dures. À l'hôtel il va encore prendre sa bouteille... et je sens bien sans effort qu'il a toutes les misères du monde à se débarrasser de son mal.

Quant à maman, sa vie n'a pas changé d'un pouce. Elle fait toujours la cuisine, lavage et barda avec sa même patience d'ange. Elle s'ennuie de ses filles et ne pense qu'au beau temps qui s'en vient, à ses couches chaudes, à ses plates-bandes de pivoines et aux belles fins de semaine d'été qui lui amèneront de la visite.

— Chu contente que tu sois r'venu avec nous autres... Ça va tout d'ben faire du bien à ton pére...

Enfin. Je commence à travailler au magasin général de la vieille Clément, une barbue marabout, forte en gueule, éternelle rouleuse au bec et longs cheveux toujours cotonnés. Elle a mauvaise haleine, mais, au fond, un bon cœur. Elle m'accueille sans me faire d'affront. Pour un gars qui revient de la ville avec un beau cours commercial tout en anglais, je peux marcher le dos droit et elle le sait bien.

— Moé c'qui m'intéresse c'est l'travail de bureau... Au club Saint-Louis à Montréal, j'étais...

— Oui j'sais ça, ton pére m'a toute conté. Seulement, mon bureau est tout à l'envers, faut qu't'attendes que j'fasse du ménage. Pour les premiers temps, tu m'aideras à servir au comptoir...

En partant, je n'aime pas trop ça. J'en ressens même un petit pincement désagréable. L'idée de travailler au comptoir comme simple commis, devant tout le monde, me fait sursauter. Ça me fait comme reculer carré cinq ans en arrière... Et puis, pour parler franchement, ça m'humilie. Moi, en ville, ce n'est pas pour rien que j'ai voulu m'instruire...

— J'voudras 5 livres de fleur de sarrasin pis 3 barres de savon du pays.

— Oui monsieur.

Non, ce n'est pas ça que je voulais… J'espère qu'elle ne mettra pas trop de temps à mettre son bureau en ordre. Elle a une belle machine à écrire…

— Pésez-moé donc un peu d'blanc d'plomb pis une bonne poignée d'clous à tête de 3 pouces.

— Oui monsieur.

Dire qu'à Montréal je travaillais en chemise blanche et que monsieur Larivière parlait encore mieux qu'un professeur d'école. Qu'est-ce qu'ils vont dire les gens de la place?… Une chance que ça ne durera pas longtemps comme ça…

— Tiens… si c'est pas l'p'tit Filion!

— Bonjour…

— Y m'sembla qu't'avas une belle djobbe à Montréal toé?…

— Ben oui… mais, chu r'venu. J'aimais pas la ville trop trop… Mam'zelle Clément m'a engagé comme commis d'bureau… En attendant qu'on fasse le ménage dans les paperasses, j'aide un peu icitte au comptoir…

— Tu fas ben, tu fas ben. Passe-moé donc une bouteille de liniment Ménard.

— Oui monsieur.

Au magasin, tranquillement, j'apprends. J'apprends à faire l'affaire. J'apprends à me forcer pour aimer ça, au moins un tout petit peu. À la maison, la vie est paisible. Très paisible. Ça me surprend, parce que même si j'ai fortement désiré revenir ici pour retrouver la paix, je ne me rappelais plus que c'était aussi paisible que ça...

Dans le village, tout me paraît changé. Je ne reconnais plus personne. Je sors souvent marcher mais mon Dieu que je me sens seul de ma gang!... Heureusement que mon frère Marcel reviendra un jour. Je me ferai peut-être électricien avec lui, s'il veut me montrer le métier. Nous ferons de la musique ensemble... comme avant. Ça égayera la vie...

Quoi faire en attendant? Sans me creuser la tête le moindrement, j'ai tout de suite une idée... un goût. Après mon ouvrage au magasin, il fait clair tard, on est en mai, je vais aller faire des tours dans la nature, jusqu'aux chutes à Marcotte, et je vais faire du dessin... des paysages. Juste pour m'amuser. Je me dis qu'il faut quand même que j'occupe mes temps creux à quelque chose...

Aussitôt pensé, aussitôt fait. À chaque coucher de soleil, je pars avec des crayons et ma tablette de papier blanc et m'en vais loin faire des images de tout ce qui me plaît à l'œil. Les dimanches, je m'emporte un lunch pour rester loin le plus longtemps possible. Je dessine la montagne du Calvaire. Une grange d'habitant. La silhouette du village avec son clocher. Des fois, au lieu de dessiner, je me contente d'écrire sur mes feuilles blanches des manières de poésies... Des fois je rêve assez fort que je n'ai pas le temps de rien faire pantoute.

En pleine nature ma solitude est peut-être plus grande mais je la trouve plus belle. Elle me donne des ennuis. Des ennuis de ma Georgette à Montréal... Je pense à ses yeux, à toutes nos longues caresses sur le chesterfield... Ça me flanque des envies de faire le péché d'impureté, dret-là, tout seul, le long d'une clôture de perches... Mais non, j'ai toujours ma tabarnouche de conscience qui me guette pour me barrer la route...

Chaque fois que je rentre à la maison, papa s'inquiète de mon comportement:

— T'as pas touché à ton violon depuis qu't'es r'venu... C'est d'valeur, tu jouais ben avant d'aller à Montréal...

Au fond, il dit ça rien que pour m'étriver car il est très orgueilleux de mes dessins qu'il montre à tous les clients qui viennent sur sa chaise de barbier.

— Ça s'rait encore plus beau s'y les faisait en couleur... Pourtant, c'pas parce qu'y est pas capable...

Je ne réponds rien à rien tellement je n'ai que le goût de faire ce que je veux. Il y a bien assez de la vieille Clément qui commence à me tomber sur les nerfs avec sa rouleuse au bec, sa mauvaise haleine et son bureau plus à l'envers que jamais.

Un samedi soir, en plein été, la shoppe est pleine à craquer, papa me lâche un cri:

— Jean-Paul, y a un homme icitte qui veut t'voir.

J'accours... et là, j'ai une surprise capable de me faire faire une vraie syncope: j'aperçois dans la porte, habillé avec un imperméable kaki, képi sur la tête, le major Cayer. Oui, lui-même en personne. Jamais de ma vie je n'ai vu le bon Dieu à moitié soûl et costumé comme pour une mascarade, mais il est là, en plein devant moi, et qui me fait un grand sourire baveux qui me paralyse plus raide qu'un piquet.

— Salut mon Jean-Paul!... Je redescends du Lac-des-Plages et file à l'Île Perrot... Je voulais seulement te dire bonjour en passant.

— Major!

Autour de moi je sens tous les yeux de Saint-André qui nous regardent. Papa s'approche d'un pas fier. Je m'avance:

— P'pa... j'vous présente le major Cayer... C'est lui l'membre du club Saint-Louis dont j'vous parlais...

— Enchanté d'vous connaître.

— Ah c'est vous le père de mon p'tit artiste!...

M'écrasant l'épaule de sa grosse main, le major se met à tousser et à s'étouffer comme pour me rappeler le temps où je lui servais son rhum Captain Morgan.

Papa ne perd pas sa chance et l'entraîne déjà par le bras jusqu'au milieu de sa shoppe pour lui montrer mes dessins sur les murs:

— R'gardez-moé ça ces paysages-là... C'est lui qui fait toute ça, à la main...

Subitement, le major cesse de râler. Il s'avance et promène ses yeux rouges sur ce qui semble le fasciner plus que tout au monde. C'est la première fois que je sens que le silence peut faire assez mal pour en mourir. Mon bon Dieu costumé tourne enfin les talons et se dirige déjà vers la porte...

— Monsieur Filion, votre garçon a un grand talent...

Avant de sortir, il me parle gravement:

— Au club, j'ai tout su sur ton retour dans ton village, sur tes peurs, tes faiblesses d'enfant d'école...

Rougissant comme un coq, je penche la tête, espérant de toutes mes forces qu'au moins il n'ait rien appris au sujet du magasin général... D'un coup de pouce, presque brutal, il me relève le menton et tout le visage avec:

— Continue à travailler... un jour tu auras de mes nouvelles...

Tout à coup, il se redresse d'au moins un pied, fait claquer ses deux talons, me fait un salut militaire encore plus impressionnant que celui d'un général et sort en flèche pour monter dans un jeep qui l'attend devant la galerie. Les deux bras me tombent... Papa prend déjà ses clients à témoin:

— C't'un major d'l'armée. Un millionnaire...

Je disparais dans ma chambre pour jongler à mon aise. Et mon aise dure une grosse partie de la nuit...

En septembre, les affaires de papa ont si bien marché qu'il fait installer un beau téléphone à manivelle dans la cuisine, juste entre les armoires et le poêle à bois. Une vraie permission du ciel car, trois jours après, le major Cayer me téléphone, oui personnellement, en pleine heure du souper un vendredi soir.

— Je t'attends à mon bureau lundi matin à dix heures.

Seigneur, je n'ai même pas le temps de placer un mot qu'il a déjà raccroché. Quand est-ce que ça va finir toutes ces émotions? Pourtant quelle chance!... Papa se gonfle le torse et me voit déjà haut gradé dans quelque chose, quelque part, en dedans de six mois. Maman refait ma valise en me disant qu'elle trouve que c'est une bonne chose vu que j'ai eu le caquet pas mal bas depuis mon retour à la maison. Elle fera des neuvaines, qu'elle me dit, afin que la chance tourne de mon bord car « tu l'mérites ben, va... »

Quant à la vieille Clément, ma joie est grande le lendemain quand je lui apprends ma bonne nouvelle et sa mauvaise à elle. Elle prend ses yeux de dragon et sort ses griffes de chipie enragée mais rien ne peut plus me faire mal. Tant pis, que j'ai l'air de lui dire, vous n'aviez qu'à faire le ménage de votre bureau avant. Restez dans vos cochonneries, je pars content. Bonjour.

Le dimanche, au moment de prendre les malles pour Papineauville, papa, maman et mes deux jeunes sœurs m'embrassent sans tristesse et m'envient de m'embarquer sur le chemin de la gloire avec un big shot qui me mènera plus loin que si j'avais étudié pour devenir prêtre. Quoi demander de mieux... Les saluant à la hâte, j'entends une dernière phrase qui se perd dans mon dos:

— Un artisse comme toé, ça pouvait pas rester icitte...

Je ne le dis pas souvent mais je suis toujours cloué dans ma lucarne avec sa croix et, plus loin, le fleuve Saint-Laurent, l'Île d'Orléans, et plus haut, le fond du large où je vois tout ce que j'écris. Du vrai cinéma que quelqu'un d'innommable fait pour moi comme si j'étais un médium. Je bois des cafés nuit et jour et j'en boirai encore longtemps car j'en ai pour bien des semaines à dire toutes les images colorées qui baraudent comme des nuages taillés en étoffe du pays.

Quand je me relèverai de ma chaise, le ciel d'en face sera tout lavé, bien nettoyé. Clair comme une belle vitre. Et j'aurai rejoint mon aujourd'hui... une fois pour toutes.

7

Le train n'a plus rien de nouveau pour moi.
La gare Windsor non plus. J'entre à Montréal,
saute dans un tramway et arrive direct à la
chambre de mon frère Rhéo :

— Qu'est-ce qui t'amène vite de même ?

— Le major Cayer m'a fait d'mander...

Parle, parle, on se raconte nos affaires
jusqu'à minuit. Au lit, je ferme un œil en
chantant.

Lundi matin, grand soleil, je n'ai jamais
trouvé la ville aussi belle. Aussi attirante. Je
me suis fait une toilette à toute épreuve et descends la rue Saint-Denis d'un pas deux fois
plus alerte que d'habitude. Passé la rue
Sainte-Catherine, devant un édifice en pierres
aussi haut qu'un hôtel, je m'arrête. C'est ici...
Dans la grande porte d'entrée, j'en profite pour
me remonter les épaules et m'enlever un dernier chat de la gorge. À la grâce de Dieu.

— Le major Cayer s'il vous plaît.

— Par ici.

J'entre dans un bureau deux fois trop grand pour une seule personne et sombre comme si j'entrais au club Saint-Louis. C'est bourré de livres, de paperasses, de piles de journaux. Le major est là, tout à ses affaires, et me fait fondre de peur.

— Bonjour mon p'tit Jean-Paul.

— Bonjour...

— Assois-toi.

J'obéis et j'attends qu'il parle.

— Qu'est-ce que tu veux faire dans la vie?

— Euh... j'sais pas trop...

— Eh bien moi je le sais. Tu vas devenir un peintre.

— Moi un peintre?

— Oui mon garçon. Sais-tu conduire une voiture?

— Non...

Il saute sur son téléphone, excité, un vrai fou:

— Mademoiselle, appelez immédiatement la Montreal Driving School et demandez que mon nouvel aide de camp Jean-Paul Filion soit reçu cet après-midi pour un premier cours de conduite.

Qu'est-ce qu'il a à me mêler de même en partant?... Il se lève et m'examine l'allure de la tête aux pieds.

— À ce que je vois, tu n'es pas très bien habillé...

Il resaute sur son téléphone, encore excité, encore un vrai fou:

— Mademoiselle, appelez immédiatement chez Tip Top Tailors et demandez que mon nouvel aide de camp Jean-Paul Filion soit reçu demain matin pour la confection sur mesure de trois habits kaki.

Là je suis loin de comprendre le rapport de tout ça avec mon avenir de peintre. S'il continue, il va me rendre comme lui. Et il continue...

— Voici cinquante dollars, tu logeras à l'hôtel d'à côté pour le temps de tes cours de conduite. Tu deviens mon chauffeur aide de camp, tu m'accompagneras partout, tu auras beaucoup de temps libre. Tu liras. Le moment venu, tu t'installeras à mon manoir de l'Île Perrot pour y faire de la peinture. Là-bas, j'ai un homme d'écurie qui s'appelle Rémi et qui vient des Îles-de-la-Madeleine. Tu l'aimeras. Ma cuisinière s'appelle Laura, tu l'aimeras aussi. Tu peux disposer. Bonne chance.

Je sors de là tout assommé. La tête pleine de bouillons rouges. Sans farce, je me sens aussi capable de tomber dans le coma sur le plancher que de me mettre à voler jusqu'au plafond. Qu'est-ce qu'il me veut? Qu'est-ce que je lui ai fait? Moi... aide de camp et peintre en même temps? Pourvu que je n'oublie rien de tout ce qu'il m'a dit...

Montréal ma belle ville. Montréal... ma chère belle vie. Je suis en chambre à l'hôtel Viger et mange comme un fils de roi. Mes cours de conduite vont si bien que mon professeur me dit que je ferais vite un «calvaire de bon chauffeur de taxi.» Pour ce qui est de mes habits chez Tip Top, tout est prêt et, déjà, je me pavane avec, devant tous les miroirs de l'hôtel et même dans la rue où c'est plein de miroirs aussi à cause des fenêtres. Pour le moment le major ne me demande qu'une chose: me rapporter à son bureau en téléphonant deux fois par jour. Seulement ça.

— Prépare-toi, mon chauffeur s'en va dans quelques jours et je ne veux pas être déçu par celui qui va le remplacer.

— Craignez rien major...

Et je téléphone à Rhéo pour me vanter de toutes les bonnes choses qui m'arrivent. Et j'écris à chez nous pour leur dire que je serai peintre, que je conduirai une grosse auto de l'année, que j'ai trois habits kaki faits sur mesure et que je passerai l'hiver dans un manoir, sur une île en dehors de Montréal. Ma lettre se termine sur ces mots: «S'il y a un paradis sur la terre, je suis tombé à pieds joints dedans.»

Quand le grand matin arrive, je me sens comme une feuille de tremble. S'il voulait, le vent pourrait me charrier partout. Le major m'appelle au téléphone pour me crier de mettre mon costume, d'aller chercher la voiture au garage Mont-Royal et de venir le prendre à son bureau. Avec lui, rien n'attend. Je me présente sans tarder au garage, quelqu'un m'amène une belle auto toute blanche avec, sur le toit, deux longues flûtes comme des trompettes... Ce major-là n'en finira jamais de m'étonner avec ses folleries... Vite, je monte m'asseoir à la roue comme si je prenais possession du monde.

Après avoir embrayé comme un expert, je déclotche brusquement et voilà ma belle voiture qui s'engage sur la rue Saint-Denis en toussant comme le major et en faisant des soubresauts inexplicables. Qu'est-ce qu'elle a pour l'amour? On dirait qu'elle est malade des quatre roues. Dans le trafic qui m'énerve à force d'aller plus vite que moi — je ne vois pourtant pas de feu nulle part — j'ai tout le temps de vérifier mes cadrans, mes pédales, qui m'ont l'air bien corrects. Je parle tout seul: « Baptême, pour une auto de millionnaire, c'est pas vargeux!... »

Arrivé devant mon bureau, ça sent le chauffé à plein nez. Je me stationne et descends pour apercevoir une grosse boucane qui sort des roues d'en arrière. Sur le trottoir, un passant tourne la tête et me crie en riant:

— Ça roule mal, hein l'jeune, avec le brake à bras?

Mais oui, la voilà l'affaire, mon frein était resté dessus... Espèce d'épais que je suis. Je cours l'enlever au plus sacrant de peur de me faire chanter pouilles.

— Chauffeur, au Palais de Justice s'il vous plaît.

Ma vie d'aide de camp commence en trombe: mon boss, mon père, mon major se fait conduire dans les plus beaux endroits. Au club Saint-Louis:

— Fais jouer la radio. Lis ton journal.

— Oui major.

À l'hôtel Ritz Carlton :

— Lis ton journal, écoute la radio.

— Oui major.

D'une place à l'autre, il me revient toujours un peu plus éméché, plus chambranlant, plus tousseux. Quand il commence à mélanger ses mots et à empester l'auto avec son haleine de rhum, je me dis à tout coup qu'il va pourtant vomir sur les belles fourrures qui recouvrent les sièges...

— Chauffeur, chez le colonel Maranda...

— Oui major.

— *Ah, je suis hanté ! L'Azur !*
Ô mon cœur...
Entends la chair...
Les pierres sont tristes...

Il déparle et m'énerve.

— Connais-tu Mallarmé ?

— Non.

Et ça continue comme ça, oh la grand-vie ! parfois jusqu'au milieu de la veillée, tant qu'il n'est pas complètement à quatre pattes et tant que je ne suis pas complètement écœuré d'attendre en lisant *Le Canada* cinq fois d'affilée ou en écoutant tout ce que la radio peut me cracher de chansons de Rina Ketty, Reda Caire, Tino Rossi et Bing Crosby.

Quelque chose me chicote depuis un bout de temps. Un matin, j'entre dans une librairie et m'achète un petit dictionnaire rien que pour connaître la vraie définition du mot « aide de camp». Je lis. Aide de camp: officier attaché à un général. Je lis une deuxième fois... et le soir dans ma chambre j'y pense et y repense encore: Y m'a menti l'maudit!... Y est pas général pis j'suis pas aide de camp pantoute... J'suis rien qu'un chauffeur privé, pas autre chose. Qu'est-ce que ça fait un chauffeur privé? Ça ouvre la porte, ça ferme la porte; ça conduit et ça attend. Qu'est-ce que ça fait encore? Ça s'ennuie et ça écoute toutes les niaiseries qu'un ivrogne peut débiter, millionnaire ou pas. C'est un gars qui peut être appelé à essuyer la bave sur le menton de son patron parce qu'il est trop mort pour se l'essuyer tout seul. C'est un gars qui va même être obligé de torcher le siège d'auto parce que « Monsieur » a pissé dans ses culottes et partout... Pis, l'peintre dans tout ça? Où est-ce qu'y est rendu? Et mon avenir? Major, vous êtes rien qu'un égoïste!... Un croche! Une bonne fois, j'vous promets que vous aurez vos quatre vérités en pleine face pis garanti qu'ça viendra pas d'n'importe qui.

Les neiges viennent. Les froids s'installent pour de bon. Montant du port, il y a des vents tristes qui gèlent tout ce que je regarde. Je tiens le coup comme si mes espoirs et mes rêves ne voulaient pas se laisser avoir. Une fois j'ai pensé retourner travailler au club Saint-Louis avec mon frère Rhéo, mais j'ai décidé que la vie n'était pas faite pour reculer.

On est déjà en décembre. Mes journées s'allongent jusqu'à devenir comme deux, une à côté de l'autre. Comment penser aux filles? Comment trouver le temps d'aller seulement aux vues? L'idée de prier est morte en moi depuis une bonne mèche sans même que je m'en aperçoive... Alors, le travail est devenu plus fort que tout. C'est comme une loi.

Arrive un midi où je dois conduire au club Renaissance le major et trois de ses amis: le comte de la Chevrotière, sa femme et le capitaine De Grâce. Toutes les rues sont en glace vive. Il faut que je gagne vers le nord en passant par la rue Jeanne-Mance, une rue qui, entre Ontario et Sherbrooke, monte plus à pic que n'importe quelle côte de Saint-André-Avellin. J'ai peur, le pavé est un vrai miroir. Grimpant par pouce, j'avance... mains barrées sur mon volant. Presque rendu en haut, le malheur est dans le chemin: mes roues se mettent à glisser dans le vide, la voiture shire de côté et nous voilà tout de travers dans la rue. Le major explose:

— Pourquoi as-tu pris cette maudite côte, imbécile?

— J'avais pas l'choix...

— Tu n'avais qu'à filer vers l'ouest avant de monter.

Le sang me grimpe au visage, je me fâche devant tout le monde:

— C'toujours ben pas d'ma faute, bon Yeu, s'y a d'la glace...

— Et en plus on a le toupet de me répondre sur ce ton!

Ça y est, il a encore bu du rhum, moi qui l'avais cru à jeun.

— Débarque et va-t'en. Je n'ai plus besoin d'un gars qui m'a chié dans les mains.

La comtesse a le visage comme une tomate, le comte reste calme, pendant que le capitaine De Grâce s'affaire à raisonner mon diable :

— Ne vous emportez pas, major, nous prendrons un taxi.

C'est le comte qui, du haut de sa grandeur, finit par arranger les choses. Il vient à moi me dire doucement de ne pas m'en faire, de rentrer la voiture au garage, qu'ils se débrouilleront sans peine, et tout et tout.

Les oreilles dans le crin, je les laisse sur la glace. Ils patineront comme ils pourront. Le capitaine vient me dire à l'oreille de me présenter sans inquiétude au bureau du major le lendemain, que tout sera oublié car il dira un bon mot pour moi... Enfin seul, je pars et redescends ma rue Jeanne-Mance, choqué noir contre mon fou qui m'a fait honte, mais en même temps heureux d'avoir un jour de congé pour aller dormir. Oui, mon Dieu, dormir... Même en plein jour.

Le temps des Fêtes s'amène sans que j'aie jamais entendu parler de congé pour moi. Pourtant j'aurais aimé ça aller passer une couple de jours dans ma famille, moi qui n'ai pas vu la couleur de Saint-André depuis quatre mois. Le major a eu beau s'excuser et faire le fin à la suite de l'incident de la glace, il ne m'a toujours rien dit au sujet d'une vacance qui, il me semble, serait plus que méritée. Profitant de sa bonne humeur, je prends le risque de lui en parler...

— Oui, oui, tu iras dans ta famille... au Jour de l'An. À Noël, j'ai besoin de toi.

Ouf, c'est toujours ça de gagné!... Il n'y a rien comme demander. Le courage me revient et l'hiver, le major avec, me font moins mal. Quand je file un bon coton, je ne vois plus les jours passer.

On est déjà à la veille de Noël. Je ne suis pas sitôt levé que je reçois par téléphone tout un programme:

— Va au garage, fais laver la voiture, prends-moi au bureau, nous allons au magasin Birks, je dîne au club Canadien, cet après-midi il faut aller prendre ma fille dans Westmount, et blablabla.

Belle journée devant moi. Belles rues de Montréal crottées de neige sale et bordées d'arbres de Noël sur les galeries. Belles heures à venir à bayer aux corneilles tout en me chauffant à même ma belle auto blanche.

Je suis son serviteur, il est le maître. Je suis son aide de camp et son «p'tit peintre à l'âme d'artiste», mais rien qu'en paroles et pas plus. Il est mon bourreau avec pourtant les mains si pleines de promesses que je n'arrive pas à désespérer.

Donc, c'est la veille de Noël et j'exécute à la lettre tout ce qui m'est demandé. Embarque, roule, débarque, attend. Remonte, roule encore, descend, attend toujours. Il boit et mange dans des lieux chics où il m'est interdit de mettre les pieds. Moi, ma maison, c'est la voiture : mon repas, des sandwiches ; mon assiette, mes mains.

— C'est ici l'hôtel Mont-Royal. Tu me déposes et tu m'attends de l'autre côté de la rue.

— Oui major.

La journée s'est passée sans accrocs, le moment de la soirée est enfin arrivé, c'est ma dernière station. Il disparaît. Je regarde la rue et toutes ses voitures qui s'embouteillent, j'entends cloche et roulement des tramways, je vois mille lumières aux fenêtres des magasins et mille piétons débordant des trottoirs, bras perdus sous des paquets enrubannés de couleurs. J'ouvre mon radio, me cale... et j'attends. Une heure, deux heures...

Dans une étable obscure, Les Anges dans nos campagnes, Venez Divin Messie, Mon beau sapin, le radio ne dérougit pas : tous les chants de Noël m'arrivent à l'âme comme des récompenses rien que bonnes pour me rendre malade de nostalgie. Minuit. Des cloches d'églises se font aller à grands coups. Longtemps... À Saint-André-Avellin, c'est le même ciel. La même nuit, la même messe. Une fête en tous points pareille, excepté que là-bas, il n'y a pas de ville.

Deux heures du matin. Je réveillonne avec un coke, un paquet de chips et une barre de chocolat Lowneys. Du temps pour jongler j'en ai à revendre et à garrocher par les fenêtres. Marcel est avec moi : on chante, on fait de la musique... Georgette, ma première blonde, celle qui était si fine et dont les cheveux sentaient la poudre de cartouche, est avec moi et je l'embrasse à pleine bouche comme si c'était pour vrai...

Il frôle les trois heures quand enfin j'entends tousser mon major. Il a sa toux grasse, longue, étouffante de ses vingt rhums et plus. Je me plante et sors de voiture. Il s'en vient en caracolant. Je le rejoins et l'attrape vite par un bras pour l'encourager à ne pas s'étendre dans la neige sale. Il me serre contre lui et me râle en braillant :

— Jean-Paul... mon grand... mon seul ami.

Sa porte n'est pas sitôt ouverte qu'il se flanque à plat ventre sur le plancher de l'auto et qu'il y reste comme un bois mort. De peine et de misère, je lui mets au moins un coin de tête sur le siège. Si ça peut tenir...

Sans perdre une seconde, je roule, complètement réveillé, en direction de son appartement où le concierge m'aidera, comme d'habitude. C'est déjà la fin de la nuit. Les rues ont perdu la moitié de leurs lumières et il n'y a plus un chat qui rôde. Ô Sainte nuit!...

8

Après mon court congé du Jour de l'An à Saint-André, où j'ai quand même pu « m'rincer l'cœur un p'tit brin », je reviens vite à Montréal car le major m'attend pour aller à l'Île Perrot serrer l'auto pour le restant de l'hiver et me serrer moi avec, quelque part dans un coin du manoir.

— À Pâques, ta vacance sera plus longue. En voiture, jeune homme...

Il emporte avec lui des sacs, des boîtes, des paquets. Beaucoup de cadeaux pour les gardiens de son manoir. Avec sa tuque rouge et son capot de chat sauvage, il a l'air d'un vrai hobo. Moi, au volant, j'ai l'air de pas grand-chose: un simple petit chauffeur qui roule et sort de la ville, mine caduque, ne sachant trop ce qui l'attend.

Lachine. Pointe-Claire. Beaconsfield. Le major parle tout seul et chantonne comme un enfant. Il peut bien baragouiner ce qu'il voudra, je ne l'écoute même plus. Après le pont de Sainte-Anne-de-Bellevue, c'est l'Île Perrot, voilà que mon hobo redouble ses fadaises et fait des simagrées ridicules. Je l'écoute moins que jamais...

— Modère, c'est là... où tu vois les grands ormes.

Quand je donne mon coup de roue, on entre dans une allée onduleuse bordée de gros bancs de neige et d'arbres qui ressemblent à des clochers. Tout au fond j'aperçois le manoir, gris, large et haut, avec des fenêtres et des tours comme une image de château. Subitement, je fais un maudit saut... C'est mon major, ah lui! qui, d'en arrière, pèse sur le bouton qui fait sonner ses trompettes sur le toit de la voiture. Flûtes, trompettes ou clairons, ça crie assez fort pour tout réveiller à deux milles à la ronde.

— En ville, on n'a pas le droit... mais chaque fois que j'arrive ici, c'est mon plaisir de m'annoncer à mam'zelle Laura.

À même le manoir, les portes d'un beau garage en pierre sont déjà ouvertes. On entre, j'arrête tout. Un jeune homme à grosse bedaine vient déjà à notre rencontre. Le major prend une voix méconnaissable:

— Bonjour Rémi... Comment vont les chevaux?

— Bien, bien...

— Allons, il faut entrer les paquets.

Mademoiselle Laura, corpulente, chignon gris, beau sourire, tablier carreauté, apparaît dans une ouverture donnant sur sa cuisine.

— Bonjour major. Vous n'avez jamais été aussi longtemps sans venir...

— Je repars déjà demain. Je vous présente Jean-Paul, mon nouveau p'tit homme... C'est un artiste.

— Bonjour...

Rien à redire, en dedans c'est aussi beau qu'en dehors. Un manoir pour vrai. Pendant que Rémi regagne sans un mot son écurie et que Laura s'affaire avec excitation devant ses fourneaux, c'est le major qui me fait visiter. De la cuisine, avec ses deux énormes poêles à réchaud, son frigidaire d'hôtel, ses armoires en bois verni et sa table pour au moins douze personnes, on passe dans la salle à manger. Je ne sais plus où donner des yeux: des meubles rustiques, tapis tressé, amanchure de lampe au plafond qu'on dirait patentée avec des fanaux de grange et, aux murs, des peintures à n'en plus finir. Des paysages, des portraits, et encore des paysages...

— Allons vite au vivoir, j'ai soif.

C'est la première fois de ma vie que je vois une salle aussi encombrée de richesses. Il n'y aurait que le gros foyer au milieu du mur du fond avec ses fusils et ses baïonnettes accrochés sur la cheminée que ce serait déjà bien assez. Mais non: des fauteuils en cuir, des divans en cuir, un piano blanc, une bibliothèque dans un coin, avec des livres plus gros qu'au club Saint-Louis, un bar dans l'autre, avec cent bouteilles, des miroirs, des verreries... Et des lampes bizarres. Et encore des cadres avec des pay-sages. Et des cendriers montés sur des espèces d'obus. Et même des mitrailleuses et un petit canon tout en fer noir, pour la fantaisie...

Durant tout le temps que dure mon extase, le major se tient à son bar et s'envoie, sans parler, des verres de je ne sais pas quoi.

— Viens que je te montre le haut...

Par un escalier à grosse rampe, on monte au deuxième étage où j'ai droit à un vrai cours sur la valeur des lits de cuivre, des commodes antiques en bois de rose, des literies d'artisans et toutes sortes d'histoires qui me coupent le souffle en deux puis en trois.

— Ici, c'est ta chambre. Elle est juste à côté d'une pièce aménagée en atelier.

— En atelier?

— Regarde.

Émerveillé, heureux, fou, je découvre enfin ce qu'est un véritable atelier de peintre...

— C'est quoi ça?

— Un chevalet.

— Et ça?

Il m'explique tout avec amour car je vois bien qu'il aime ces choses par-dessus tout. Il me montre une caisse remplie de tubes de peinture à l'huile, des potiches chargées de pinceaux plantés à l'envers, des toiles blanches montées sur des cadres de bois, des canistres de térébenthine, des pots de peinture à l'eau, d'huile de lin, de vernis, tout ça éparpillé sur une grande table beurrée de couleurs avec, à côté, une chaise droite, un banc rond, et même une sorte de banc-lit pour se reposer « quand on n'en peut plus des yeux», qu'il me dit. Une fenêtre donne sur un immense lac tout pogné dans ses glaces blanches.

— Ce que tu vois là, c'est le lac Saint-Louis. Plus à l'est, ça devient le fleuve Saint-Laurent.

Ma joie n'en peut plus d'être grande. J'ai presque envie d'éclater. Enfin, le major tient ses promesses. Il ne m'a donc jamais menti...

— Tu vas commencer dès demain. Le matin tu iras dehors aider Rémi, le temps de te dégourdir les jambes, et l'après-midi tu feras de la peinture. Veux-tu voir les trésors de mon grenier?

Il m'entraîne dans un corridor presque noir, ouvre une porte et grimpe un escalier étroit. Je suis collé à ses talons... Nous débouchons sur une chambre tout en longueur avec un plafond en poutres et chevrons comme le faîte d'une grange. Le plancher est tout couvert de rangées de cadres bien cordés...

— C'est ma cachette... J'ai ici des centaines de toiles...

Mes deux yeux n'en fournissent plus de s'agrandir et je me sens incapable de prononcer le moindre mot. Le major tire un cadre au hasard et me ramène en bas jusque dans mon atelier. Il place sa peinture sur mon chevalet et me claironne joyeusement:

— Pendant que je serai à Montréal, tu vas me reproduire ça, même grandeur, mêmes couleurs, exactement pareil. Ce sera ta première leçon. Tu as tout ce qu'il faut ici pour travailler à ton aise. Bonne chance.

Il me laisse à mes rêves. Des frémilles dans tout le corps, je ne tiens pas en place. Quelle joie, mon Dieu, quelle joie! Lui, parti à Montréal, moi ici dans ce château avec la sainte paix... nourri, logé, chauffé et payé en plus de ça. Et cette belle peinture à reproduire : une scène d'hiver comme je les aime, avec un cheval tirant une carriole dans un chemin croche qui passe devant trois maisons canadiennes plantées dans la neige jusqu'au cou. Plus loin, derrière, c'est une colline, un arbre, et plus loin encore, une montagne au pied d'un grand ciel vide. Des couleurs, il y en a pour tous les goûts : du rose, du bleu pâle, du vert, du jaune moutarde, du brun et du rouge. Et le plus beau, c'est que je n'ai peur de rien... Oui, demain, je serai peintre. Un vrai de vrai. Enfin !...

Le lendemain, c'est le paradis. Le major a chenaillé à Montréal en taxi à la première heure. On a déjeuné aux œufs frits, au bacon, aux toasts faites avec du pain de ménage et du café fort. Comme le veut le règlement, dans l'avant-midi, je suis allé dehors aider Rémi à faire des petits travaux. Dans l'écurie, derrière une rangée de chevaux, il m'a mis une pelle dans les mains et m'a dit sans la moindre façon :

— Sors la marde, faut mettre l'allée propre.

L'esprit dans les nuages, je l'ai fait sans rechigner. Ce n'est qu'au moment du dîner que j'ai pensé que Rémi aurait bien pu faire sa djobbe lui-même, vu que moi je n'étais pas tellement habillé pour ça... Ah, et puis, au diable le chichi, le plus important c'est mon atelier, mon coin de rêve. À une heure tapant, j'y entre et me braque devant ma toile à peindre... La première de ma vie. Je la trouve un peu grande... mais me crache joyeusement dans les mains à la manière d'un habitant de Saint-André.

À main levée s'il vous plaît, c'est-à-dire sans règle, sans jeu de quadrillé ni rien pour m'aider, c'est le major qui m'a expliqué comment faire, je commence par faire au crayon le tracé de tout ce que je vois sur la peinture modèle: cheval, carriole, chemin, maisons, arbre, colline et montagne. Griffonne, efface, recommence. Griffonne encore, efface encore. Le major appelle ça: faire le croquis...

Eh bien, mon croquis, je travaille dessus durant trois après-midi de suite sans me tanner une sacrée miette. Au début, tout était croche sans bon sens, mais là on dirait que ça veut avoir de l'allure. À la cinquième journée, tout le paysage est assez ressemblant et à mon goût pour entamer la couleur. J'ai une belle palette. Des beaux pinceaux. La peinture à l'huile, ça sent le meilleur parfum au monde... Je me fais en tremblant des petits tas de rouge, de blanc, de bleu, de jaune, de brun, et j'attaque mon œuvre. J'ai peur. J'ai encore plus de frissons que la première fois que j'ai embrassé une fille. Ce qui m'énerve le plus c'est que la peinture ça ne s'efface pas. Il faut que le pinceau réussisse chacun de ses coups... autrement tout le paysage est gaspillé. J'y vais. Touche la toile. Lèche la couleur. Je «brosse», comme dit le major.

En peu de temps, je me sens envahi, habité d'un bonheur jamais connu. Oui c'est ça... c'est l'inspiration. Une joie toute neuve. Mes parents pourraient mourir, Saint-André-Avellin prendre en feu et la terre entière se mettre à trembler que je ne sortirais pas de mon atelier. L'après-midi en tout cas... Car le matin, je sors. Je vais dehors, toujours pour aider Rémi, soit à pelleter de la neige, nourrir les bêtes, trimer les pommiers du grand verger ou charrier à cheval, dans une tonne montée sur une sleigh, de l'eau du lac pour l'écurie.

Mais faire toutes ces choses imprévues, surtout en plein janvier alors que je suis bien mal greyé en vêtements chauds, me pose un commencement de problèmes. Qui suis-je donc au juste dans toute cette gamique de manoir et de major Cayer? Un chauffeur? Un aide de camp? Un homme de cour? Un valet? Un artiste peintre? Quoi?... Aucune réponse me vient dans les idées... et la vie continue. Mademoiselle Laura, toujours plaisante et aimable, me dit que le major téléphone régulièrement pour lui donner des ordres à mon sujet: lever en même temps que Rémi, ouvrage général l'avant-midi, et initiation à l'art l'après-midi. «Ayez-le bien à l'œil, je vous le confie jusqu'en avril», qu'elle me répète en riant.

À l'Île Perrot, comme partout, l'hiver fait son bonhomme de chemin. Le manoir a pris à mes yeux, hypocritement, l'allure d'une sorte de prison d'où il m'est impossible de m'évader. J'ai terminé ma peinture en copiant religieusement mon modèle avec sa neige teintée de bleu et son ciel gris sale. C'est tellement bien réussi que même Rémi et Laura n'arrivent pas, à cinq pieds de distance, à voir la différence entre le vrai paysage et ma copie. Pourtant... moi qui n'ai pas le genre à faire le difficile, je suis loin de filer à mon goût. À un moment donné, ce qui a tout gâché la joie de mon esprit, c'est que le major, toujours par téléphone, n'a pas voulu que j'entreprenne une autre toile, d'abord parce que je n'ai pas le droit d'aller seul dans son grenier d'œuvres d'art me choisir un autre modèle; deuxièmement parce qu'il veut absolument voir ce que j'ai fait avant de me permettre de commencer autre chose. C'est un ordre. Mais quand viendra-t-il? En mars? À Pâques? Là-dessus, pas moyen d'être jamais fixé. Ce qui veut dire, encore un ordre, que je passe tout mon temps à travailler avec Rémi. Je n'ai jamais été vétérinaire, je soigne les chevaux malades. Je n'ai jamais été menuisier, je répare des portes de bâtiments maganées. Jamais été maçon, je me bats avec des craques dans le solage du manoir qui seraient bien mieux bouchées par d'autres mains que les miennes. Pas besoin de dire que j'ai des bebites plein la tête. Et plus j'en ai, plus je sacre par en dedans en travaillant, et plus je sacre plus les bebites se font grosses.

Aussi bien tout avouer... je deviens jongleux et maigre à vue d'œil. Ça se voit tout seul dans mon miroir quand j'entre dans ma chambre, le soir, pour écrire tranquille à Marcel ou à mes parents. Ou bien m'ennuyer de ma Georgette du temps de mon Business College... Jongleux et maigre, ça pourrait toujours aller, mais le pire c'est que j'ai commencé à tousser comme si j'étais pogné d'une consomption. Laura a beau me faire des mouches de moutarde, j'ai une toux sèche et creuse qui me brûle le fond des poumons, assez que j'en passe mes nuits blanches à me rouler dans mon lit, tant et si bien qu'un beau matin j'ai la permission d'y rester.

Trois jours sur le dos me valent trois mois de réflexion. J'ai compris: le major se sacre de moi et me prend pour un enfant d'école. Je n'ai plus confiance en lui. Ni en Dieu ni en diable. Il m'a fourré sur toute la ligne. Laura est bien fine, Rémi aussi, mais dès que ma fièvre tombe, que ma toux me laisse la paix et que je peux enfiler mes culottes sans étourdissements, je prends un bon repas et fais éclater ma vérité à la face de tout le manoir même s'il n'y a pas beaucoup de monde:

— J'en peux p'us. Je djompe d'icitte...
— Quoi?
Laura, tablier en l'air, est déjà rendue sur le téléphone:
— Major, Jean-Paul veut vous quitter...
Elle m'appelle avec émotion:
— Viens mon beau, le major veut t'parler...

Ça s'adonne que moi aussi j'ai un mot à lui dire!... Miracle, me voilà debout, la tête décollée des épaules, et je marche à ma libération comme si je portais des bottes de soldat.

— Oui, allô, major... Eh ben oui c'est l'boutte! J'en ai plein l'dos de faire rire de moé. Vous pourrez vous trouver un autre imbécile à partir d'aujourd'hui. Vous rappelez-vous d'une fois à Montréal où vous m'aviez dit devant l'comte de la Chevrotière que j'vous avais chié dans les mains? J'trouve à c't'heure que c'est vous qui me chiez dans les mains en remplissant pas vos promesses. Pis... gardez ma dernière paye à part de ça... j'peux m'en passer.

Je raccroche devant Laura et Rémi qui, pour la première fois, ont l'air de me trouver fou pour vrai. Ils cherchent à me parler mais, tout comme le major, je les étouffe raide.

— Appelez-moé un taxi.

Ou bien je ne me possède plus, ou bien je ne me suis jamais tant possédé. En tout cas, ça va vite. Je grimpe en haut, fais ma valise, redescends avec, au bout d'une main, et ma peinture au bout de l'autre.

— Salut!... Portez-vous bien. J'attendrai l'taxi au chemin...

À Montréal, rue Sherbrooke, près du club Saint-Louis, j'entre en triomphe dans la chambre de mon frère Rhéo avec la permission de la concierge qui me connaît bien. Allongé sur son lit, je l'attends avec des respirs qui me descendent jusqu'aux talons. Dans mon esprit, j'ai des idées toutes fraîches, toutes neuves... Je prendrai deux jours pour flâner. J'irai au club voir Max, le gérant. Il me reprendra comme bellboy. Il m'aimait beaucoup, dans le temps, avant que je monte au bureau pour monsieur Larivière. Je travaillerai jusqu'à la fin de l'été, nuit et jour s'il le faut... Puisque j'ai compris qu'un manoir c'est bon à rien pour apprendre la peinture, à l'automne, c'est bien décidé dans mes idées toutes fraîches, toutes neuves, je ferai des pieds et des mains pour entrer à l'école des Beaux-Arts. Ils verront bien toute la gang de quel bois je suis capable de me chauffer.

9

Tel que voulu dans ma caboche de tocson, dès septembre, j'y suis dans mon école des Beaux-Arts. Et pour quatre belles années en ligne... Et c'est le moment le plus glorieux de ma vie... Une école avec des grandes salles dont les planchers sont comme en marbre et les fenêtres et les plafonds aussi hauts que pour une église.

Mes examens d'admission, je les ai passés haut la main. Même que, soit dit sans me vanter, je n'aurai pas à faire l'année préparatoire, ayant été jugé assez bon pour commencer direct en première année. Ce qui me donne en partant une confiance qui me redresse si bien le corps que je serais capable d'affronter en ligne trente-six majors Cayer.

Oui, j'ai refait le bell-boy au club Saint-Louis comme c'était écrit dans ma tête au moment où j'ai quitté le manoir de l'Île Perrot. Oui, j'ai resservi des rhums au major qui, après m'avoir boudé à son goût, a fini par être de bonne humeur parce qu'il fêtait, disait-il, la prise de Berlin, la mort d'Hitler et la fin de la guerre qui venait de faire 40 millions de mort. Oui, je me suis ramassé tout l'argent nécessaire pour me sortir de mon état de chien battu. J'ai même obtenu, un gars de Saint-André n'est pas plus bête qu'un autre, une bourse de la Province de Québec qui me donnera 150 piastres par année pour toute la durée de mes cours. Quand ça va bien, ça va bien...

J'ai une petite chambre et ma pension chez mon oncle Josaphat, rue Des Carrières, dans le nord de la ville. Ma peinture du manoir, je la traîne avec moi comme une relique pour embellir mon intimité. Ma tante, bien raisonnable, me charge seulement cinq piastres par semaine, ce qui fait plus que mon affaire. Je voyage en tramway et ça me donne le temps de lire. « En art, comme en amour, l'instinct suffit... » Je lis cette belle phrase dans un livre d'Anatole France que j'ai volé en partant du club Saint-Louis. Parti pour m'instruire, je sens que rien à compter de maintenant ne pourra plus m'arrêter.

À l'école, dans ma classe, on est une bonne trentaine. Moitié gars, moitié filles. Tous sont de bonnes familles et de milieux riches, c'est facile à voir rien qu'à leur manière de s'habiller et de parler. À peu près dans tous les cas « ça parle en termes » comme dirait ma mère. Moi, je n'ai qu'à me tenir correct pour être à la hauteur et m'exprimer enfin comme du monde.

Pour apprendre le dessin, la décoration, le modelage, il faut du matériel. Des grandes feuilles de papier, des boîtes de fusain — ça ressemble à des bâtons de charbon — des morceaux de chamois pour effacer, des règles, des burins, des fils à plomb, des cartons, des pinceaux et beaucoup de pots de gouache. Dans l'ensemble, pour les élèves, l'argent n'a pas l'air de trop compter. Pour moi ça compte en maudit... mais je prends toujours la précaution de me cacher dans un coin pour calculer mes cennes au moment d'une dépense. J'ai beau avoir la foi, je sens bien que de mon bord il n'y a pas de farce à faire.

Les cours sont commencés et m'apportent les révélations les plus merveilleuses. Simard, notre professeur de dessin, n'y va pas de main morte: il nous plonge dès le départ dans l'art grec. En avant de la classe, il nous met sur une table un morceau de plâtre tout magané qu'il appelle « chapiteau de l'ordre dorique » et qu'il éclaire avec une grosse lampe spéciale en nous disant: « Maintenant, dessinez-moi ça avec les ombres et les lumières. Attention aux proportions. Plus tard, nous verrons le chapiteau de l'ordre ionique avec ses volutes et celui de l'ordre corinthien avec ses feuilles d'acanthe... »

Ça y est, il va me falloir un sacré bon dictionnaire pour comprendre tous ces mots-là. Quand, juste un peu plus tard, je me vois pris pour dessiner une tête, toujours du plâtre, d'un nommé Phidias, et qu'une autre fois je suis en face d'un corps sans bras ni jambes appelé « Aphrodite » et sculpté par Praxitèle, là je n'en peux plus de mon ignorance et cours m'acheter mon dictionnaire, avec, en plus, une couple de livres sur l'art en général pour plus de sécurité.

En décoration, c'est un peu la même chose. Nous avons affaire à un professeur qui a l'air des plus connaissants. Il ne parle que de beauté et de qualité d'être. Lui, c'est du côté de la peinture qu'on le dirait le plus calé. Il sait tout et n'arrête pas de nous instruire sur la Renaissance, le Romantisme, l'Impressionnisme, le Symbolisme, l'Expressionnisme, le Fauvisme, le Cubisme, heureusement que j'ai mon dictionnaire, de même que sur les grands maîtres qui ont fait l'Histoire : Léonard de Vinci, Delacroix, Renoir, Cézanne, Gauguin, Van Gogh, Braque, Rouault, Picasso... Ouf, quelle tête ! Pourtant ses cours sont assez simples, on est seulement en première année, on est tous en pleine enfance de l'art et il le sait bien. Il va nous demander, par exemple, de faire à la gouache un projet de murale avec le thème des fruits, des arbres, des animaux, ou simplement des formes géométriques. « Simplifiez, transposez, stylisez, créez », passe-t-il son temps à nous dire. Moi je l'écoute et l'admire. Un sursaut n'attend pas l'autre.

Le cours de modelage, lui, m'intéresse moins que les autres. On a une femme comme professeur, elle a l'air de bien connaître son af-

faire aussi... Ses idoles sont Rodin et Bour-
delle, elle ne fait que parler d'eux la voix pâmée. Et pourtant, modeler des feuilles de vigne
en relief, des oiseaux en relief et des têtes
d'homme encore en relief n'a pas le don de
m'attirer plus que ça. Mes mains ne sont pas
particulièrement heureuses dans la glaise
jusqu'aux coudes et je n'aime pas tellement non
plus le jeu des petites boulettes que les élèves
se tirent par la tête chaque fois que le professeur a le dos tourné. Des fois ça tourne en vrai
« free for all », le Directeur est obligé de s'en
mêler et on est tous punis comme des enfants...

« L'art a le droit au rêve, à l'imagination, au
mystère. Il ne doit pas être la copie fidèle de la
réalité mais représenter plutôt nos sentiments
et nos émotions ». Parlant du symbolisme, un
professeur vient de nous débiter ça avec toute
la gravité due à son rang et, en ce qui me
concerne, ce n'est pas entré dans l'oreille d'un
sourd. Dans ma chambre, grande comme la
main, chez mon oncle Josaphat, je me greye
déjà d'un morceau de masonite et d'un petit
coffre de peintre qui contient pinceaux, tubes
et palette. J'ai une inspiration et je ne veux pas
la manquer pour tout l'or au monde. Puisqu'on
a le droit d'imaginer, imaginons. Moi je rêve de
faire une tête de Christ et je vais la faire, coûte
que coûte.
    Un soir, quand tout est bien placé dans
mes idées, j'attaque mon dessin. Je fais mon

Christ de profil, c'est plus facile, et ne lui mets pas un traître pouce de couronne d'épines sur la tête. Je le veux regardant vers le haut et pas souffrant comme tous ceux que j'ai toujours vus. Je me dis qu'Il est venu, qu'Il s'est fait homme, qu'Il doit donc avoir l'air d'un homme même si je me sens obligé de lui faire des cheveux jusque sur les épaules. Puisqu'Il a vécu parmi nous sur la terre, je ferai aussi tout son visage avec des ocres foncés et des gros bruns couleur de terre. Pour ce qui est du ciel derrière Lui, je le peindrai avec des bandes inclinées et lumineuses dans les tons de vert car je viens tout juste d'apprendre que le vert est la couleur de l'espérance.

Je peins comme un bon. Le soir. La fin de semaine. Avec tout le sérieux qui convient à mon sujet. En peu de temps mon Christ devient si beau, c'est donc ça une création, que je n'ose plus rien ajouter tellement j'ai peur de le gaspiller. Ma tante Rosana est la première à me dire:

— Touches-y p'us, y est correct de même. Y r'semble à un nègre pis y a la gueule un peu croche mais tu commences... tu peux toujours ben pas réussir comme sur les images saintes.

Voulant lui prouver que je suis encore meilleur qu'elle pense, je m'achète de l'aquarelle et me mets à peindre des choses réalistes, au diable le symbolisme, comme par exemple: une vue de la ruelle avec ses hangars, ses poteaux et ses cordes à linge; ou bien une vue des maisons d'en face avec ses escaliers et ses galeries. Elle trouve que ç'a plus de bon sens et m'encourage de plus belle.

À l'école, tout marche pour le mieux. On dessine d'après des modèles de plus en plus difficiles, les sculpteurs grecs sont terribles, tellement qu'un matin on arrive en classe pour se retrouver face à face avec un personnage qui s'appelle Apollon et qui a l'air absolument pas dessinable. C'est une sorte de jeune homme bien planté sur ses deux jambes, mais ce qui complique tout c'est qu'il a un bras tendu qui supporte une manière de grand drap plissé, tandis que son autre bras est coupé en plein milieu et qu'en plus son corps est tout nu et qu'il a une feuille de vigne à la place du sexe. Comment reproduire tout ça avec un simple bout de fusain? Il y a des filles qui s'énervent et d'autres qui ricanent en rougissant. Il y a des gars qui ont peur et d'autres qui font les frais comme s'ils avaient vu ça toute leur vie.

— C'est le dieu de la Lumière, nous claironne le professeur. Il faut travailler avec une main inspirée...

Dessine, efface; dessine, efface. Apollon deviendra peut-être le dieu de la noirceur... mais il faut quand même essayer de faire son possible sans trop de salissage. « La critique est aisée, et l'art est difficile » a écrit Philippe Néricault dit Destouches. Le professeur nous lance ce genre de haute pensée, comme pour nous rassurer, mais moi j'ai presque envie de lui dire de garder ces idées-là pour lui parce que je les trouve trop décourageantes. À notre âge, les belles phrases ne sont pas toujours bonnes à entendre...

De fil en aiguille, de torse en buste, de Déesse en Vénus, de barbouillages en réussites, ma première année de Beaux-Arts bat son plein. À part les cours, il y a des activités qui m'aident encore à me déniaiser, à me donner de l'aplomb. Personne ne dirait plus que je viens de la campagne. Mes peurs et mes craintes d'autrefois ont pris le bord sans même que je m'en aperçoive. Dans les soirées dansantes, je peux sautiller avec trois filles à la fois tellement j'ai du front, de la patte, et que j'aime ça. Dans les pique-niques organisés, on m'appelle le boute-en-train; dans les bals masqués, je me fais des déguisements qui tiennent de la pure folie avec des objets aussi baroques que des ustensiles de cuisine, des abat-jour, des retailles de catalogne ou du gros fil d'aluminium.

Pour épater le monde, à l'école, je pousse même l'audace jusqu'à former ma petite chorale, voix mixtes, pour pratiquer et présenter en récital, à l'occasion d'une fête quelconque, quelques belles chansons de la vieille France dont la très connue *Mignonne, allons voir si la rose...* L'affaire marche en grande, les partitions sonnent bien à l'oreille, les voix... pas trop vilaines non plus, mais, le moment du récital arrivé, lorsque je me plante debout, moi le chef devant son chœur, petite baguette à la main, je me mets à blêmir, à faire dans mes culottes, tant et si bien que ma première mesure se résume à ceci: j'échappe ma baguette qui va revoler dans la face d'une chanteuse, le « Mignonne » des femmes part tout de travers par rapport à l'attaque des hommes et voilà mes « basses » qui pouffent de rire comme des imbéciles, et les filles qui éclatent à leur tour. Le public, quoi de plus normal, en fait autant en me criant Chou! par-dessus Chou!

Mon chœur tout tombé en botte, je me retourne vers l'assistance et prends le parti de rire comme un fou avec un monde aussi fou que moi. J'apprends à l'instant que la peinture et le chant sont deux mondes quasiment pas mariables.

Vers la fin de l'année, pour occuper un dimanche creux, je décide de me rendre dans l'après-midi au Grand Séminaire de Montréal faire une visite impromptue à mon ancien professeur de Saint-André-Avellin qui, m'a-t-on appris, a lâché l'enseignement pour prendre la soutane. J'entre là et demande le parloir; j'entre au parloir et m'informe:

— Albert Ledoux, s'il vous plaît...

— Oui, assoyez-vous...

Chaises en chêne noirci par le temps, bancs en chêne, tables en chêne, plancher en chêne, murs en chêne, tout est en chêne brun sévère dans ce séminaire qui sent le silence, le vieux et le cierge à plein nez. Albert met une minute à m'arriver, tout petit, tout mince, visage blanc comme une hostie, soutane noire qui fait des froufrous, et des souliers, noirs aussi, qui font si peu de bruit qu'on jurerait que c'est des pantoufles.

— Quelle surprise!

— Allô... comment ça va?

Albert Ledoux est un homme dont j'ai toujours gardé le meilleur souvenir. Comme je ne voudrais pas qu'il soit malheureux et que je trouve qu'il a l'air un peu prisonnier dans un décor aussi austère, je le questionne gentiment sur sa vie sainte et nouvelle:

— Aimes-tu ça vivre dans cette maison?

— Oui et non...

Lui qui m'aime bien aussi s'informe aussitôt de ma vie d'artiste:

— J'ai appris que tu allais aux Beaux-Arts...

L'œil heureux, je lui réponds un gros oui, sans «et non» et je remarque que mon assurance le rend songeur. Il m'intrigue:

— Tu veux devenir prêtre pour vrai?

— C'est Dieu qui choisit...

Dieu ne l'a pas choisi longtemps. Hosanna pour lui! Hosanna pour moi aussi car trois dimanches plus tard je retourne au Grand Séminaire pour apprendre que mon Albert avait décidé, étant loin de sentir la vocation d'Abraham, qu'il me dit, de renoncer à la robe, de laisser ses cheveux enterrer sa tonsure et de sortir de sa ouache ecclésiastique en mai, en plein temps des lilas...

— Vas-tu retourner enseigner à Saint-André?

— Non. Je m'en vais en psychologie à l'Université de Montréal...

— Oh!...

Pendant qu'aux Beaux-Arts l'année tire à sa fin et que tous les élèves commencent à s'énerver avec les derniers examens qui s'en viennent à grands pas, Albert Ledoux, lui, a préparé son départ et bâti dans sa tête les plus beaux projets. Je le vois bien lorsque je vais le voir pour la dernière fois dans sa soutane à froufrous : il m'entretient d'avenir avec le plus grand sérieux et ça me concerne de tellement près que je n'en finis plus de sursauter.

— Nous allons nous lancer dans les patates frites...

— Où ça?

— Au Lac-des-Plages, dans ton pays.

— Comment ça?

— J'achète une grosse voiture tout équipée...

— Quand ça?

— Au mois de juin... Je fournis tout, tu t'occuperas de la voiture. Au lac, ta pension sera payée, et l'hiver, pendant nos cours à Montréal, tu resteras avec moi dans ma famille. Nous partagerons le même chambre, ça ne te coûtera pas un seul sou noir...

— Voyons, Albert, ça n'a pas de bon sens...

Pour une nouvelle, ça c'est une nouvelle! A-t-on jamais vu un homme virer le dos à la théologie pour s'embarquer dans les patates frites? Je reviens du Grand Séminaire la tête en cerf-volant et le cœur plein de louanges pour Albert... et le bon Dieu avec. Ça y est, mon avenir d'étudiant est assuré. Plus de problèmes. L'été je vends des patates au Lac-des-Plages, c'est tout proche de Saint-André à part de ça, et l'hiver je vais aux Beaux-Arts sans me tracasser pour ma pension. Quel bon marché, Seigneur, quel bon marché! Finies ma tante Rosana et sa petite chambre grande comme la main, fini mon oncle Josaphat avec sa piqûre d'insuline tous les matins parce qu'il fait du diabète, fini le quartier de la rue Des Carrières dont je n'ai jamais raffolé. Enfin, la vraie belle vie va commencer.

J'entreprends mes examens de fin d'année avec le feu le plus sacré qui soit. Mes mains sont si habiles et pas peureuses que je suis sûr d'arriver parmi les premiers dans chacun des cours. Comme j'ai de l'intuition à revendre, une vraie femme, il m'arrive exactement ce que j'ai prévu: je me classe dans le haut de l'échelle en tout et m'en vante intérieurement à grands cris.

Pour fêter tout ça, à l'école, il y a le grand bal avec orchestre, oui monsieur, où garçons et filles se pomponnent, s'accouplent, se collent, s'embrassent, chaque gars prêtant sa blonde à son voisin le temps d'un slow. Et ça boit de la bière et du cidre jusqu'aux petites heures du matin. Ouf la belle année! Demain, je dirai good-bye à Montréal, le train m'emportera avec mon cartable, mes peintures, ma valise, jusqu'à

Saint-André où Albert Ledoux me prendra pour monter au Lac-des-Plages commencer notre vie de patates frites.

10

Aux alentours de la Saint-Jean-Baptiste, il
fait à Saint-André une chaleur qui doit ressembler à celle d'Athènes, mes études sur la Grèce
m'en ont appris des choses... Albert s'amène
un matin, sans soutane ni tonsure, avec sa voiture de patates frites tout frais peinturée, d'un
beau drab pâle avec des barres mauves.

— Es-tu prêt?

— Ça fait longtemps.

Avec mes affaires que je traîne partout, je
monte dans un gros bazou balourd qui mène
un train d'enfer. Après des gros bonjours à
toute ma famille, on sort du village sous les
yeux de vingt curieux qui nous dévisagent
comme si on était du monde de cirque. Dans
les chemins de gravelle Albert chante sa libération, moi la mienne, pendant qu'une belle vapeur blanche s'échappe du bouchon du radiateur et qu'à l'intérieur de la voiture, les poêles,
les boîtes, les caisses, les bidons, les chaudières

font un vacarme qui nous force à nous égosiller:

— Où qu't'as acheté ça?

Depuis que je suis entré aux Beaux-Arts
que je me force pour bien parler, là c'est fini,
c'est les vacances, on peut lâcher son fou.

— D'un vieux à Montréal.

— Quelle année?

— C't'un 1934... On va l'appeler Wâbo.

Vingt-cinq milles de laveuse: Notre-Dame-
de-la-Paix, Namur, Saint-Émile. À travers les
terres, les bois, les montagnes, Wâbo fait son
smatte et nous voilà longeant enfin le plus beau
lac du nord de l'Outaouais. Il y a des chalets
pour tous les goûts: des blancs, des roses, des
verts, des bleus. Sur l'eau, comme un miroir
tellement tout le firmament se baigne dedans,
c'est la promenade des bateaux à voile, des
yachts, des canots, des chaloupes. Je viens pour
dire que c'est beau, Albert s'exclame à ma place:

— Regarde... c'est ici l'hôtel Schmidt où
l'on va s'installer le soir pour vendre des frites
et des hot-dogs. Y a une grande salle de
danse... c'est toujours plein de monde.

Et il passe tout droit pour s'engager dans
une route plus étroite et cahoteuse qui nous
mène jusqu'à la porte d'une école vieillotte,
genre école de rang, tout à côté d'une petite
église en papier brique, vieillotte aussi, et d'un
bureau de poste qui n'a pas l'air d'en mener
large lui non plus avec sa galerie dépeinturée et
son moulin à vent à cinquante pas dans la

109

cour. Albert arrête Wâbo, saute dans l'herbe et ouvre ses bras en croix.

— On est rendus, Seigneur! Admire le paysage...

— Qu'est-ce qu'on fait icitte?

— Ça va être notre maison pour l'été. On aura nos chambres en haut...

— Dans une école?

— Puis avec deux filles en plus... les deux maîtresses. C'était ma surprise. Tu connais pas Rosiane et Thérèse? Montons que j'te les présente...

On monte. Avec des boîtes et des valises. Albert lâche des cris de mort. Jamais je ne l'ai connu si débarré, lui mon ancien professeur, lui à peine guéri de sa tonsure. Les maîtresses, une grande, une moyenne, toutes deux souriantes, nous ouvrent déjà la porte dans le haut d'un long escalier. Pouf! On garroche nos bagages sur le plancher, une petite poussière monte, Albert fait ses accolades et ses présentations.

— Allô, allô!

— Enchanté...

Nous sommes dans une petite pièce, genre vivoir et cuisine mélangés, avec une seule fenêtre sur le lac. Rosiane, la grande, la brune, est tout émoustillée:

— Mettez vos affaires dans vot' chambre. Interdit d'entrer dans la nôtre. Vite mon dîner est prêt.

Je m'empresse de m'informer si elles connaissent le major Cayer qui a un gros chalet au lac. Elles me répondent: «Celui-là y est

110

connu comme Barabbas, mais cet été y est parti en voyage... », ce qui ne m'empêche pas de ranger les bagages avec bonne humeur car Thérèse, la moyenne, la noire, me donne un gentil coup de main. Albert, fou braque, n'est pas tenable. De sa valise, il sort une bouteille de rye et un paquet de disques. Il verse à boire et met déjà quelque chose à jouer sur un vieux phono dans un coin.

— Connaissez-vous *La Moldau* de Smetana?

Albert impressionne. Il peut nous en montrer à tous. Il m'a déjà parlé de théâtre et d'auteurs comme Molière, Marivaux, Anouilh... Il m'a souvent montré son enthousiasme pour le chant classique, semi-classique, me mentionnant à tout bout de champ le nom de Gabriel Fauré. En littérature, c'est pareil... Dur à battre. Des noms comme Sophocle, Platon, Spinoza revenaient régulièrement dans ses propos quand je le voyais au Grand Séminaire...

Écoutant *La Moldau,* bien sérieusement, yeux dans le beurre, verre à la main, je me dis que ce n'est sûrement pas avec ma seule année de Beaux-Arts que je pourrai lui apprendre quelque chose, lui qui a dix ans de plus que moi, qui a fait tout son cours classique, son École Normale et un bout de chemin en théologie. Les filles ne le quittent pas des yeux. Il a l'air d'aimer ça. Les meilleures pensées rôdent dans mon esprit: c'est l'été, je suis en bonne compagnie, au bord d'un beau lac, et je pourrai peindre des paysages dans mes temps libres... Oh que c'est beau cette musique de Smetana!

Le rêve c'est bon, mais on est surtout venus ici pour travailler. Albert se place comme chanteur et maître de cérémonie à l'hôtel, c'était son idée, moi je trouve en hâte l'habitant qui me vendra des poches de patates. Je commence à éplucher au petit couteau, il m'en faut un gros bidon pour la fin de semaine toute proche. C'est long en baptême et ça m'arrache les mains... Rosiane et Thérèse viennent à mon secours mais ça m'arrache encore les mains. Albert me promet une éplucheuse électrique dès qu'il ira à Montréal acheter au prix du gros tout ce dont on aura besoin pour le commerce. En attendant, avec mon Wâbo, je couraille les environs pour m'équiper en graisse, pains, saucisses, viande hachée, catchop, vinaigre, relish et tout le restant...

Premier samedi soir, parqué en face de l'hôtel Schmidt, juste à la porte de la salle de danse, mes feux sont bleus, ma graisse ainsi que ma plaque de fonte brûlantes à point, mon réservoir à naphta et mon fanal pompés juste à la bonne pression. J'ai mis un tablier blanc et actionne en chantant mon couteau en acier quadrillé pour couper les patates en petits bâtons. Panier en broche, genre de puisoir, bien rempli, je fais joyeusement, enfin, ma première batch de frites, l'eau à la bouche, tout en pensant que je suis prêt à n'importe quel sacrifice pour gagner mes études... Une vapeur blanche et une chaleur d'enfer étouffent d'un coup sec mes plus belles pensées, j'ai les deux yeux qui se battent pour voir clair et le nez qui pisse déjà ses premières sueurs. C'est l'ouverture de la saison, le brouhaha général, les voix, les rires, les cris de vacances d'un monde qui arrive à pied, en voiture, de partout, et qui s'engouffre comme des animaux dans la grande salle de danse de l'hôtel. Mon premier client est là... et d'autres qui suivent à la file :

— Ane pétaque pis un Pepsi...

— Un hot-doye stimmé, relish moutarde.

— Une pétate frite avec du vinaigre.

Une femme pimbêche apparaît :

— Un chien chaud garni, s'il vous plaît.

Par mes deux carreaux ouverts, un de chaque côté de la voiture, l'argent ne fournit pas d'entrer et je sers les gens avec un sourire difficile à battre. Ça va bien. Le visage me brûle mais ça va bien quand même. Entre deux commandes, je remonte la pression de mon réservoir à naphta et mange mon premier casseau de frites en buvant une liqueur. Je trouve ça bon pour mourir et en jouis au point de me promettre de me bourrer la face quand bon me plaira vu que c'est gratis.

— Cinq patates...

— Deux hamburgers, quatre âle-dogues...

À chaque soir que le bon Dieu amène, à travers chaleur martyrisante, boucane blanche et gros papillons de nuit qui tournaillent autour de mon fanal, j'entends l'orchestre de la salle de danse qui m'envoie ses paquets de musique à pleins carreaux. J'entends le monde qui piaille de plus en plus fort, j'entends aussi la voix d'Albert dans les haut-parleurs qui grésillent: il chante au micro *Lili Marlene, La Mer* de Charles Trenet... et d'autres affaires que je connais moins bien. Sacré Albert! Il en a du front!... Le pape serait dans l'assistance qu'il chanterait pareil. C'est vrai qu'il a du talent et que des chansons il en connaît assez pour être capable de chanter une nuit complète sans s'arrêter: en français, en anglais, en latin, en n'importe quoi. Faut dire qu'il aime ça comme un fou et qu'il est heureux là-dedans, comme moi dans la peinture...

— Huit âle-doyes, huit pétaques... Enweille, sacrament, on a faim icitte!

Plus il se fait tard, plus les gens ont bu, ça se comprend. Et quand la faim les pogne, ils sortent et viennent à la voiture en gangs de plus en plus grosses, de plus en plus paquetées. Mes feux ne fournissent pas, ni mon couteau à patates, ni ma patience, ni mes mains. Il faudrait que je sois au moins deux pour arriver.

Longtemps après minuit, quand l'orchestre a bien battu son plein et les danses fait tout leur tapage, Albert m'arrive enfin, juste au moment où l'hôtel se vide. Un dernier soûlon s'approche pour manger, je lui lâche mon cri final:

— C'est fini, y a plus rien.

Le soûlon se venge comme il peut:

— Mange d'la marde, câlice!...

Albert veut sympathiser:

— T'as eu chaud, hein?

— En maudit...

Sans un mot de plus, je ferme mon fanal et m'écrase à la roue de Wâbo. Nous roulons, on dirait deux morts, vers notre vieille école.

La nuit, c'est toujours la même cérémonie : on rentre se reposer après une veillée d'hôtel assommante. Rosiane et Thérèse nous attendent, ou bien elles dorment et se font réveiller par nos hurlements de sauvages même si on est brûlés de fatigue. Albert est fort en taquineries, en provocations comiques, en tours pendables. Je le découvre bohème, drôle, vaniteux, fou, aimant tirer la pipe, conter des histoires, rire, se faire flatter, perdre son temps et le faire perdre aux autres...

— Grouillez-vous les p'tites filles, on va luncher.

Même à trois heures dans la nuit, Albert se sent dans son plein jour. Il ouvre une bouteille de rye et met des disques sur le phono. Tout le monde le suit, avec, disons, un certain émerveillement. Il nous fait entendre des auteurs comme Rameau, Couperin, Saint-Saëns, Debussy, Berlioz, tout ça mélangé, sans explication, comme s'il voulait nous soûler de force des plus belles musiques du monde. Moi, je ne peux pas dire que je n'écoute pas, j'écoute. *Pierre et le Loup, Schéhérazade,* la *Cinquième,* la *Neuvième,* n'importe quoi. Mais, franchement, c'est si loin de mon violon d'enfance, des reels à papa, et de toutes les chansons que j'avais

composées avant de partir pour Montréal que je
dois me forcer pas mal par en dedans pour
avoir l'air de tout comprendre et d'aimer ça.
Souvent, ça prendrait cent Mozart pour pouvoir
changer ma nature profonde et, surtout, m'enlever ma maudite nausée de patates frites.

— Excusez-moé, j'm'en vas m'coucher...

« Ainsi va le monde », comme dit Trenet
dans une chanson qu'Albert chante à l'hôtel
Schmidt. Rosiane et Thérèse passent leurs vacances au bord de leur lac à s'occuper, entre
deux baignades, de leurs pensionnaires passeux
de nuits blanches et qui font jaser d'eux plutôt
fort dans le voisinage. Albert, lui, gigote sans
arrêt, va à Saint-André ou à Montréal faire des
commissions avec un autre vieux bazou épouvantable acheté je ne sais où et qu'il a baptisé
Chromosome. Le soir, il est toujours à son
poste de maître de cérémonie pour mener le bal
et chante avec autant de bonheur qu'il est capable de le faire le dimanche à l'église quand il
monte tout seul au jubé avec son gros missel
plein de latin, sa voix des « lendemains d'la
veille » et jamais un maudit chat pour l'accompagner à l'harmonium.

Quant à moi... je suis dans les patates
jusqu'au cou. C'est mon été. Mes vacances.
N'aimant me baigner que du bout des orteils,
je profite plutôt de mes courts moments libres
pour tâter un peu de la peinture. Je réussis à
faire à l'huile quelques paysages qui me tombent dans l'œil. J'ai mes idées et les garde pour

moi... Secrètement, jalousement. L'été prochain, je demanderai à monsieur Schmidt de me donner la permission de monter une exposition dans la grande salle à manger de son hôtel. Comme ça, tout le monde pourra savoir qui je suis, et Albert pourra chanter et faire la vedette tant qu'il voudra sans que ça me fasse mal en cachette...

Quand l'été s'achève et qu'on traverse enfin le gros boume de la Fête du Travail, tout se termine dans une grande euphorie mêlée de joie, de fatigue et de folie. Rosiane et Thérèse, quelles filles généreuses! sont à moitié mortes... et à quelques jours seulement de l'ouverture de leurs classes. Albert a paralysé la moitié de sa voix dans les boucanes de l'hôtel, et moi... brûlé les trois quarts de ma peau dans l'enfer de Wâbo. Ça ne fait rien. La beauté du diable joue pour nous et nous fêtons la clôture d'une bonne saison avec un grand repas, des bouteilles de vin et beaucoup de Préludes, Sonates et Fugues de toutes sortes.

Un matin, on ne met pas de temps à charger nos affaires dans nos bazous et à déguerpir après avoir embrassé les filles de l'école qui ont été si smattes avec nous. Sur la route poussiéreuse, Albert roule devant avec son Chromosome et je le suis comme je peux avec ma grosse tortue qui n'arrête pas de fumer du radiateur.

11

Montréal, rue Saint-Vallier. Derrière Albert, j'entre dans un immense logement mal éclairé. Il me présente sa mère, haute comme trois pommes, trois tabliers par-dessus sa robe, petites lunettes et grosse toque blanche bien enroulée; son père, cheveux gris, pipe au bec, et qui se berce dans la salle à manger contre une fenêtre donnant sur un hangar de ruelle; son frère Jacques, bâti comme un sportif; enfin sa sœur, Margot, une grande brune avec une épaule qui baisse un peu, mais dont le beau visage épanoui, souriant, rachète tout.

En ville, la vitesse est dans l'air. Surtout chez les Ledoux. Albert n'a déjà plus le même ton qu'au lac:

— Vite, déchargeons nos affaires car il faut que j'aille mener Wâbo au garage pour l'hiver, car je dois aller chez Anna Malenfant pour mes cours de chant, car j'ai un rendez-vous à l'Université , car, car, car...

Alors on vide les bazous en courant et toutes nos choses sont lancées en vrac dans la chambre que je partage avec Albert. Une chambre qui a vraiment l'air d'être son bureau de travail avant tout : il y a des piles de livres, des traîneries partout. En forçant un peu de l'œil, j'arrive quand même à distinguer deux lits simples qui ne sont sûrement pas là pour rien. C'est bien dans ce fouillis qu'on dormira... Mais, bon Dieu, où vais-je m'installer pour faire un peu de peinture quand la main me le dira?

Albert a déjà passé la porte en coup de vent et me voilà tout fin seul, assis sur mon lit à essayer d'imaginer où je mettrai les pieds en attendant que les choses se rangent et s'arrangent. Mes peintures sont toutes mêlées avec des caisses en bois et des boîtes pleines de je ne sais plus quoi. Je ne retrouve même pas mon Christ brun à qui j'aurais peut-être envie de dire un mot...

Je mets une bonne semaine à tout renipper, à commencer par moi-même, et aux Beaux-Arts, les cours démarrent dans un grand tapage. Rires, joies des retrouvailles, les mêmes faces, les récits de vacances tous aussi colorés les uns que les autres, les bécots avec les filles, les accolades avec les gars, et vive encore une fois les merveilles du dessin, de la décoration et du modelage.

Cette année, nous changeons de salles de cours et nos professeurs sont d'un autre calibre: encore plus sévères, rigoureux, calés. En dessin, ça commence raide avec des plâtres de Michel-Ange: Moïse, David, Laurent de Médicis. J'y mets toute ma gravité et mon application. Mon talent par-dessus. J'y donne mon cœur, mon été de patates, ma volonté, ma fierté, enfin tout ce qui pourra m'aider à me grandir. Garanti que je ne sortirai pas de cette école sans me sentir plus riche que Saint-André m'a fait...

La famille Ledoux est en plein celle qu'il me fallait. Bonne cuisine, du respect, de la discrétion, chacun à son affaire: monsieur Ledoux sur les tramways de la ligne Saint-Denis, Jacques chez un typographe, Margot à l'hôpital Sainte-Justine comme infirmière. Quant à mon Albert, il s'agite comme une queue de veau: cours de psychologie, cours de chant, et je ne sais pas tout... De mon côté, n'étant pas greyé pour faire de la peinture dans une telle maison, j'en profite pour lire, étudier, écrire. Sans trop m'en rendre compte, le soir, je griffonne dans un cahier tout ce qui peut me trotter dans la tête: « Van Gogh, précurseur de l'Expressionnisme n'avait qu'une seule religion, c'était le soleil. » « Le Fauvisme fut l'école des couleurs violentes. Les grands noms qui s'y rattachent sont: Matisse, Braque, Dufy, Rouault. »

J'écris. Comme pour me donner le sentiment de mieux vivre. Comme pour me mettre en valeur, cœur battant, et dans le plus grand secret. J'écris aussi peut-être pour m'excuser de ne pas être capable, ni d'avoir l'envie, de faire de la peinture. Parler d'art, je trouve que ce n'est pas trop pire: en faire, c'est plus toffe et ça se comprend. «Grand parleur, p'tit faiseur», disait-on souvent à la campagne... Chaque fois qu'il m'arrive de penser à ça, je l'efface au plus sacrant.

— Énervez-vous pas avec cet Hermaphrodite, nargue un professeur, bientôt je vous flanque la *Victoire de Samothrace.*

À l'école, ça bouge, ça roule, ça coule. Aujourd'hui, devant mon chevalet, je me sens particulièrement émoustillé: il y a parmi les élèves une fille, plutôt grande, mince, cheveux longs et blonds, visage effilé et yeux bleus, qui a commencé à me tomber dans l'œil pas mal plus fort que l'Hermaphrodite. C'est bizarre, elle était pourtant là l'année précédente et depuis le début de l'année sans que rien de spécial ne se soit jamais passé entre nous... Toujours est-il que je ne sais plus ce qui m'arrive, que je ne comprends plus rien à rien, que je me sens tout à coup bien mêlé dans mes sentiments et tout mon corps. Un œil sur le modèle à dessiner, un œil sur elle, je ne sais plus qui m'habite exactement. Deux yeux sur l'Hermaphrodite pour une minute, deux yeux sur elle pour cinq minutes. Subitement, j'en ai la vue embrouillée, les mains moites et le fusain qui s'en va tout de travers. Qu'est-ce qu'elle m'a fait pour l'amour? D'où ça vient?... Ce n'est quand même pas les trois petites danses qu'elle m'a accordées l'autre soir chez des amis qui peuvent me rendre de même...

En tout cas, elle s'appelle Françoise, et, ça serait fou de le cacher, je sens bien que le petit vent chaud, coloré, électrique qui s'est mis à barauder entre elle et moi est plus sérieux qu'il en a l'air. Non, la camaraderie, ce n'est pas ça... L'amitié ne peut pas à ce point faire trembler la main quand on dessine. Si c'est l'amour, eh bien, je trouve ça pas mal hypocrite. Sans prévenir, voilà que ça défonce tout et que ça dérange tout en entrant chez vous comme un voleur. Curieux...

Bien avant, à Saint-André-Avellin, j'avais connu l'enfance tout court. À quinze ans, en arrivant à Montréal, j'ai connu l'enfance de la ville, puis ce fut celle de l'art. Maintenant, on dirait que je me trouve devant celle de l'amour... Chez Ledoux, dans ma chambre, un soir, j'écris dans mon cahier de pensées: «La vie est une suite d'enfances à n'en plus finir...»

Dans le passé, j'avais pourtant eu des sentiments très forts pour d'autres filles, mais ce que je ressens pour cette Françoise, qui chaque jour dessine devant les mêmes plâtres que moi, est tout différent. Tout nouveau. C'est un sentiment sourd, une émotion qui couve comme une braise sous la cendre, et ça prend en cachette toute la place dans ma peau comme on peut avoir une douce migraine au cœur.

Avec les semaines qui défilent, on se regarde de plus en plus, se parle de plus en plus, se tient par la main tant et si fort à la moindre occasion que le jour où un professeur narquois ose crier comme dans un porte-voix: «Ces oiseaux-là sont partis pour la gloire», on a compris. Peut-être en rougissant un peu des pommettes mais on a compris quand même... Que le temps avait fait son chemin avec des surprises dedans, que le cœur peut se mettre vite à aimer sans être capable de s'expliquer, que deux amoureux ne peuvent plus se sauver l'un de l'autre quand ils s'aperçoivent que l'un sans l'autre devient triste à mourir.

— J'ai une misère folle à m'concentrer, me confie-t-elle un soir après les cours.

— Moi c'est pareil, dis-je à moitié rendu dans la lune.

— On est heureux... en même temps c'est comme si on avait des remords...

M'aidant d'un gros respir, je la rassure en la serrant par la taille et l'emmène manger une frite dans un restaurant du Carré Saint-Louis.

On s'est fait des amis en dehors de l'école. Pour le plaisir. La chance aussi que cela nous donne de nous voir toujours plus souvent, toujours plus longtemps. Françoise... Simple nom qui, du jour au lendemain, me chambarde l'âme de fond en comble... C'est beau, c'est bon. Des fois sombre avec un peu la nostalgie de je ne sais quoi... C'est gai, c'est fou. Des fois on pleure pour des riens...

Par les nouveaux amis qu'elle me présente, Françoise m'ouvre les yeux sur des mondes merveilleux, envoûtants. Chaque soir que nous sortons ensemble, cœur pimpant, le pas dansant, elle m'emmène dans des endroits toujours nouveaux : chez une amie, Lyse, qui est comédienne et qui m'arrache des larmes rien qu'à réciter de sa belle voix grave *Dans un grand parc solitaire et glacé, deux ombres ont tout à l'heure passé...* ; chez un jeune peintre, Claude Vermette, qu'elle connaît et qu'elle dit être prodige parce qu'il est disciple de Borduas et que Borduas le vante aux quatre coins de Montréal parce qu'il peint des toiles rien qu'avec des grandes beurrées de peinture placées n'importe comment et qu'il ne va pas aux Beaux-Arts pour ne pas tuer ses inspirations.

Françoise me trimbale encore chez d'autres amis : un soir chez un jeune couple qui vit pauvrement dans un sous-sol humide de la rue Lajeunesse et qui a tout l'air de se préparer pour le théâtre professionnel car on n'entend parler que de Copeau, Copeau, Copeau... Un autre soir, chez un pianiste, Pierre Brabant, enfant prodige, me dit-elle, et qui a déjà fait un récital à l'Hermitage, et qui peut jouer, à 18 ans et les yeux fermés, comme s'il avait vingt ans de pratique et trois paires de mains, le *Clair de lune* de Debussy, la *Polonaise* de Chopin et bien des choses qu'on ne connaît pas.

D'un ami à l'autre, d'une rencontre à l'autre, ça finit que nous nous trouvons en peu de temps une bonne gang de connaissances, de copains, tous des artistes : peintres, chanteurs, musiciens, poètes, comédiens, et que toutes les occasions sont bonnes pour nous rencontrer. Tous ces milieux nouveaux me barrouettent l'esprit un peu fort, moi qui ai déjà un certain mal à avaler des cours de plus en plus difficiles aux Beaux-Arts, mais ce qui me console de tout c'est qu'après chaque veillée passée quelque part, j'ai la chance d'aller en chantant reconduire ma blonde chez elle dans Rosement, à pied, toujours à pied, et de l'embrasser à chaque entrée de ruelle, dans tous les terrains vacants, et même au bas de l'escalier de sa propre maison: une grosse bâtisse en briques beiges avec restaurant, salle de réception, salle de billard dans le bas et logement dans le haut.

— Il est riche ton père d'avoir tout ça à lui!...

— C'est un homme d'affaires...

— Le mien... c'est un barbier.

Après ces moments-là, je rentre toujours à ma chambre de la rue Saint-Vallier en traînant le pas, rêvassant, la tête partie bien haut au-dessus des toits de Montréal. Je pense à mes études, à l'année qui file déjà vers sa fin... Je pense à elle... Le temps me fait du bien. C'est drôle, il me semble qu'en même temps il me fait aussi un peu de mal.

Deuxième Partie

LES AMOURS

Derrière l'Île d'Orléans, le large est devenu pour mes yeux un gigantesque écran quotidien. Les saisons changent, les séquences défilent tantôt en couleur, tantôt en noir et blanc. Je fais corps avec la lucarne de mon toit comme si elle était devenue mon hublot indispensable. Un hublot invisible pour quiconque mais essentiellement présent pour moi. Ensemble nous vivons une sorte d'osmose hors du temps, comme le pendant de ma réalité, parce que je suis vraiment dédoublé, vivant à l'Ange-Gardien ma vie d'homme amoureux avec Yo et Manu sans que rien n'y paraisse, autant que possible.

La table où nous mangeons, les lits où nous dormons sont bien à leur place. Nous travaillons, nous voyageons, comme s'il n'y avait dans ma tête ni hublot, ni gigantesque écran. Pourtant, je suis deux. Un ici, un là-bas. Deux visions, deux corps... Oui, tout est possible.

12

— Cinq pétaques...

— Trois hot-dogs, relish moutarde...

Mes examens des Beaux-Arts terminés, réussis, au Lac-des-Plages c'est encore mon été, mes vacances. Ma vie avec Wâbo dans les frites par-dessus la tête. À l'hôtel Schmidt, Albert Ledoux chante encore ses rengaines connues. Partout c'est la même ambiance, le même monde, même musique, clameur dans mes oreilles, enfer dans ma cabane, sueurs sur mon visage en compote, autant dire même température en tout et partout que l'été passé.

Cette année, Albert, Rosiane et Thérèse ont beau se montrer plus gentils que jamais, je sens bien que cette fois-ci, si je n'étais pas en amour, je ne ferais pas long feu dans cette voiture du diable qui me raque et me crève jusqu'à l'écœurement. Heureusement que Françoise m'écrit: «*Depuis ton départ, je sors tous les jours et ne fais que marcher, jusqu'au port, jusqu'au*

Mont-Royal... *ne sachant plus comment tuer le temps ni mon ennui. Le dernier soir que nous avons passé ensemble, j'ai trouvé Montréal terne comme jamais et j'ai bien compris ta rage et tes colères contre ce que tu as appelé ton « destin marqué d'avance ». J'en suis restée le cœur bouleversé et j'ai toutes les peines du monde à m'en remettre. J'espère que tu as repris courage et que tu sais que je suis maintenant avec toi... Hier, pour me changer les idées, suis allée au cinéma voir* Lucrèce *avec Edwige Feuillère... Merveilleux film, grande comédienne. T'en parlerai bientôt. Puisque je trouve le temps long et que je n'arrive pas à faire de la peinture comme je le voulais, j'ai le bonheur de t'annoncer que j'irai te voir au lac en août, sur le pouce, avec Pierre Brabant. J'en ai parlé à maman et ça n'a pas été facile d'avoir son consentement... Enfin, c'est réglé...* »

Des lettres de même, ça me remet tout de suite le cœur la tête en haut. Il ne faut pas chercher ailleurs la source de mon courage que je prends toujours à deux mains, même si elles sont très occupées à travailler. Je réponds à Françoise avec une sentimentalité comme il ne s'en fait plus : « *Cet été, ici, rien n'est plus pareil. J'ai l'âme en peine à ne plus savoir quoi en faire... Albert s'en aperçoit et chaque soir quand on rentre, il me fait entendre des disques :* La Symphonie du Nouveau Monde *et des chansons de Marian Anderson, comme si ça pouvait me consoler de ton absence... Tu n'es pas seule à prendre des marches pour tuer ton ennui, j'en prends moi aussi de bien longues au bord du lac chaque fois que j'en ai le loisir. J'en profite pour me rechanter, les yeux dans l'eau, les belles chansons que nous avons apprises ensemble... surtout:* Aux Marches du Palais, Rue Saint-Vincent *et* Su'l'pont du Nord. *Ta visite que tu m'annonces pour le mois d'août devient chaque jour comme ma seule raison de vivre. En tout cas, ça m'aide à vendre des patates sans trop sacrer. Nous nous louerons un petit chalet et ce sera les plus beaux jours de notre vie...* »

Grand déblocage en moi, j'arrive à faire de la peinture. Un vrai salut. J'exposerai bientôt dans la salle à manger de l'hôtel, c'est mon vieux plan de l'an passé qui se réalise, je me hâte donc de terminer des paysages en y mettant le meilleur de mes tripes. J'ai entendu dire que le major Cayer viendra bientôt à son gros chalet et s'amènera à l'hôtel comme de coutume. Je veux absolument qu'il voie mes choses et qu'il les trouve à son goût. Comme Albert à son micro, j'ai besoin qu'on reconnaisse mes talents d'artiste et pourquoi je m'en cacherais...

Quant vient enfin le matin de l'accrochage, j'arrive à l'hôtel avec ma voiture de patates frites chargée de peintures. Monsieur Schmidt m'ouvre la porte et ses deux bras:

— Arrive mon gars, installe-toé pis accroche toutes tes affaires où tu voudras. Tiens... le marteau et les clous sont là.

Dans la salle à manger, me voilà seul, heureux, maître après Dieu. Le compas dans l'œil, joie dans les mains, je pique aux murs vingt tableaux que je considère comme pas trop pires, en tout cas assez valables pour plaire aux gens de la place. Il y a là tous mes paysages de ville, ceux du lac, mon Christ brun sur fond vert et la grande scène canadienne copiée au manoir de l'Île Perrot.

L'accrochage terminé, monsieur Schmidt s'amène, verre de scotch à la main, et me lance avec admiration:

— Mais c't'une vraie exposition qu'tu fais là! Ça va attirer l'monde... Veux-tu prendre un verre de quelque chose?

— Non merci.

Et je me sauve au chalet réveiller Albert, Rosiane, Thérèse, pour leur dire mon contentement et le plaisir de monsieur Schmidt. Pour moi, c'est comme si je vivais le jour le plus important de ma vie, mettons... un des plus importants. Le monde va comprendre une fois pour toutes, et je le dis tout haut, que ma vraie place est bien plus dans la peinture que dans les patates. Qu'enfin, je peux avoir du talent même si j'ai été élevé à Saint-André-Avellin. Je parle, gesticule, m'énerve, ris, rougis, assez qu'Albert me lance avec calme:

— Laisse faire le monde, pense rien qu'à ta peinture... c'est à elle que tu te dois avant tout.

Paroles de sagesse qui me font réfléchir...

Après des jours de chaleur où l'air se fait aussi rare qu'à Montréal, un lundi après le souper, alors que je suis en train, c'est la routine, de couper des patates et partir mes feux,

grande visite sur le parking de l'hôtel: Françoise et Pierre Brabant.

— Allô!

— Allô!

Je saute carré par mon châssis ouvert et
leur tombe dans les bras à tous les deux, surtout dans ceux de Françoise. Visage ébloui, elle
est belle comme jamais.

— Ah!

— Ah!

Là c'est vrai, et ça se dit tout seul, je
tourne comme une toupie et ne sais plus où me
garrocher tellement je suis pogné d'une crise de
rire et de brailler en même temps. Ils sont ici
pour trois jours... Un éclair me vient: je vole
dans l'hôtel, attrape mon Albert pour lui demander mon soir de congé... Fin connaisseur
des choses de l'amour, il me dit oui, de fermer
boutique sans gêne car, de toute façon, c'est
lundi... un soir tranquille.

— Youppi!

Je sors comme une balle:

— Montez, on va aller louer un p'tit chalet
pas loin...

Ils s'installent en riant. J'embraye. Carnage
de bidons et de casseroles. Wâbo roule son
quart de mille sans regimber.

— Une cabine pour trois jours, s'il vous
plaît.

— Combien de lits?

On se regarde, je décide:

— Deux lits doubles.

C'est fait. Je règle tout sans même m'informer du prix.

— Voici la clé, c'est le numéro 4, et j'veux pas d'tapage.

On gagne la cabine, on ouvre : deux lits doubles raboteux, un petit bureau avec une lampe à l'huile dessus, quatre murs de planches grises et c'est bien assez. Pierre entre les sacs de voyage et retourne dehors s'extasier devant le lac et le paysage. Moi je ne perds pas une seconde, embrasse mon amour, naturellement, bellement, sans attendre la permission de personne. Pierre, sur le perron, nous dérange déjà :

— Est-ce qu'y a un piano à l'hôtel ?

— Oui, ça s'adonne !... Pis venez que j'vous paye une bière.

À l'hôtel Schmidt, comme je m'apprête à montrer à ma visite le chemin du bar, boum ! je reçois un coup en plein cœur. Qui je viens de voir se dirigeant vers la salle à manger en compagnie d'Albert ? Le major Cayer. Oui, en personne. Je fais le mouvement de m'élancer vers lui comme un quêteux de quelque chose mais je m'arrête net, sec, préférant garder ma fierté et le laisser aller voir mes peintures sans moi.

J'emmène Françoise et Pierre dans la salle de danse où c'est presque vide. On prend place à une table, je commande des bières et tente par mille moyens de dissimuler les frétillements qui m'agitent...

— Avez-vous vu l'major Cayer ?

— C'est lui qu'on a aperçu tantôt en redingote kaki avec une ceinture rouge ?

— En plein ça. C'est pour lui que j'ai déjà travaillé...

Pierre n'écoute plus. Il s'empare de sa bouteille de bière et file tout droit au piano juché sur la scène. Avec le même front qu'Albert, il prend ses aises et se met à jouer comme s'il était tout seul dans son salon. Les rares clients aux tables sont vite pâmés. Françoise et moi aussi, comme toujours... Quelle musique! Quels doigts magiques!

Ça y est, Albert apparaît aux côtés du major qui m'a tout l'air d'avoir déjà enfilé quelques rhums. Ils s'en viennent direct à notre table.

— Salut, dit Albert familièrement.

— Salut.

— Tiens, Jean-Paul!... s'étonne le major. Je suis content de te voir là. Je viens de regarder tes peintures...

Je leur présente Françoise, avec timidité, délicatesse, fierté.

— Vous êtes charmante, petite demoiselle, fait le major en se débattant avec une quinte de toux.

Puis, sauvage comme toujours, il passe son chemin et s'en va à une table isolée plus loin, pendant qu'Albert nous laisse à notre intimité, non sans m'avoir fait promettre de lui présenter au plus tôt mon ami pianiste qu'il trouve formidable.

— Garçon!

J'entends le major crier avec la même voix sonore qu'il avait au club Saint-Louis. J'ai un œil sur lui qui ne démord pas, me gardant l'au-

137

tre pour Françoise qui, pourtant, mériterait bien les deux à la fois. Mais ce major du diable ne cesse de me hanter jusqu'à l'obsession. Je le comprends d'être pris et visiblement fasciné par Pierre Brabant qui est train de casser le piano, mais j'aimerais donc ça savoir s'il a aimé mes tableaux dans la salle à manger... Il boit son rhum, tousse, morve, se mouche, reluque Pierre avec un tel regard de possédé que Françoise et moi on en rit presque. À un moment donné, par-dessus la musique, il me hurle :

— Jean-Paul !

Je fais le saut et cours à lui, m'enfargeant dans au moins trois chaises d'affilée.

— Oui major...

— Trois choses que je veux te dire : d'abord que je ne t'ai jamais gardé rancune pour ton départ de l'Île Perrot...

— Bon...

— Laisse-moi parler. Deuxièmement que j'ai bien aimé tes peintures et que je vais t'en acheter trois à 25 dollars chacune...

— Oh !...

— Laisse-moi finir. Enfin, troisièment, tu vas me dire qui est ce jeune génie en avant qui joue du piano...

— C'est mon ami, Pierre Brabant, il vient d'arriver de Montréal avec mon amie... Françoise.

Le voilà qu'il fouille dans ses poches, que ses mains s'empêtrent un long moment et qu'il finit par dégager de quelque part un paquet de bills épais comme ça. Les yeux me crochissent.

— Tiens... voici 75 dollars pour tes peintures. Je les prendrai demain et qu'on n'en parle plus.

— Ah, merci, merci...

— Maintenant, tu vas prendre ce billet de 20 dollars et tu vas aller le porter à ton ami Pierre et tu vas lui demander de me jouer le début du *Concerto numéro 1* de Chopin.

— Oui, oui, certain... très bien.

Je vois tout embrouillé, j'arrive à Pierre en courant, lui conte ça dans une oreille et lui laisse le bill de 20 sur le piano. Il sourit et commence à jouer comme si de rien n'était.

Revenu à ma place, je trinque avec Françoise:

— Tu peux pas savoir c'qui nous arrive!

— Quoi?

La fin du concerto nous coupe la parole. On voit Pierre se lever de son banc et faire une révérence, comme après un récital, en direction du major... Les gens applaudissent. Le major me rappelle:

— Voici deux autres billets pour ton Pierre. Celui-ci pour qu'il me joue la *Petite musique de nuit* de Mozart et celui-ci pour entendre ce que j'aime le plus au monde: *Arabesque* de Debussy.

Je vois trois fois plus embrouillé que tantôt. J'arrive au piano, la mémoire toute mêlée:

— Pierre!... Encore d'l'argent! Y veut qu'tu lui joues *Musique de nuit* de Debussy et *Arabesque* de Mozart...

Pierre me dévisage, s'interroge, comprend tout et, les yeux presque fermés, s'exécute avec une âme jamais vue au Lac-des-Plages. Les gens deviennent comme magnétisés, le major a l'air de brailler dans son verre de rhum, Françoise a le regard parti dans le vague, et moi... je ravale pour ne pas éclater. Trop de bonheur fait presque mal. La musique m'emporte, la peinture, c'est comme ma religion, et l'amour... ma nouvelle richesse. Douce rêverie...

Applaudissements. Pierre se morfond en révérences et vient nous rejoindre, la face en sueur... Le major ne perd pas une seconde et s'amène à notre table en caracolant:

— Je ne voudrais pas briser votre précieuse intimité mes enfants, mais j'aurais un mot à dire à chacun de vous.

Trois souffles s'arrêtent, le bon Dieu s'assoit pour mieux se tenir. Ses yeux rouges, bouffis, mouillés, fixent d'abord Françoise.

— Vous... vous avez un visage et une taille de nymphe. Si vous aimez Jean-Paul, aidez-le et posez pour lui, vous ferez le plus divin des modèles...

Puis il passe à moi avec une expression grave à faire peur:

— Toi, tu es peintre... un bel artiste en herbe... Aimerais-tu ça aller à Paris étudier?

Les deux bras me tombent. Je pars à rire nerveusement.

— Moi aller à Paris?... Non... je suis en amour!...

— Comme tu voudras.

Au tour de Pierre maintenant de se faire darder:

— Toi, qu'est-ce que tu en dirais d'aller te perfectionner un an dans la grande capitale des arts?

Pierre, visage illuminé, mord sans réticence:

— Pour moi, aller à Paris... ça serait la réalisation de mon plus beau rêve!

— Rêve plus, tu vas y aller. Dans un mois tu seras sur l'Atlantique... Passe me voir la semaine prochaine à mon bureau, voici ma carte...

Pierre, paralysé, parvient avec peine à s'emparer de la carte, la regarde, sourit, la range dans sa poche et sourit encore, longuement, complètement hébété. Le major se lève sans un mot de plus et quitte la salle, laissant traîner derrière lui des flaques d'ombre, des taches de clarté, des mystères...

Il nous a hypnotisés, c'est certain. Tout comme lui, on sort de la salle et l'on marche, bouche cousue, l'allure drôle, bizarre, en pleine nuit noire, jusqu'à notre cabine. J'entre, j'allume la lampe. Pierre s'allonge sur son lit et ne fait que répéter:

— Je l'crois pas, je l'crois pas...

Françoise s'étend sur l'autre lit, je me couche contre elle, avec un goût fou de parler, de chanter, mais... tout m'étrangle: le major, l'amour, cette nuit qui commence, douce, inquiétante, et qui me fait déborder d'émotion... À mon oreille, j'entends une voix rêveuse:

— T'aurais dû accepter toi aussi d'aller à Paris...

— Jamais j'pourrais t'laisser...

— T'as peut-être manqué la chance de ta vie...

— Ma chance, c'est toé...

Les mots perdent leur sens. Commencent nos cajoleries, nos caresses, nos embrassades à n'en plus finir. De sa place, Pierre abandonne tout à coup ses « je l'crois pas » et demande à Françoise de dire le poème de Nelligan qu'elle dit si bien par cœur et qui s'appelle *Le vaisseau d'or*. Elle fixe le feu de la lampe et d'une voix grave et chaude, comme d'un autre monde, se met à réciter:

LE VAISSEAU D'OR

Ce fut un grand Vaisseau taillé dans l'or massif:
Ses mâts touchaient l'azur, sur des mers
                                   [inconnues;
La Cyprine d'amour, cheveux épars, chairs nues,
S'étalait à sa proue, au soleil excessif...

J'écoute, la larme à l'œil. Les mots de Nelligan voyagent dans ma tête et ça fait comme des coups de vent qui me soulèvent et m'emportent loin de moi, loin du lac, d'Albert et ses patates, de tout...

Dans la cabine, la lampe s'éteint à petit feu. Pierre s'est endormi en pleurnichant. Je ne suis plus qu'avec elle. Que pour elle. En elle. Tout est chaleur, musique, bonheur. Le sang tourne. Nous ne sommes qu'un. Un, ensemble. Pour la nuit, pour toujours. Moment de feu, de délire, comme si nous respirions à même une lumière jamais vue. Tout tourbillonne. Et la joie monte, monte, jusqu'à nous sortir de nous-mêmes pour nous faire goûter l'extase du paradis. C'est si haut qu'on n'a plus besoin de parler...

Tout le Lac-des-Plages, tout son ciel et ses arbres, sont colorés en jaune, orangé et rouge. C'est mon œil de peintre par-dessus mon œil d'amoureux qui voit ça, je le sais, je ne suis pas fou. La beauté, ça se mesure avec les yeux du dedans, pas autre chose...

Françoise, Pierre et moi on repart la manivelle de la journée et l'on court nager, manger, marcher, pour fêter comme des enfants la vie merveilleuse étendue à perte de vue devant chacun de nous.

— Allons à l'hôtel voir mes peintures...

— Et prendre un verre...

— Et faire un tour du lac...

Nous rejoignons Wâbo devant la salle de danse. On y monte comme si l'on partait en lune de miel à trois. Moteur, carnage, départ avec poussière derrière et soleil devant.

— Chantons...

— Quoi?

— N'importe quoi...

Alors on chante à pleine tête... à cause de Wâbo qui chante aussi. *Plaisir d'amour, À toi belle hirondelle, Un Canadien errant,* tout y passe, jusqu'au bout du cœur, jusqu'au bout du lac. Enfin, nous voilà stoppés chez Rosiane et Thérèse, histoire pour moi de présenter ma visite de Montréal et de permettre à Albert de parler un peu de musique avec Pierre.

Ce soir, dans ma voiture de patates frites, je fais de Françoise mon assistante. Et j'envoie Pierre se faire écorcher les oreilles dans l'hôtel car, avec l'orchestre et Albert, il y aura soirée d'amateurs et ce sera le gros pâwâ. Mozart et Chopin peuvent toujours se reposer...

Dans les vapeurs brûlantes de Wâbo, je trouve tout agréable et facile. Mille papillons de nuit peuvent entrer faire leurs simagrées autour de mon fanal, cent clients soûls comme la botte peuvent nous commander cent « casseaux d'pétaques » que rien ne pourra maganer la qualité de ma joie. Elle est là... à mes côtés; elle chantonne pour moi, je siffle pour elle; nous sommes plus riches que tout au monde.

À une heure du matin, Pierre se montre la face: il a bu un peu, pas mal, déparle un peu, pas mal aussi, et son air tanné me dit qu'il a grosse envie d'aller se coucher.

— Monte, on va aller te reconduire à la cabine.

Mon esprit de décision m'étonne: j'éteins les feux, range les affaires, ferme les châssis, clac! et mets Wâbo en marche comme si j'envoyais au diable l'argent, les clients, Albert et toute la chibagne. Par en dedans j'ai une idée d'accrochée et il n'y a pas un chrétien du nord qui va venir me l'enlever.

— Tiens, nous v'là rendus!

Comme de fait, la porte du chalet n'est pas aussitôt ouverte que Pierre, mine pâteuse, se laisse tomber sur son lit et s'endort comme un ange. J'agrippe les deux couvertes de laine grise de notre lit et regagne la porte...

— Où vas-tu?

— Viens, on s'en va dormir à la belle étoile...

Françoise embarque derrière moi et j'ai tout à coup le pied si pesant sur la pédale de Wâbo qu'on jurerait qu'il y a un feu quelque part. Juste passé l'église, j'arrête net devant une barrière de planches. Couvertes de laine sous le bras, je saute à terre et enjambe la clôture comme si un dieu ou un diable m'avait crinqué. J'aide Françoise qui enjambe à son tour. Je jase comme une pie et ne prends plus le temps de soigner mon langage comme aux Beaux-Arts ou devant le major Cayer...

— On s'installe icitte pour la nuit... Une couverte comme drap pis l'autre pour s'abrier. As-tu vu la lune rousse qui s'lève? As-tu senti? C'est des odeurs de trèfle et de foin mêlées... rien qu'pour nous autres. Cherches-en à Montréal des parfums d'même...

— Tu m'fais rire...

Nu-pieds, on marche dans l'herbe mouillée, on sautille comme deux chèvres, on voudrait bien que la nuit dure une éternité. Le serein tombe, on finit par se coucher... Pour mieux voir les points d'or qui bougent au firmament, mieux se coller et se donner de la chaleur...

— Veux-tu m'réciter l'poème de Nelligan?

145

— Ce soir... il me semble qu'on n'a pas besoin d'ça...

— T''as raison...

— C'est fou, j'aurais plutôt le goût à la
peinture...

Rien ne m'étonne plus. En amour, tout est
possible. Mais, je souris quand même...

— Moé aussi... mais ça nous prendrait
l'grand chapeau piqué d'chandelles que Van
Gogh s'mettait sur la tête quand y sortait la
nuit pour peindre. Tu t'rappelles?...

Elle sourit à son tour.

— Pauvre Vincent... Il en avait des idées...

Les mots se dispersent, sans vie, les gestes
les remplacent. Encore une fois, nous ne devenons plus qu'un. Un, ensemble. Pour la nuit,
pour toujours... Comme hier.

Au point du jour, stupeur, cris de mort, on
se réveille affolés; une grosse vache est plantée
contre nous et nous farfouille du museau.

— Va-t'en, effrontée!

— Ah qu'j'ai eu peur!

— Fais pas l'imbécile, sacre ton camp,
maudite folle, que j'te dis!

Me voilà sur mes jambes et commence à la
chasser en criant Ourche! en poussant dessus et
lui donnant des grandes claques sur les fesses
jusqu'à ce qu'elle se décide à déguerpir au fond
du clos. Dans la rosée jusqu'aux genoux, je reviens à Françoise qui est pâmée de rire. Mes
yeux s'ouvrent enfin sur le plus beau spectacle
de ma vie: elle, heureuse; le lac avec une

grosse chevelure de brume; le soleil qui va sortir d'une montagne. Ce n'est pas un matin féerique, c'est un vrai paysage de rêve, en chair et en os, et qu'on peut prendre dans sa main.

— Le monde est fou de dormir, tu trouves pas?

Je fais trois tourniquets et cours vers Wâbo en criant:

— As-tu faim, mon amour?

Sur le gros oui chantant qui m'arrive, j'entre dans la voiture, pompe le réservoir, allume un feu et, en moins de cinq minutes, nous déjeunons sur l'herbe comme dans les romans, excepté que notre menu se résume à ceci: petites patates fines légèrement frites, pains à hotdog grillés sur deux faces, liqueur douce et tiède... On mange avec autant de plaisir que le soleil a l'air d'en avoir en grimpant dans son ciel immense.

— T'as les yeux comme j'voudrais les voir toute ma vie...

Quelques heures suffisent pour qu'une vieille chanson que papa chantait à Saint-André me remonte, amère, à la gorge: *Le bonheur n'est qu'un songe.* Françoise et Pierre, pacsacs au dos, sont partis sur le pouce, me laissant à mes moutons, ma routine, mon ennui.

— Salut là... On va s'écrire, hein?...

Quand ils ont disparu sur la route de gravelle derrière l'hôtel Schmidt, j'ai aussitôt gagné le bord du lac en reniflant. C'est tout ce que j'avais à faire. Assis dans une chaloupe, j'ai

147

fixé l'eau, sans grouiller d'un doigt, pendant je ne sais pas combien de temps. La musique de Pierre, le *Vaisseau d'or* de Françoise, la nuit dans le clos à vaches, le matin le plus beau du monde avec une chevelure de brume sur le lac, tout m'a rendu plus muet qu'une carpe.

J'ai fini par me lever... Maintenant, je marche et voudrais que ça dure pendant des milles. Dans ma tête, ça n'arrête pas: La vie est sans-cœur... Mes études aux Beaux-Arts commencent à m'coûter cher en bon Yeu... Trop jeune pour m'embarquer dans l'monde du travail avec des études à moitié finies, et assez vieux pour tomber en amour au point d'en être malade... Y a des jours où l'temps m'fait penser à d'la broche piquante...

Pendant des jours, j'ai les oreilles dans le crin, je ne dors que d'un œil, mange le nez dans mon assiette et travaille en bourrassant dans un Wâbo qui a l'air aussi bête que moi. Albert, fin finaud avec ses yeux de lynx, voit tout, s'aperçoit de tout.

— T'as plus d'entrain, Jean-Paul... Tu devrais être content que l'major Cayer t'ait acheté des peintures...

De leur côté, Rosiane et Thérèse se morfondent en générosité pour me ramener la façon, mais, barnaque, rien n'y fait. Albert décide de m'entreprendre et de ne plus me lâcher. Il me fait écouter des nouvelles chansons de Trenet: *Douce France, Sur le fil, Revoir Pa-*

ris... Il veut que je les apprenne avec lui, m'encourage à peindre, me parle amicalement:

— Françoise, pour toi, c'est très bien... mais tu es jeune, toute la vie est encore devant toi...

Un matin, après avoir reçu une lettre d'amour cent fois plus stimulante que tout ce que je peux entendre autour de moi, le dos me redresse, les épaules me remontent, et j'ai enfin un port de tête qui a du bon sens. Tout le monde s'en réjouit. Je me fais alors la promesse de tenir bon jusqu'à la fin de la saison, jusqu'au bout du rouleau... et je la tiens sans faillir. Du jour au lendemain, mes frites deviennent plus mangeables, les recettes du commerce prennent du mieux et le major Cayer, qui m'attrape un soir, me dit tout le bien qu'il pense de Françoise, de Pierre qu'il enverra à Paris, et de moi...

— Vous aurez tous la Terre Promise que vous méritez...

Oui, jusqu'à la Fête du Travail, le lac est encore capable d'être beau. Et ce n'est pas moi qui vais m'en plaindre...

13

Dès mon retour à Montréal, c'est comme si je revenais du bout du monde, j'ai couru rencontrer Françoise au coin de sa rue, et là, monsieur, pas besoin de faire un dessin, ce fut la folie des retrouvailles. Rires, pleurs, cris, silences, paroles en éclats, chansons à la volée, tout y a passé... pendant des heures de marche.

Aux Beaux-Arts, les cours recommencent et nous marchons encore. Chaque jour, au retour de l'école, et chaque soir que nous avons choisi de nous accorder au long de la semaine... Marcher, marcher, marcher. Les amoureux sont seuls au monde... Une bonne fois, elle m'emmènera chez elle, dans son salon, et ça changera d'allure, mais pour le moment, il faut rien brusquer avec mes parents, me fait-elle comprendre...

— Veux-tu qu'on aille voir Pierre Brabant ce soir?

— Bonne idée...

Aux études, la troisième année, c'est plus que sérieux. Nous avons deux nouveaux cours au programme: l'Histoire de l'Art et l'Esthétique. Moi, ces matières abstraites et compliquées, ça me « fourre ben raide » comme on disait dans le temps. Mais, il y a toujours un mais, nous avons cette année la chance de faire du dessin d'après des modèles vivants, et ça, c'est vraiment quelque chose... Pour ce qui est de moi, en tout cas, je n'ai jamais vu de ma sainte vie un homme ou une femme flambant nus, et chaque fois que j'ai ça sous les yeux, en plein éclairage, je deviens tout mal et trouve qu'étudier les choses de l'art peut mener pas mal plus loin qu'on pense. Parfois, c'est un mâle qui pose, un mâle musclé, genre Monsieur Canada, avec un teint comme s'il avait une peau de bronze. Parfois, c'est une femme. Tantôt blanche, tantôt noire, musclée et genre Miss Canada aussi, et avec des belles rondeurs, des seins galbés, le pubis rasé, de quoi faire bander trente-six élèves en chœur s'ils ne savaient pas déjà que dessiner la pureté et la beauté n'a rien à voir avec les choses du sexe.

« On ne peut pas avoir de mauvaises pensées devant le sacré; l'art et la cochonnerie ne vont pas ensemble » que je me répète religieusement chaque fois que je suis en présence d'un nu. Cette réflexion de mon cru, un soir, dans ma chambre chez les Ledoux, je la note dans mon cahier de pensées que j'ai toujours gardé précieusement et dans lequel j'aime encore écrire de temps en temps. Un coup parti, je note encore ceci: « La beauté de la forme est immatérielle et s'inscrit dans l'Infini, tandis que la forme seule et sans âme s'inscrit dans le fini et meurt avec lui. »

Je ne suis peut-être pas organisé pour faire de la peinture active avec atelier et tout et tout, mais au moins, je me rattrape en réfléchissant, ce qui m'accorde le droit de demeurer au cœur même de l'art. Philosopher me donne malgré tout le sentiment de n'être pas trop raté dans les circonstances.

Comme si ma vie n'était pas déjà assez pleine avec mes cours et mes amours, Pierre Brabant veut absolument que Françoise et moi on rencontre un couple qu'il nous décrit comme étant le couple le plus original, le plus fou qu'il ait connu: il s'agit de sa sœur Diane qui sort avec un type exceptionnel nommé Olivier. Pas d'objection... un soir on monte, rue Drolet, pour faire leur connaissance et écouter Pierre, toujours à son piano, qui nous fera entendre, a-t-il dit au téléphone, un scherzo de Chopin qu'il pratique et qui a l'air d'être beau à mourir. On arrive chez lui, il nous joue son morceau, compliqué, presque pas écoutable, puis nous parle de son prochain départ pour Paris, le major Cayer lui ayant donné deux mille dollars pour un long séjour là-bas, et blablabla pendant longtemps.

Bigne, bagne! Ça saute sur la galerie. Voix. Rires. Diane et Olivier s'amènent. Présentations. Ça y est, d'un coup sec, une sorte de bal d'amitié commence. Tout colle dès les premiers mots. Diane, grosse chevelure presque noire, deux longues tresses, teint hâlé à l'indienne, des yeux bruns perçants qui semblent voir plus loin que ce qu'ils regardent; tandis que son Olivier, plus grand qu'elle, plus élancé, regard archimystérieux, cheveux châtains bouclés par-dessus frisés, moustache, bouche mince derrière un long cigare encore plus mince, me fait penser, avec sa démarche nerveuse et sa manière de parler, à une sorte d'oracle sorti d'on ne sait où.

Je mets deux minutes à comprendre qu'on est en face d'un couple des plus étranges, un couple qui s'aime, oui, mais chez qui l'érudition et la haute réflexion philosophique font qu'on les sent loin loin de tout ce qui peut nous habiter. Pierre, c'est la musique, nous, la peinture, eux, la spiritualité, ce qui fait en partant un mélange maudinement curieux... Comme quoi les contrastes peuvent toujours se parler.

Même si ma première impression fut bonne, subitement je ne peux entendre Olivier dire avec ostentation: «C'est Auguste Comte qui a raison, les morts gouvernent les vivants» sans me sentir comme agacé...

Pourtant, j'ai bien tort, car, pour fêter Pierre qui partira bientôt en Europe, un soir nous montons tous, à pied, avec d'autres amis, à l'auberge des Deux-Lanternes à Saint-Martin, chez madame Éberley, et là Olivier, Diane, Françoise et moi, nous causons avec tellement de chaleur, de spontanéité et de sincérité que nous voilà épris l'un de l'autre, les uns des autres, au point de nous jurer sur place fidélité jusqu'à la fin de nos jours.

C'est une veillée de poésie, de nostalgie, de mélancolie. Madame Éberley, une Française folle des artistes, a les yeux pleins d'eau et verse le vin gratuitement à notre grande table faiblement éclairée par des chandelles. Pierre est au piano et joue ses plus belles sonates. Une comédienne, pas loin de nous, entame à voix ronflante *Le pont Mirabeau* d'Apollinaire, tandis qu'Olivier, silencieux, rêveur, énigmatique, me glisse un billet sur lequel je peux déchiffrer une phrase écrite de sa main: «Rien n'est si important à l'homme que son état, rien ne lui est si redoutable que l'Éternité. (Pascal)»

Quand, à la fin, j'entends Françoise me dire que c'est un soir pour mourir d'amour, je ne trouve pas un seul mot à ajouter. J'entends seulement en moi une voix qui me dit pêle-mêle: l'art sauve de la bêtise... l'amour rachète l'ennui du monde bourgeois... la poésie c'est la santé de l'âme...

Ces histoires... eh bien, elles font ce qu'elles doivent faire: elles réussissent tranquillement à nous désintéresser de nos études. L'enseignement de l'art, qu'il soit gothique ou moderne, a commencé sérieusement à nous tomber sur les rognons. Les professeurs avec. Moi, passer mon temps à me faire chanter que Chagall est un poète du rêve ou que Picasso et Dali sont deux génies, ne m'aidera jamais à peindre. Non. Ce que je veux, plus que tout au monde, c'est en faire de l'art, c'est le vivre avec toutes mes tripes, c'est m'exprimer selon mes intuitions les plus profondes. Et ça presse.

Françoise tombe tellement d'accord avec mes idées nouvelles que tous les deux, spontanément, nous commençons à manquer des cours, à foxer, pour pouvoir nous retrouver ensemble le plus souvent possible. Et quand on est ensemble le plus souvent possible, on peut aller au théâtre Gesù, en matinée, voir *Le Médecin malgré lui* ou *On ne badine pas avec l'amour.* On peut aussi aller au cinéma voir une bonne comédie musicale avec Judy Garland... Et ce n'est pas tout. Foxer nous permet encore de fréquenter beaucoup d'amis. Des libres. Des amis qui ne sont pas pognés à suivre des cours académiques comme nous autres. Claude Vermette, le disciple de Borduas, est un de ceux-là... (Rien qu'à le voir peindre si librement presque jour et nuit me met l'eau à la bouche.) Lyse Moreau, l'amie de Françoise, qui récite si bien *Dans un grand parc solitaire et glacé,* est aussi une artiste complètement libre. Et il y en a bien d'autres: André Jasmin, peintre très impressionnant; Charlotte Boisjoly et Fernand Doré, ce couple de comédiens qui parlait tant de Copeau, Copeau, Copeau et qui, à présent, a fondé la Compagnie du Masque qui fait du théâtre et de la chanson très sérieusement, sur des vraies scènes; Pauline Julien, comédienne au tempérament tout feu tout flammes. Tous ces gens nous influencent, nous marquent, nous bouleversent. Nous voudrions tout faire, librement, comme eux. L'art n'est-il pas avant tout un état d'âme? dit Ramuz. Alors l'école des Beaux-Arts?...

Dans ma chambre, chez Albert Ledoux que je vois de moins en moins, quand je me couche le soir, je passe mes nuits à moitié blanches rien qu'à penser au mot vivre: Vivre, c'est p't-être aimer, oui, pour ça y a pas d'doute, mais ça doit être aussi pour moé m'exprimer, faire d'la peinture, beaucoup... et m'sentir libre de mes journées, mes actes, mes mouvements, comme j'veux, quand j'veux...

Avec Diane l'Indienne et Olivier l'oracle, Françoise et moi nous discutons de toutes ces choses des heures durant en arpentant les rues de Montréal à longueur de veillées. Notre langage est tour à tour tendre, contestataire, doux, révolté, souple, anarchiste. C'est quoi vivre? Où est le bonheur?...

À la fin de chaque rencontre, Olivier ne manque jamais de nous laisser à chacun un billet où il nous a noté soigneusement une pensée à méditer. Des fois, moi ça m'aide... mais très souvent ça me nuit à force de m'embrouiller. «Chateaubriand a dit dans *Le Génie du christianisme*: Les biens de la terre ne font que creuser l'âme et en augmenter le vide.» «Le Sang du Pauvre, c'est l'argent. On en vit et on en meurt depuis des siècles. Il résume expressivement toute souffrance. (Léon Bloy)»

Grande nouvelle. Françoise m'invite un soir, enfin! à veiller chez elle. Oui, dans son salon.

— Mes parents veulent... Ils savent tout d'nos rencontres et maman m'a dit qu'elle aimerait mieux nous voir à la maison plutôt que dans les rues à traîner en bohèmes comme on fait.

Ma première soirée dans ce salon bourgeois avec tapis moelleux, piano beige, fauteuils et divan modernes et confortables m'embarrasse sans bon sens... Me sentir constipé, dans mes petits souliers, fesses serrées sur un chesterfield, même moderne, est loin d'avoir le don de me plaire. La seule présence des parents — lui, gros bedon, gros cigare, affable, et qui se sauve aussitôt voir à ses commerces; elle, corpulente, parlante, l'air un peu mégère mais, au fond, bonne et sentimentale, et qui disparaît dans sa cuisine — me gêne des pieds à la tête. Faisant tout pour me mettre à l'aise, Françoise me présente sa sœur, une jolie blonde qui, apparemment, possède un beau talent de chanteuse; son frère aîné, un gars jovial, amoureux du théâtre et de la chanson; enfin son frère cadet, un type aux cheveux noirs, yeux noirs derrière de grosses lunettes noires, et un visage aux traits si graves et soucieux qu'il me fige sur place.

— Celui-là, m'explique Françoise, c'est notre moraliste. Il passe son temps dans sa chambre à dévorer des philosophes chrétiens...

Le frère cadet n'aime pas ça du tout. Du
tout pantoute... Moutarde au nez, il fronce les
sourcils, prend un air de bouc en colère et claque des talons dans un long corridor qui le
mène à sa chambre. Ça n'arrange pas les choses. Je me sens de moins en moins dans mon
assiette et Françoise finit par attraper mon malaise. Nerveuse, elle me sert un café, me chu-
chotant à l'oreille qu'on ne reviendra pas souvent ici, qu'elle regrette pour tout, et le reste...

— Comme salon, j'aime cent fois mieux la
rue...

— T'as raison... mais, pour un temps, faudra faire attention... Maman s'méfie beaucoup
des milieux qu'on fréquente...

— Ah...

— Les artistes sont pas en odeur de sainteté
avec elle...

— Ton père, lui... qu'est-ce qu'y en pense?

— Papa a jamais pris les Beaux-Arts très au
sérieux...

— Ah...

À l'école, les cours traînent de la patte. Ou
plutôt, c'est nous qui traînons de la patte. On
se sent palottes, paresseux, ennuyés comme
jamais. Passer du modèle vivant à l'art égyptien
avec une tête de Cléopâtre nous fait ni chaud ni
froid. Même que foxer ne nous suffit plus. Il
semble qu'il nous faudrait plus que ça, qu'il

nous faudrait tout notre temps... au complet. Mais quoi faire? Comment faire? Abandonner nos études au plus fort de l'année? Chez Françoise, le diable serait aux vaches et ce serait la plus belle guerre jamais vue dans une famille. Chez moi, avec Albert, ce serait sûrement le froid, la déception, le désordre, la brouillerie. Secrètement, je finis par me dire: Le diable m'emporte si c'est pas l'amour qui vient nous dérinecher la tête et les entrailles comme ça...

En plein désarroi, je décide de rencontrer Olivier et d'avoir avec lui une conversation des plus sérieuses, car il s'en passe des choses...

— Tu sais qu'on s'pose actuellement des grandes questions sur nos cours...

— Vous n'avez pas tort... L'École des Beaux-Arts est une institution bien académique.

— À part de ça que Charlotte Boisjoly et Fernand Doré veulent qu'on entre dans la Compagnie du Masque pour des spectacles de chansons folkloriques...

— Ils vont vous faire travailler comme Jacques Copeau... Discipline de fer.

— La chanson est un art merveilleux, non?...

Me voyant tourmenté et indécis, pour toute réponse, Olivier me rédige un billet: «Notre salut et notre perte sont en dedans de nous-mêmes. Épictète. » Alors, choisis, qu'il me dit en me dardant de ses yeux souriants mais plus impressionnants que jamais.

Au même moment, Françoise et moi on fait la rencontre d'un autre personnage qui nous donne un bon coup de pouce : c'est le père Migneault, un grand efflanqué de Jésuite, cheveux blancs, coupés en brosse, l'allure dégingandée, et qui fraye régulièrement avec la Compagnie du Masque. Est-il l'ami de Fernand et Charlotte ou l'aumônier de l'équipe ? En tout cas, quand nous l'approchons pour lui faire part de notre problème d'orientation, il regarde Françoise avec affection, me donne une bonne tape sur l'épaule et dit avec une sainte autorité :

— Mes p'tits enfants, ne cherchez pas à raisonner. Allez plutôt selon la voix de votre cœur... c'est la seule qui compte.

Tabarnouche ! Jamais je ne me suis fait dire quelque chose d'aussi rassurant, d'aussi fort. Jamais un homme instruit, Jésuite ou pas, ne m'a montré si vite le vrai chemin de la liberté.

— T'as entendu ça, Françoise ?... On est libres !... Libres comme le vent. On a qu'à suivre notre instinct. C'pas compliqué...

Sans s'en rendre compte, ou bien il savait très bien ce qu'il faisait, le père Migneault vient tout juste de bénir la voie de mon salut. Maintenant que j'ai son absolution et que c'est si facile de ne pas se tromper en obéissant seulement à son cœur, moi, c'est simple comme bonjour, je laisse tomber l'École des Beaux-Arts... Oui, en plein février, peu importe. Sans peur. Ni crainte, ni scrupule. La tête haute. Pour peindre je n'ai plus besoin d'attendre d'être en quatrième année dans la classe de Pellan... À partir d'aujourd'hui, je suis un artiste libre. Comme Claude Vermette... comme Borduas.

À l'école, après trois jours de foxage pour bien mûrir ma décision, je ne fais que rapailler mes affaires, après avoir prévenu le secrétariat et salué bien vite les amis. À mon chevalet, je jette un dernier coup d'œil sur un dessin d'Atlante à moitié fini... J'ai presque envie de le déchirer tellement je suis fier de mon coup.

Il faut encore deux semaines pour que Françoise en fasse autant. Tous les deux, on n'arrête pas de se soûler d'air libre et de projets merveilleux. Le père Migneault, qu'il soit béni pour ce qu'il a fait. Nous ne l'oublierons jamais.

14

Un matin, dans la ruelle Lamennais pleine de neige, ça crie en bas... C'est une voix d'homme:

— Jean-Paul, es-tu là?

Je traverse mon atelier en délabre et ouvre la grande porte double qui donne dans le vide. J'aperçois papa debout derrière un gros camion, celui de Legault Transport de Saint-André.

— Bonjour!... J'descends tout d'suite.

Revenant sur mes pas, j'enfile ma passerelle, passe par ma galerie et dégringole l'escalier branlant bâti à flanc de garage au-dessus duquel j'ai loué cet atelier pour une chanson.

— Allô...

— Salut mon John...

— J'suis content qu'vous m'apportiez mes affaires, on gèle en haut... J'avais rien qu'un vieux calorifère électrique et un mauvais matelas su'l'plancher...

162

— Quand j'ai r'çu ta lettre, j'me suis dit: Simonac, j'le f'rai pas attendre, j'y monte son stock... Où c'que tu veux avoir ça?

— En haut, dans mon atelier.

Ça ne prend pas goût de tinette. En un clin d'œil, on monte par l'escalier branlant: un banc-lit, des couvertures et des casseroles que maman m'envoie, des assiettes, des ustensiles, des pots de confitures et de catchop, une belle petite fournaise debout, du tuyau de poêle et un peu de bois, de quoi me chauffer, me nourrir et dormir comme un seigneur.

— Vous êtes ben smatte, j'oublierai pas ça...

— C't'icitte que tu vas faire tes peintures?...

— Eh oui... À Montréal, les artistes, c'est comme ça qu'ça s'arrange. Vous conterez ça à Marcel...

— Simonac!...

Et il s'en va, pressé qu'il dit, parce qu'il veut passer faire un tour chez son frère, mon oncle Josaphat, avant de redescendre à Saint-André-Avellin.

C'est comme un rêve. Me voilà subitement seul au centre de l'atelier, ne sachant trop quoi faire de mes deux mains. En peu de temps, il s'est passé tellement de choses que j'en suis encore plein d'étourdissements: émotion de quitter l'école; l'effort de tout raconter à Albert Ledoux et de me séparer de lui et de sa famille; écrire à papa pour lui demander de m'aider à réorganiser ma vie... Puis il y a eu Françoise qui, en laissant l'école à son tour, a déclenché la pire tempête avec ses parents...

Planté au beau milieu de la place, j'ai comme la chienne au corps et à la tête: Faudra ben que j'paye mon loyer; faudra aussi que j'mange, que j'sorte avec Françoise... Aussi que j'm'achète du matériel pour peindre... Pour Claude Vermette, c'pas compliqué, y manque de rien, lui, son père est boucher, et boucher de ville en plus d'ça, tandis que le mien est rien qu'un barbier d'campagne... En attendant de m'trouver une djobbe, j'pourrai p't-être essayer d'voler, en faisant ben attention... Je me prends tout à coup par le collet, moi-même, et me secoue vivement: Ah, d'la marde!... Tu vas pas commencer à t'tourmenter à c't'heure que t'es un gars libre, avec plus personne dans tes jambes pour te dire quoi faire!... Autour de moi, je regarde toutes mes affaires, pêle-mêle, je les embrasse tranquillement de l'œil et me mets à faire du rangement pour que ce soit beau quand Françoise viendra.

Il fait bon dans mon « chez nous » au plancher de madriers sales et aux murs de planches grises. La chaleur de mon petit poêle debout répand de la couleur partout et me tempère le cœur. Je fais des toasts que je dévore avec de la confiture de Saint-André, la meilleure de toutes. Maman a pensé à moi, elle s'occupe encore de me faire bien manger, elle n'a jamais cessé de s'inquiéter de ma santé. En pensant à ses yeux bleus, tout goûte meilleur dans ma bouche un peu dépaysée.

J'étale toutes mes peintures rapportées de chez Albert. Je les place une à côté de l'autre par terre le long du mur qui reçoit le mieux de lumière de ma fenêtre. Je m'assois, me roule une cigarette, regarde en rêvassant. Ce n'est pas trop mal... Je sens bien tout le chemin qui me reste à parcourir avant de pouvoir exposer, mais rien ne me décourage. J'ai tout mon temps et la liberté devant moi...

Mon chevalet est en place, j'ai une sorte d'établi roffe bourré de tubes, de palettes, de pinceaux. J'ai déjà préparé une bonne quantité de morceaux de masonite, les toiles montées sont trop chères, et je peindrai sur leur côté rugueux, leur envers, ce qui me donnera une texture plus intéressante.

Toujours assis, quel silence il fait ici dans cette ruelle Lamennais, je fume, rouleuse par-dessus rouleuse, et je jongle. Des heures et des heures... comme pour mieux me comprendre avant de me mettre à l'œuvre. Tout est beau dans mes idées, mais ce que je ressens comme beau n'est pas forcément facile à faire passer au bout du pinceau. Je suis libre face à moi-même, d'accord, et c'est justement à cause de ça que je pose des tas de questions, des tas de « certains problèmes ».

D'abord j'ai un maudit goût d'en finir avec le figuratif, avec la représentation ou même la transposition du réel. Je n'ai pas laissé les Beaux-Arts pour rien et je n'ai pas eu la bave à la bouche pour rien chaque fois que j'ai vu peindre Claude Vermette. Non... maintenant, c'est sérieux, je veux produire coûte que coûte des œuvres dont la modernité va dépasser tout ce que j'ai pu voir jusqu'ici. Il est clair comme de l'eau de roche que je suis bien décidé en faveur d'une vision abstraite des lumières, des formes, des mouvements. Je suis prêt à chercher longtemps, même à vivre de longues périodes anarchiques, pourvu que je sache, baptême! demeurer débordant de créativité. Comme Kandinsky a fait en 1910, j'ai vu ça dans un livre sur lui, je vais barbouiller des taches avec des couleurs contrastantes, je vais me servir du rouge vif, du bleu blafard, du jaune violent, du bleu-gris, du brun, du vert sale, du violet et de l'orange clair. Pas de limites en rien ni nulle part. Cézanne a peut-être travaillé par larges touches, avec des couleurs vives et en pâte épaisse, mais il n'a pas réussi à suffisamment oublier la nature pour peindre rien que pour le plaisir des yeux. Moi, par nécessité intérieure, ce que je veux à partir d'aujourd'hui, c'est de tout bâtir avec un ordre non prémédité et mettre l'accent sur l'irrationnel, la fantaisie, l'intuition pure. C'est ça... Renoncer à toute pensée consciente, à toute idée faite d'avance. Plonger direct dans les images de l'inconnu et du mystère. Créer. Avec le subconscient. Donner des jouissances à l'esprit en passant par les yeux. À partir de rien, créer encore et toujours...

La tête me brûle. Je me fais un thé, vais pisser dans une bouteille dans un coin de l'atelier et place ma première masonite sur mon chevalet de peintre libre. Quand j'ai bien aligné mes petits tas de couleur sur ma palette, je commence. Enfin. Je fais des taches. Des formes. Que je sertis abondamment avec du noir, comme Rouault, non... pourtant rien ne m'influence. Il n'y a pas de Rouault dans ce que je fais. Pas de Modigliani, ni de Braque, ni de personne. Je me sens heureux, c'est tout. Heureux et vibrant. J'ai chaud, avec partout des fébrilités... On dirait que je suis plein de transes joyeuses dans tout mon corps. J'invente un morceau d'image. Et puis deux, et puis trois. Je m'invente tout d'une pièce sur un seul rectangle qui pourrait bien être une vraie toile. Et pour moi, je le découvre presque en braillant, c'est ça la vie.

Je crois que c'est le lendemain... Françoise, bonnet de laine et crémone de travers, bouteille de vin dépassant de son sac à main, m'arrive en coup de vent. Blême, étirée, énervée. Après une crise effrayante avec sa mère, elle a claqué la porte de chez elle et est partie, un gros paquet de linge sur un bras et trois paires de souliers sur l'autre. En taxi, s'il vous plaît...

— Mon Dieu, déshabille-toé, assis-toé icitte... su'l'banc-lit et conte-moé ça...

Depuis la fin des Beaux-Arts, je sens que mon langage et ma parlure de campagne me reviennent tout naturellement...

— C'est beau tes nouvelles peintures...

— Laisse faire, ou c'est qu't'es rendue?

— Chez Lyse Moreau, dans son nouvel appartement.

— Pas d'farce...

— Elle pourra pas m'garder longtemps... c'est pas grand et y a déjà deux gars chez elle...

— Qui ça?

— Éloi de Grandmont et Gilles Hénault...

Je la calme du mieux que je peux. Je l'embrasse. On ouvre sa bouteille de vin et on s'allonge sur mon « chesterfield » qui craque.

— Papa est venu d'Saint-André m'porter des affaires, maman m'a envoyé des belles conserves...

— Ils sont plus gentils qu'chez nous...

— Comment tu trouves mon poêle antique?

— Merveilleux...

Ensemble, le temps ne compte déjà plus. On boit du rouge, grignote des bouts de pain séché, bavarde avec amour. On fume des rouleuses et on essaie d'être forts. Elle me cache son désarroi en parlant d'abondance, elle qui a le génie de la parole, ça ne lui est pas difficile; de mon côté, je fais attention pour ne rien laisser voir de mes inquiétudes et de ma « chienne au corps » face à ma solitude, mes nouvelles responsabilités, ma liberté. Je lui parle plutôt de peinture, de ma nouvelle vision des choses, et surtout... de ce qu'elle vient de vivre:

— Pourquoi ta mère pis toé vous vous êtes pognées si fort?...

— Tu connais son caractère...

— Pour les fois que j'suis allé chez vous...

— Quand même, j't'en ai assez parlé pour t'en faire une idée...

168

— J'comprends...

— Figure-toi que quand elle a su qu'on avait laissé nos cours, elle est devenue noire de colère, papa avec, et moi aussi... Grosse chicane, crises de larmes, les étincelles revolaient partout. J'essayais d'leur expliquer mon point d'vue, notre conception de l'art, nos projets, rien à faire. C'est comme si j'avais parlé aux murs. Sais-tu c'que j'ai fini par faire? J'ai appelé l'père Migneault et j'lai fait venir à la maison...

J'apprends tout, de long en large et de haut en bas. Les gros mots, les menaces: t'as perdu la tête, on s'est fait mourir pour payer tes études, t'as pas l'droit de t'en aller, on va t'déshériter, tu es mineure et tu dois nous écouter. Ton Jean-Paul a rien devant lui, pas d'avenir, rien... Les artistes sont tous des rêveurs, des ratés d'avance, des pouilleux...

Quand le père Migneault s'est montré la face pour tenter d'arranger les choses avec des mots raisonnables, un cœur pur et ses yeux de saint, il s'est tout simplement fait sacrer dehors comme un prêtre qui « faisait rien qu'protéger les bohèmes, qui comprenait rien aux choses d'la famille et dont les idées étaient plus proches du communisme que d'la religion ».

— Qu'est-ce que tu comptes faire?

— Me chercher du travail... N'importe quoi...

— Moé aussi j'me trouverai d'l'ouvrage. À c't'heure qu'on s'appartient, on pourra tout faire à not' goût.

Je fais du feu. Reviens au banc-lit. Elle est là, belle, libre... Jamais je ne me suis senti aussi près de ses paroles... Aussi envoûté, hanté, amoureux.

— Récite-moé l'vaisseau d'or...

Le nirvâna, j'aime ce nouveau mot appris d'Olivier, nous pénètre. Le banc-lit se met à tourner doucement... Le plancher, les murs, les peintures, à disparaître... Notre bonheur se vit loin de nous, très haut, dans un espace nouveau qui n'a pas de nom. Depuis le Lac-des-Plages, la sexualité pour nous n'a rien de condamnable, elle est plutôt vécue avec noblesse, comme un acte divin, une religion, surtout qu'Olivier et le père Migneault n'ont pas cessé de nous chanter sur tous les tons que le « mal ne peut exister que dans l'esprit ». Alors, on est tranquilles : l'esprit, chez nous, est bien correct.

15

— Staline se fait vieux, il n'en a sûrement pas pour longtemps, ce sera un dur coup pour l'U.R.S.S.

— Pour moi, c'est Molotov qui pourra le mieux le remplacer, il a quand même été vice-président du Conseil pendant cinq ans...

— Difficile à prévoir...

Nous sommes chez Lyse Moreau. Ici c'est un tout autre monde. Gilles Hénault, cheveux noirs et crépus, petite moustache, grosses lunettes, timide, railleur, intelligent, parle de politique avec Éloi de Grandmont, un genre d'apparence débonnaire mais très perspicace et aimant l'humour et le calembour comme pas un. On discute de choses qui me passent dix pieds au-dessus de la tête. Le syndicalisme, la politique nationale et internationale sont pour moi des sujets plus abstraits que la plus abstraite de mes peintures. Pour eux, ça se comprend, Gilles est journaliste, poète et traducteur à la Canadian Press, tandis qu'Éloi est écrivain, poète aussi, auteur dramatique et je ne sais plus quoi... Lyse et Françoise osent malgré tout s'embarquer dans la conversation :

— Moi c'est l'problème d'la Corée qui m'écœure le plus. Les Américains et l'O.N.U. n'ont pas d'affaire à protéger l'État du Sud, Eisenhower est un beau salaud à fusiller...

— Oui, c'est ça, qu'il laisse donc les Coréens s'organiser tout seuls... c'est ça la démocratie.

Pour me montrer un peu dans le coup, je risque une question :

— Qui a supporté la Corée du Nord pendant la guerre ?

— La Chine.

Gilles veut poliment et délicatement nous instruire :

— Avec Mao Tsé-Toung qui vient de gagner la guerre civile, et Tchang Kaï-Chek obligé de se réfugier à Formose pour établir son gouvernement nationaliste, le monde entier devra maintenant compter avec le communisme. En Chine, présentement, c'est capital la victoire de Mao...

— En Chine, ce qui est Capitale, c'est Pékin, termine Éloi, riant fort de son fion.

Un rien me mêle, un rien m'impressionne et me frustre. Je voudrais tout connaître, tout savoir pour ne jamais me sentir, comme ça, dans un état d'infériorité quasiment pas supportable. En plus de peindre, en plus de travailler pour gagner les sous indispensables, en

172

plus d'être en amour, il faudra donc que je lise, beaucoup, de toutes les sortes de livres, pour devenir avec le temps un artiste complet, un artiste total, capable de jongler avec le plus de sujets possibles... Il faudra que j'apprenne l'humour aussi... Ouf! La tête me fend déjà. Je veux me coucher. Dormir. Lyse m'offre de rester et partager avec Françoise son grabat dans un coin. Ce que je fais de bon cœur. À demain la connaissance...

Depuis ma sortie des Beaux-Arts, je commence à trouver que mon tournant de vie n'est pas de tout repos. Agité, pressé, inquiet, je dois régulièrement me séparer en quatre: bûcher dans mon atelier; vivre un peu avec Françoise chez Lyse, profitant toujours d'un repas gratuit, aidant même à garnir le frigidaire en allant voler des choses dans les épiceries du quartier; aller faire mon tour chez les Ledoux car je les aime bien et ne veux pas oublier Albert. Mais ce qui me trouble par-dessus tout c'est d'avoir à me chercher un travail payant. Baptême!... Quoi faire? Où aller? Qui voir?

Pendant que Françoise cherche fébrilement de son bord, je pense souvent à piler sur mon orgueil et retourner au club Saint-Louis comme bell-boy. Non... N'importe quoi mais pas ça. Toutes les idées qui peuvent me venir finissent par bloquer dans ma tête et me faire mal. Un soir, je rejoins Françoise pour lui dire mon peu d'encouragement...

— Sois tranquille, moi j'ai trouvé.

— Trouvé quoi?

— Une djobbe.

— Où ça?

— Dans Notre-Dame-de-Grâce chez des Juifs anglais nommés Ruben.

— Quoi faire là?

— Bonne...

Je pense tout à coup aux jeux de mots d'Éloi de Grandmont:

— T'es même pas bonne en anglais...

— J'me débrouillerai, j'ai pas peur.

— Comment t'as trouvé ça?

— Dans les annonces classées de *La Presse.*

Miracle. Idée géniale. À mon tour j'achète *La Presse* et fouine des yeux pendant deux heures toutes les petites annonces, de la première à la dernière. Je l'ai, je l'ai, écoute ce qui est écrit: «Jeune peintre demandé pour travail d'art religieux. Bon salaire. S'adresser à: 44 ouest, rue Saint-Jacques. »

À 9 heures tapant le lendemain matin, j'arrive à cette adresse tout en état de confiance, pour ne pas dire de grâce. Ça adonne bien, la porte que j'ouvre est une porte de magasin où l'on vend des statues d'église. Coup d'œil rapide et je vois d'une seule traite: une Sainte Vierge, un Saint Joseph, une Sainte Thérèse, un Saint Antoine, un Sacré-Cœur et un Chemin de Croix tout au complet.

— Bonjour monsieur... je viens pour l'emploi annoncé dans le journal.

À mon retour, sur la rue Saint-Jacques, et je jure que ce n'est pas rien qu'à cause des premiers rayons de printemps dans l'air, je ne marche pas, je prends l'épouvante comme si j'avais des ailes. Au premier téléphone public, j'appelle Françoise-la-bonne-de-chez-Ruben pour lui conter qu'à partir de demain je commence à travailler à 25 piastres par semaine comme peintre de statues religieuses chez Carli-Petrucci dans le quartier des grosses affaires. Elle est aussi contente que je suis fou.

— Appelle les amis pour leur dire ça...

— O.K.

— J'monte direct à l'atelier pis on s'voit à soir...

— O.K.

Je reprends mon épouvante et galope jusqu'à mon haut de garage. Là, monsieur, je me fais un bon petit feu à mon goût et retrousse mes deux manches pour m'atteler à une peinture que je veux belle, joyeuse, colorée, éclatante, complètement débridée. Il y a belle lurette que je n'ai pas travaillé en sifflant. Eh bien, ça y est, je siffle. Mes couleurs s'étendent avec magie, c'est gai, c'est même sensuel. Toutes mes harmonies se fondent comme chez Degas ou Renoir. C'est clair, ça sent le renouveau, ça respire le bonheur, l'amour. Se peut-il que les statues de Carli-Petrucci me fassent si bon effet?... Je m'invente des chansons que je beugle à tue-tête: «Tantôt j'irai voir ma blonde, la plus fine du monde...»

Comme jamais mon atelier sent le beau temps à plein nez et c'est comme ça que je l'aime.

Rue Saint-Jacques. Beaucoup de monde à 8 heures et demie du matin. Je trouve que les gens vont la tête et la fale basses, un peu comme des condamnés, comme des esclaves. Moi, je me sens nouveau, ce n'est pas pareil. La fale a bien le temps de me baisser. J'entre chez Carli-Petrucci, droit comme une colonne d'église, l'œil lumineux et confiant d'un gars dont la foi est à toute épreuve. Deux religieuses, un frère, un curé, un chanoine sont déjà à l'intérieur pour magasiner. Une clientèle vraiment belle. On me fait monter un paquet d'escaliers, quelques étages et je me retrouve dans un atelier si bizarre que je n'en crois pas mon âme d'artiste. C'est plein, quand on dit plein, de statues blanches comme du sel. On jurerait un bal de fantômes immobiles. Tout au fond, un vieil homme mince aux cheveux blancs, presque figé, pinceau à la main, est en train de colorer le visage d'une de ces statues tellement en plâtre couleur de neige que je me demande comment il fait pour travailler sans lunettes fumées.

— Bonjour...

— Bonjour mon garçon... C'est toi l'nouvel aide?

— Oui... j'sors des Beaux-Arts...

— Bon, j'vais t'montrer...

C'est un monsieur calme, au teint pâle, à la parole lente et aux gestes si peu apparents qu'on croirait qu'il va bientôt devenir lui-même statue.

— Ça fait 50 ans que j'travaille ici...

— Ouais... c'est beau ça...

— Pour commencer, j'vais t'faire faire les dorures au bord des drapés, c'est plus facile. Tu vois, quand j'ai fini d'passer l'visage, les mains, les vêtements, disons d'une Sainte Anne, au fusil, tu fais ses dorures et moi j'finis tous les traits d'la figure à la main, c'est plus délicat...

— J'comprends...

Il me tend une jaquette de travail si tachée de peinture qu'on ne voit pas pantoute de quelle couleur elle est. Je l'enfile et m'installe devant une Véronique, c'est lui qui le dit, peinturée au fusil, et commence, pot de bronze et pinceau à la main, à faire les dorures au bord des drapés tel que le veut mon vieux bonhomme.

Atelier du silence. D'un silence de sanctuaire. L'éternité est avec nous. Atelier de la mort aussi à cause de nos bouches cousues et de notre sang, le mien en tout cas, comme bloqué dans les veines. Mon patron est âgé, je suis jeune. Ce qu'il fait, il n'a plus l'air de savoir qu'il le fait, tous ses petits mouvements étant comme actionnés par une machine invisible. Moi, ce que je fais ne m'échappe pas. Je n'ai aucune machine en moi et me demande bien, déjà, si le monde muet des statues pourra longtemps me dire quelque chose...

177

Dîner. Il a son lunch sur ses genoux et ne bouge pas de sa place. Je me sauve au restaurant. Voir autre chose. Grouiller. Respirer, sentir.

Dans l'après-midi, re-silence et re-mort. Je suis toujours dans le bronze jusqu'aux coudes, tandis que mon vieux, lui au moins il fait un ouvrage varié, étend du rouge sang sur le cœur d'un Sacré-Cœur. À un moment donné, une seule phrase lente vient casser le silence...

— Y a des curés qui aiment leur Sacré-Cœur saignant, d'autres l'aiment mieux médium...

J'en profite pour ajouter un mot qui mettra un peu de vie :

— Les goûts sont pas à discuter...

Premier jour, deuxième jour, tout est pareil. Même tranquillité assommante, même odeur de plâtre, même vieux, sage comme une image d'agonie, même pinceau de bronze au bout de ma main frustrée. Troisième jour, c'est comme à l'hôpital Notre-Dame quand je suis arrivé à Montréal, le diable est pris dans ma cervelle : J'en peux p'us, c'pas chrétien d'être obligé d'gagner sa vie à faire d'la cochonnerie pareille. J'suis un maudit lâche de rester icitte avec c'te vieillard en compote et qui m'déprime... Tiens, j'sacre tout ça là ! Adieu statues rose nanane, cœurs saignants, bronze monochrome, monocorde et monotone. Adieu Carli-Petrucci... Avec un front de gars tanné, humilié, déçu, écœuré, je cours en bas, demande ma paye et passe la porte comme une flèche.

Ruelle Lamennais, mon atelier est peut-être sombre et mal chauffé, mais, Jésus-Christ, c'est le mien. J'y entre comme dans mon refuge, me mettre à l'abri dans mes odeurs à moi, reprendre le fil de mes nerfs, me retrouver, me ramasser. Un peu de peinture à mon goût me redonnera tout mon visage. Les amis doivent venir, il faut que je sois beau.

> *T'en fais pas la Marie t'es jolie*
> *T'en fais pas la Marie j'reviendrai...*

C'est en chantant qu'un soir Françoise et moi nous arrivons chez Lyse, le cœur chargé d'un ravissement et d'une poésie extraordinaires. On sort tout juste du Monument National où l'on vient d'assister au plus beau récital de notre vie : celui d'Édith Piaf avec les Compagnons de la Chanson.

Il s'est passé peu de jours mais deux grands événements entre mon départ du monde des statues et cette soirée de chansons qui nous a tant remués : les proches amis sont venus voir mes peintures, les ont aimées et m'ont encouragé à profusion ; ensuite, Françoise, tannée, humiliée et écœurée de sa djobbe de bonne, a elle aussi demandé sa paye et passé la porte des Ruben comme une flèche. Comme moi. Pareil. Et nous nous sommes retrouvés, pour nous consoler, nous rassurer... Voulant fêter notre coup de tête libérateur, on s'est le plus simplement du monde payé chacun un bon billet

179

pour aller entendre la Piaf et les Compagnons nouvellement arrivés en ville.

Dans la grande salle vieillotte et humide du Monument National, c'est les yeux multipliés par deux et les mains cramponnées les unes aux autres qu'on a vu, écouté, admiré, dévoré de tout notre être Édith Piaf, petite, noire, dramatique, dans ses plus belles chansons : *L'Hymne à l'amour, J'm'en fous pas mal, Escale, L'Accordéoniste,* et les neuf Compagnons, merveilleux sur scène, dans leurs chansons qu'on connaissait par cœur et qu'on aimait tant : *Perrine était servante, Catherine, Les Trois Cloches, La Prière,* et d'autres, beaucoup d'autres encore...

Chez Lyse, dans la rue ou ailleurs, qu'on soit seuls entre nous ou avec Diane et Olivier, quand on a comme ce soir la tête pleine jusqu'au bord de toutes nos mélodies préférées, on fait ce que l'on doit faire : on chante. À pleine voix. Chants et contre-chants. Avec harmonie, avec amour, tant qu'on peut en mettre et encore davantage.

— C'est beau ça, dit Gilles en nous entendant pour la première fois.

— Très joli, renchérit Éloi avec étonnement. Vous devriez passer une audition quelque part, vos voix se marient bien, c'est jeune, c'est frais, charmant. Vous pourriez vous appeler « Les Romanichels de la Chanson »...

Se faire faire de tels compliments par deux poètes qu'on admire nous fait du bien en motadit. En tout cas, ça nous aide à nous débarrasser des mauvais souvenirs laissés par les Ruben et Carli-Petrucci...

Cette fin de soirée chez Lyse ne semble vouloir laisser aucune place aux discussions sur la politique. Ce soir, à cause de nous, c'est plutôt la chanson et la poésie qui ont les honneurs.

— Connaissez-vous les chansons de Trenet, demande Lyse, les yeux pétillants.

Sur le fil il y a des chemises
Sur le fil gonflées par la brise...

Lyse a crinqué mon ressort. Je chante cette folle chanson de Trenet où cent mondes s'animent autour du seul mot fil et qu'Albert Ledoux chantait au Lac-des-Plages. Applaudissements. J'enchaîne avec *La Mer*. Françoise y va à son tour avec *Mes jeunes années*. Éloi, visiblement amoureux du «Fou chantant» français, se lance dans *Le Roi Dagobert*. Encore applaudissements. Gilles, après nous avoir appris que Trenet viendra bientôt chanter au Théâtre Gaieté et qu'il ne faudra absolument pas le manquer, étonne tout le monde en chantant d'affilée, debout et avec des gestes comiques: *Dans les rues de Québec* et *Voyage au Canada*.

Rires. Chaleur amicale. Moment qui marque en profondeur mon âme plus que jamais vibrante à tout ce qui s'appelle expression, poésie, peinture, chanson.

Sans crier gare, Éloi se lève et nous fait, à Françoise et à moi, une déclaration pour le moins étonnante:

181

— Mes jeunes poètes, mes enfants chéris... je vous annonce une bonne nouvelle: vous êtes déjà sur le chemin de l'amour, ça se verrait même pour des aveugles, vous serez bientôt sur le chemin de la gloire... Demain, je vous emmène pour une audition dans les studios de Renaissance Film sur Côte-des-Neiges. J'ai là des amis qui doivent vous écouter...

Il se rassoit avec cérémonie, s'éponge le front et attend nos réactions qui se font tirer l'oreille.

— Ça ne vous plaît pas?

— Pour dire vrai, on est pas tellement préparés à ça...

— Pas un mot. Demain à 10 heures, nous montons là-bas, je vous présente un pianiste, vous répétez vos chansons... puis vous enregistrez dans l'après-midi et le tour est joué.

Gilles et Lyse nous pompent à leur façon et, comme atteints d'un mal étrange, nous partons nous coucher... après un silence qui en dit long sur notre trac. Je n'en suis pas sûr, mais je crois comprendre que je fais quelque chose qui doit ressembler à de l'angoisse. Je reviens aux amis...

— Éloi, c'est quoi l'angoisse?

— C'est la peur, la frousse au cul. Ça fait trembler tout l'corps, la voix avec... Tu peux aller dormir tranquille, c'est une maladie qui n'est pas pour vous autres...

16

À Renaissance Film, l'audition a eu lieu... On a failli mourir d'angoisse au pied de nos micros. On a quand même réussi à faire passer la crème de notre répertoire: du folklore mêlé avec quelques chansons des Compagnons. Quand ç'a été fini, Éloi s'est approché de nous, l'œil content:

— Vous avez bien fait ça...

— Alors, qu'est-ce qui va s'passer à c't'heure?

— Peut-être un disque...

— Un disque?

— Oui, pour une compagnie américaine...

Maintenant, place à mon haut de garage. Encore une fois, je me colle à mon refuge... à mes odeurs bien à moi. En attendant l'inspiration pour un travail à l'extérieur et le disque de la compagnie américaine, je retrouve mes pinceaux, ma palette, et peins des images... Des images pénibles, laborieuses, incohérentes, et dont les couleurs ont un mal de chien à se tenir avec décence les unes contre les autres. Du jaune safran verdâtre à côté d'un brun terne, ça donne des vibrations bilieuses. Du rouge sombre à côté d'un orangé teinté de vert, c'est agaçant et pas regardable. Dans le métier et le milieu, on appelle ça « faire d'la marde ». Comment vouloir peindre et chanter en même temps ? Charles Trenet ne fait pas de peinture, lui... Paul-Émile Borduas ne s'embarrasse pas de vouloir chanter, lui...

Après un temps de rêve et d'anxiété, Éloi finit par nous avouer qu'il n'a toujours pas de nouvelles de notre audition, qu'il n'y comprend rien, qu'il avait pourtant bien confiance, qu'il, qu'il, qu'il...

Une autre sorte d'angoisse me repogne de plus belle et mille questions me font mal partout : Les ambitions viennent-elles au monde que pour foirer aussitôt ? Pourquoi qu'les désirs reçoivent tant d'jambettes avant d's'accomplir ? Quoi faire à c't'heure ?... J'ai pas une Christ de cenne qui m'adore... Ma fierté est piétinée sans pitié ; mon amour pour Françoise connaît ses hauts avec des « je t'aime, je t'aime », et ses moins hauts avec presque pas de « je t'aime » ; mon atelier, quant à lui, deviendra vite un nic à cauchemars si l'printemps qui vient n'a pas mieux qu'ça dans son sac. Voilà où j'en suis...

À cœur de temps, elle et moi, nous continuons à marcher dans les rues comme deux âmes en peine. Nous causons souvent et longuement avec Diane et Olivier, nos toujours meilleurs amis, mais qui n'arrivent pas à voir clairement les difficultés de notre situation. Olivier me prend à part pour bien me parler:

— Mon frère, si tu avais la vraie foi, tu n'aurais peur de rien. Si Dieu s'occupe de donner à manger aux oiseaux, comment veux-tu qu'Il t'abandonne?...

C'est ben facile de dire ça, que je pense intérieurement, quand on fait l'parasite chez ses parents... Lui et Diane, y ont pas besoin d'travailler eux autres... Y s'font vivre et après ça y passent leu' temps, comme des anges, à flotter dans la spiritualité, le mysticisme, la métaphysique et j'sais plus quoi. Tandis que nous autres...

— Françoise, on devrait aller voir le père Migneault...

— Bonne idée, peut-être qu'il pourrait nous aider...

Il est bien aimable le père Migneault, mais il est aussi très occupé. Il nous reçoit dix minutes et, comme Olivier, il ne fait que nous exhorter à la prière, à la foi et l'espérance. Lui aussi, que je pense encore intérieurement, a l'beau jeu pour nous parler d'la sorte. Y a pas d'trouble, lui... Y est habillé, nourri, logé par sa communauté. Y est pas laïque, y a pas d'atelier, y est pas en amour, pas d'responsabilités matérielles, rien... C'est facile de faire des beaux discours dans c'temps-là...

— Françoise... on va être encore obligés d'fouiller dans les p'tites annonces d'*La Presse*...

— La maudite *Presse...*

Quand on n'a pas le choix, on prend ce que l'on peut. Mais cette fois on est chanceux, on a peut-être eu la foi et l'espérance sans trop le savoir, on a le choix. Le choix entre trois belles djobbes pour Françoise et la même chose pour bibi. Deux jours plus tard, elle entre comme vendeuse dans un magasin de disques de la rue Mont-Royal. Deux jours plus tard, j'entre comme garçon à tout faire à la Dominion Gallery sur Sainte-Catherine, dans « l'Ouest ma chère ».

Le « Doctor Stern » est mon nouveau patron. Cheveux blancs bien peignés, habit noir d'homme d'affaires, démarche élégante, mouchoir en pointe dans sa petite poche de coat, parfum partout, s'il parle à tous ses clients dans un anglais guindé, il me parle à moi en cassant son français comme tout bon Juif sait le casser.

— Essi, my boy, nous vendons tré peu des peintres modernes. À part Cosgrove, nous préférons gârder les peintures plou classiques. J'aime miou Emily Carr, Fortin, Jackson, Morrice, Robert... c'est pour moâ faire plousse des argents, comprenez...

— Bon, bon...

— Lesson boy, vous faire lé gentil gârçon et nettoyer les pictures avec oune linge, gârder les tapis very clean, les cendriers, les vitrines pârtout. Plou tard, vous répondrez aux visiteurs. Plou tard encôre, vous peut-être faire oune pe-

186

tit peu dé restauration sur les pictures, understand?

— Oui, oui, j'comprends. Très bien, docteur Stern, je ferai my best...

Ici, l'atmosphère est quand même plus respirable qu'à l'atelier des statues de Carli-Petrucci. C'est beau, c'est propre, ça sent le net et tout est bien éclairé: deux grandes vitrines en avant de la galerie et, sur les murs, une belle petite lampe spéciale au-dessus de chaque peinture. Je trouve que ça fait comme au musée. Tout au fond de la salle d'exposition, un minuscule bureau pour la paperasse et un minuscule atelier pour la réparation des cadres et la restauration des toiles abîmées. C'est un Européen d'origine hongroise, moitié homme, moitié femme, et qui se dit « artiste jusque dans le bout des ongles », qui occupe ce petit coin à longueur de journée et qui fignole, touche et retouche des toiles avec des décapants, de la peinture à l'huile et du vernis. À voir le travail qu'il fait, je me dis que c'est plutôt lui qui devrait s'appeler « Doctor ». Il porte des petites lunettes comme un bijoutier, parle très peu, et quand il ouvre sa bouche de Hongrois, c'est pour casser l'anglais, le français avec, de manière à ce que personne ne le comprenne jamais.

— Peut-être un jour cet homme pârtira et vous le remplacez, me confie monsieur Stern, sourire aux lèvres, une main sur mon épaule.

En époussetant mes lampes et mes cadres, mes pensées commencent à bouillonner: S'y

187

pense m'encourager avec ça, y s'trompe en maudit... J'me vois pas passer mes journées dans un coqueron pareil à réparer les peintures des autres et faire des encadrements dorés à la mode 1900. C'est p't-être une vie pour le Hongrois, mais pour moé ça s'rait plutôt proche d'la mort. Doctor Stern... si j'ai accepté vot' djobbe d'homme de ménage à 20 piastres par semaine, sachez ben que c'est rien qu'en attendant mieux... J'vous ai pourtant dit que j'avais fait trois années d'Beaux-Arts, pensez-vous honnêtement que j'vas faire mon avenir icitte? Non, monsieur. Pour le moment, vous m'tirez d'embarras, c'est parfait, mais j'ai un atelier, moé... Et pis, j'fais d'la peinture... Bientôt, j'irai montrer mes huiles à Henri Tranquille et y m'acceptera comme exposant dans sa librairie comme y l'fait pour d'autres jeunes. À part de ça, un jour, si vous avez l'cœur de vous ouvrir un peu plus aux peintres actuels, p't-être que j'aurai des toiles icitte-même sur vos murs et qu'vous s'rez ben content de m'vendre à la place de Cosgrove qui, lui, est même pas personnel à force de trop s'inspirer du peintre mexicain Orozco...

Depuis qu'on travaille, ça va mieux, côté matériel, j'entends. Françoise est dans les disques et gagne assez pour subvenir à ses besoins. Elle ne voit plus personne de sa famille et a toujours son coin chez Lyse et Gilles, tandis que moi je partage mes veillées et mes nuits entre mon atelier et son coin. Je mange ici ou là, parfois au restaurant du Carré Saint-Louis, selon les circonstances, mes heures de travail ou mon humeur. Je dors ici ou là, des fois seul, des fois pas, selon mon humeur aussi. Le printemps est en ville, dans l'air et dans notre cœur qui en a joliment besoin. On commence à sentir dans nos jambes les frémilles d'avril. Bientôt ce sera le mois de mai avec les lilas en fleurs et les frémilles vont finir par nous gagner tout le corps. Sentimental, je sens déjà des envies de « vaisseau d'or » comme aux meilleurs moments du Lac-des-Plages.

Un soir, autour d'un sempiternel café noir, Gilles nous parle abondamment de poésie et de peinture. S'il est calé en politique, il ne l'est pas moins en matière d'art. Puisqu'il a compris depuis longtemps notre peu d'intérêt pour les questions sociales, il nous entretient généreusement de choses qui nous sont proches :

— Ton « Doctor Stern » n'est pas très bien vu par les peintres d'avant-garde. C'est un officiel opportuniste qui ne cherche qu'à exploiter les artistes académiques...

— Oh, je l'sais ben... Y vaut pas plus cher que not' cher Maillard qu'on avait comme directeur aux Beaux-Arts.

— Au fait, avez-vous lu *Refus Global* de Borduas ?

— Quel *Refus Global ?*

Lyse devient comme insultée :

— Ça fait d'la peinture, ça travaille à la Dominion Gallery et c'est même pas au courant que Borduas a publié il y a deux mois un livre de contestation formidable...

— C'est bête, mais j'savais pas... tu comprends, on lit même pas les journaux...

Gilles nous renseigne:

— J'aime bien Borduas... il a le courage de ses idées et de son art. Au fond, son petit livre, qui fait déjà pas mal de bruit, n'est qu'un manifeste pour proclamer l'homme nouveau, l'homme libéré de ses chaînes... Il faut lire ça, je crois que c'est important...

Dans mon crâne, ça sent l'humiliation comme jamais. Je n'écoute plus personne et me parle plutôt avec sévérité. Les yeux baissés. Comme dans la lune. Ben sûr que j'sais pas grand-chose et que j'ai tout à apprendre... C'est vrai que j'suis paresseux pour m'acheter un livre et le lire jusqu'au bout. T'as raison, Lyse... *Refus Global,* j'devrais déjà connaître ça par cœur. J'te promets qu'à ma prochaine paye, quand mon loyer d'atelier s'ra réglé, c'est la première chose que j'courrai m'acheter. Toé, Gilles, j't'envie d'être plus vieux qu'moé, pis d'gagner un bon salaire, pis d'avoir l'intelligence de t'garder du temps pour faire des poèmes et d'l'argent pour te payer des livres. Moé, y m'semble que j'ai pas l'tour de rien...

— Saviez-vous ça qu'on parle de s'marier?

Disant cela, Lyse me sort de ma lune d'un coup sec.

— Vous autres, vous marier?

Gilles fait signe que oui puis ajoute avec ironie:

— C'est dans le mariage qu'on mesure la valeur de l'amour...

Françoise me regarde et lance sa remarque :

— Bravo ! J'suis contente pour vous autres. Ça va mettre les choses à leur place.

Je rebaisse mes yeux pour repogner le fil de ma lune : Y sont corrects eux autres. Y vont mettre d'l'ordre dans leur cœur et leurs affaires. Ça ira mieux avec leur famille... Y peuvent pas continuer à vivre toujours de même. S'y s'aiment... faut qu'y s'marient, y ont pas l'choix et c'est parfait comme ça...

Françoise m'accroche la main et me tire dans son coin. Son grabat nous attend. La nuit aussi.

— Pourquoi qu'on s'marierait pas nous autres aussi ?

Elle laisse filer un petit rire amusé puis continue :

— On s'rait bien... On s'rait libres de nos parents, libres de tout...

— T'es mineure...

— D'accord, mais pas pour longtemps... On aurait qu'à aller voir le père Migneault, il pourrait nous arranger ça...

Elle ricane... Je jongle comme un bon. Les mots noces, mariage, mai, famille, amour, liberté, travail, avenir, peinture, enfant, église, argent, printemps se tiraillent en moi, se chamaillent, dansent, sautent, font la culbute, se coltaillent encore et se mêlent en mille simagrées... jusqu'à m'endormir.

Refus Global de Paul-Émile Borduas. Je l'ai. Et je le dévore enfin, étendu tout seul sur mon banc-lit. L'autre soir, chez Gilles, Lyse m'a fait assez honte avec cette histoire-là que je n'ai pas perdu de temps pour prendre connaissance d'un manifeste dont tout le monde parle et qui a été signé par plusieurs jeunes que je ne connais pas encore mais dont les noms me sont familiers : Marcel Barbeau, Claude et Pierre Gauvreau, Muriel Guilbault, Marcelle Ferron, Fernand et Thérèse Leduc, Jean-Paul Riopelle, Jean-Paul Mousseau et d'autres.

Borduas écrit bien. Il sait ce qu'il dit. C'est intelligent et documenté. Il commence par faire le portrait de notre petit peuple canadien-français tenu depuis toujours à l'écart de l'évolution universelle, sorti d'une colonie janséniste, isolé, éduqué dans la peur et dans une « pensée sans réplique ».

Ce langage me touche de près et me va comme un gant. Je ne peux pas faire autrement que de revoir toute mon enfance à Saint-André-Avellin et mes débuts si difficiles à Montréal à cause de tout ce que j'avais de timoré et de chiant-culotte en moi. Lisons, lisons...

Borduas parle d'un moment où s'opèrent les premières ruptures entre le clergé et certains fidèles qui ont la chance de commencer à voyager. Il parle de l'attraction de Paris pour plusieurs qui devient l'occasion d'un réveil ; des lectures défendues qui se répandent et des consciences qui s'éclairent au contact des « poètes maudits » qui osent s'exprimer librement. Il dit encore: « La honte du servage sans espoir fait face à la fierté d'une liberté possible... » « Notre devoir est simple: rompre avec toutes les habitudes de la société... » « Refus de fermer les yeux sur les vices, les duperies... Refus de se taire, refus de la gloire, des honneurs... Refus de servir... Refus de toute INTENTION, arme néfaste de la RAISON. »

Jamais lecture ne m'aura autant marqué. Jamais propos n'auront trouvé en moi autant de références et de correspondances. Ce manifeste, non je ne prétends pas que j'aurais pu l'écrire, mais il colle tellement à ma peau que rien que de le lire me libère, me délivre de tous mes scrupules, de toutes mes pudeurs. Chaque ligne m'éclaire comme une grande lumière: « PLACE À LA MAGIE! PLACE À L'AMOUR! PLACE AUX NÉCESSITÉS! » « Fini l'assassinat massif du présent et du futur à coups redoublés du passé. » « ...à nous l'imprévisible passion; à nous le risque total dans le refus global. »

Borduas... merci d'avoir dit tout haut c'que j'pense tout bas. À soir, dans mon atelier, j'm'endormirai au milieu d'mes peintures que vous connaissez pas. Ça fait rien, j'passerai une meilleure nuit qu'hier parce que j'comprends mieux à c't'heure le sens et la portée de tout c'que j'ai pu faire, un peu inconsciemment j'l'avoue, mais avec une vision qui r'semble pas mal à la vôtre. Moé aussi ça fait longtemps que j'sens que j'dois r'fuser l'ordre social, bour-

geois, capitaliste, pour mieux travailler à libérer tout c'qui m'étouffe par en d'dans. Mon air
bête, ma naïveté et mes gaucheries s'compren-
nent... faut m'les pardonner, mais j'vous jure
qu'à partir de tout d'suite, j'continuerai à peindre poétiquement plus que jamais, envers et
contre tous et que j'me gênerai plus pour rompre avec ben des affaires qui m'puent au nez
comme: la mode, les bonnes manières des
bonnes familles, l'argent à tout prix, la pratique religieuse pour faire comme tout l'monde,
la peur du voisin, la servilité, la chienne d'être
soi-même, la politesse hypocrite d'un docteur
Stern, la maladie du maudit confort matériel
plus répandue qu'la peste, et quoi encore, et
quoi encore, monsieur Borduas. Demain,
j'parlerai d'vous à Françoise, au père Migneault, aux amis... Faut qu'y sachent tous
qu'à l'avenir, nous devons être libres, tous libres, et avec passion s'il vous plaît.

À l'Ange-Gardien, la lucarne de mon toit, mon hublot indispensable, comme je l'ai déjà dit, est toujours devant mes yeux. Mon esprit la traverse sans relâche pour voyager à grandes brasses, encore et encore, dans cette mer d'images qui s'étend bien haut au-dessus du faîte de l'Île d'Orléans. Yo mon amour, Manu mon rejeton, sont en bas dans la cuisine en train de prendre une collation. M'apportant un café, il viendront me voir tantôt et je les embrasserai. Je les prendrai par le cou et leur dirai combien je les aime.

Aujourd'hui, comme à chaque jour, je suis allé travailler à Radio-Canada. Gagner ma croûte à la sueur de... Pourtant, comme une momie, je suis sûr de n'avoir pas quitté ma place. D'être resté collé à ma table plantée devant le ciel-écran qui n'arrête pas de me dérouler sa longue histoire. Plus tôt, j'ai dit comment j'étais devenu deux. Deux visions, deux corps. Cela est toujours vrai et le restera jusqu'à ce que toutes lumières se soient éteintes. Comme après un film de ciné-parc américain.

17

Mes promesses secrètes à Borduas, je les tiens. Avec une sorte d'embrasement intérieur presque incontrôlable. Je rencontre Françoise:

— J'ai compris ben des choses...

— Quoi donc?

— Y faut réaliser not' présent. Not' premier devoir envers nous-mêmes c'est l'honnêteté.

— Mon Dieu...

— L'bonheur est au bout d'notre amour et notre amour est une NÉCESSITÉ pour parler comme Borduas.

— Tout c'que tu dis est vrai, je l'sens...

— Sérieusement, pourquoi qu'on s'marierait pas?...

— J's'rais folle de joie... mais quand?

— Tout d'suite... disons bientôt, au mois d'mai. Aimerais-tu ça qu'on veille avec Olivier et Diane pour leur en parler?

— J'ai comme le sentiment qu'ils pensent les mêmes choses que nous autres en c'moment...

Un coup de téléphone et nous voilà grimpant la rue Saint-Denis jusqu'à de Fleurimont où nous avons rendez-vous dans notre restaurant préféré.

— Allô!

— Allô!

— On a une grande nouvelle à vous annoncer, on s'marie l'mois prochain...

Olivier s'esclaffe et en perd son long cigare. Sa Diane nous jette un rire si lumineux qu'il nous rassure. Elle prend tout à coup un ton solennel:

— Nous aussi on a une grande nouvelle... on s'marie l'mois prochain.

— Pas d'farce!

Olivier s'arme aussitôt de son grand air de penseur:

— Le raisonnement de nos familles est contre nous... Mon père dit que je suis un fainéant, ma belle-mère dit que nous n'aurons jamais les pieds sur terre... Moi je réponds: MERDE À TOUT LE MONDE. Il n'y a qu'une chose qui est essentielle, c'est que nous ayons le courage de répondre totalement aux exigences profondes de notre être.

— Oui, c'est ça!

Toujours égal à lui-même, Olivier s'enflamme encore:

— La victoire sera dans notre accomplissement et notre accomplissement ne se vivra que dans l'amour et notre amour ne se vivra que dans le mariage...

— C't'en plein ça!

— Les gens ne vivent que dans la désespérance et la mort, c'est contre Dieu. L'espoir est l'envers de la mort, nous vivons dans l'espérance, nous sommes avec Dieu...

Je pense pour moi tout seul que Borduas aurait dit exactement la même chose, sauf qu'il aurait mis un autre mot à la place de Dieu. Quel tourbillon! Quelle joie! Les paroles disent les pensées, les pensées donnent l'assaut contre tout ce qui nous humilie et nous étrangle. Il n'y a plus de bâillons, plus d'entraves, plus d'empêchements. À rien. Nous sommes quatre. Deux couples en amour avec la VIE. Deux paires de fous aux yeux bornés d'une société rangée qui refuse le risque même du vrai bonheur.

— Je propose qu'on rencontre le père Migneault au plus sacrant, lance Olivier.

— D'accord, qu'on répond tous sur le même ton.

En attendant le père Migneault et le mois des mariages, il faut bien suivre le roule, chacun s'accroche à sa vie quotidienne. Pas question de partir en peur, on a tous trop à faire: travailler, réfléchir, s'organiser.

Un soir, chez Lyse, j'avance ma petite idée, car j'ai bien une petite idée de cachée quelque part et que je n'ai pas encore dite à personne...

— On va partir s'installer à la campagne... p't-être ben à Saint-André-Avellin.

Françoise ouvre de grands yeux ravis, Lyse s'emporte :

— Ma foi vous voilà pris du même mal que tous les jeunes peintres qui veulent s'en aller à Saint-Hilaire parce que Borduas reste à Saint-Hilaire...

— Pardon, Saint-André c'est loin d'être Saint-Hilaire...

— Eh ben... vous êtes pas dans ma peau...

Ma petite idée, je vais aussi la porter à Albert Ledoux qui se montre plein d'affection :

— Bravo !... Et vous faites bien de vous marier jeunes... Le mariage est un sacerdoce et ça va vous situer.

— On veut vivre dans nos droits... S'aimer librement...

Aussitôt rassuré avec Albert, qui va jusqu'à me promettre une réception intime, chez lui, pour le jour de mes noces, je cours à l'atelier écrire une longue lettre à Marcel pour le mettre au courant de tout de A à Z. «... *Montréal nous paraissant sans avenir, tu comprendras que cette nouvelle vie à la campagne, Françoise et moi on est prêts à la bâtir avec tout le courage que Dieu nous demandera. Le travail nous fait pas peur... Quand on aime, on peut tout braver. Je te demande donc de voir à Saint-André s'il y aurait pas un travail quelconque que je pourrais faire pour gagner ma vie et aussi si tu aurais pas en vue une petite maison qu'on pourrait louer pour pas cher. Je te le répète, n'importe quoi nous conviendrait. Tout ce que nous demandons, c'est de vivre dans le calme et la paix, loin de cette chienne de ville qu'on peut plus sentir...* »

La réponse ne tarde pas. Marcel m'écrit aussitôt une de ces lettres que je reçois comme un cadeau : «*Mon cher Paulo, tout ce que tu me dis a ben du bon sens, surtout que je serais pas fâché pantoute de t'avoir icitte dans la place, pas trop loin de nous autres. Pour une maison, il y en aurait une en bardeaux de libre, juste sur la petite butte à droite du chemin passé le crique à Palma Bourgeois en gagnant la Côte Saint-Pierre. C'est une madame Tessier qui reste là et elle part justement au mois de mai pour s'en aller ailleurs. Elle demande rien que dix piastres par mois pour son loyer. Vous seriez bien car il y a grand de terrain et c'est bien tranquille. Quant à l'ouvrage, je t'avoue que c'est plus dur à trouver à Saint-André. Je vois rien qu'une chose pour toi. Étant donné que t'as déjà fait ton cours commercial, tu pourrais peut-être te trouver de quoi chez les Entrepreneurs Marchessault qui ont le gros contrat pour la construction de la nouvelle route entre Papineauville et Saint-André. Va à leur bureau central à Montréal, c'est sur la rue Jean-Talon. Bonne chance.* »

Aussitôt lu, aussitôt fait. Rue Jean-Talon, je me présente direct à l'adresse où c'est écrit en gros : MARCHESSAULT, Road Building Contractor. J'entre là et, miracle, me retrouve une demi-heure plus tard riche d'une nouvelle djobbe de « time keeper » pour le 15 mai dret au bureau des chantiers de construction de la route dont Marcel m'a parlé. Et mieux payé qu'à la Dominion Gallery à part de ça.

Les trottoirs sont comme des planchers de danse et les rues du nord de la ville ressemblent à des avenues de Westmount. Olivier et Diane battent la marche et ont décidé qu'ils viendraient vivre à Saint-André avec nous autres, oui, tous les quatre dans la même maison. Main dans la main, ils sautillent comme des enfants en vacances, Françoise ne tient plus en place tellement elle est joyeuse et contente de la nouvelle de Marchessault et pour bien d'autres raisons encore.

Tout le monde chante: « On s'en va voir le père Migneault au parc Jarry!... » Tout le monde fête avec le cœur: « On s'en va voir le père Migneault au parc Jarry! »

Huit heures du soir, il est là sur un banc, face à la rue Saint-Laurent, dos contre de grands arbres qui montent au ciel.

— Salut, père Migneault!
— Bonsoir mes tourtereaux.
— On veut s'marier, père Migneault.
— Tant mieux, mes enfants...
— Le plus tôt possible...
— Dieu est avec nous. Il ne nous veut que du bien...

Quatre voix folles veulent se faire entendre en même temps. Chacun a une question toute prête à poser:

— Le même matin... Qu'en pensez-vous?

— Si nos parents veulent pas, qu'est-ce qu'on fait?

— Êtes-vous d'accord qu'on s'en aille vivre à la campagne?

— En s'mariant, l'bon Dieu va-t-il nous pardonner tous les péchés d'impureté qu'on a commis?

Le père Migneault y va d'une main douce:

— Dieu n'est pas un dictateur, Il vous aime et vous a déjà pardonnés.

Le père Migneault nous protège:

— Je m'arrangerai avec vos parents... Quant au même matin, rien de plus facile: pour Françoise et Jean-Paul, on fera ça dans l'intimité au presbytère de Saint-Louis-de-France, disons à 7 heures; et pour Diane et Olivier, on pourrait faire ça à 8 heures et demie à Saint-Alphonse-d'Youville. Chacun sa paroisse... On ira d'une à l'autre en taxi.

Le père Migneault pense à tout:

— Et au cas où cela pourrait vous être utile, je vous envoie dès demain un laïque de mes amis de la JEC qui se fera un plaisir de vous donner quelques cours de préparation au mariage. Monsieur Boily, qu'il s'appelle... Vous l'aimerez, il est très dévoué... Un dernier mot: dans la vie, dites-vous toujours que c'est très bien que tout soit comme ça, mais que ça serait encore mieux si c'était autrement.

On applaudit à la manière d'une vraie fin de spectacle. Notre protecteur nous salue déjà de la main pour filer vers sa maison des Jésuites qui se trouve tout près dans le quartier.

Quatre jours suffisent pour que le ciel s'éclaircisse tel qu'on le voulait. La date et les heures des mariages sont fixées, ce sera pour le 2 mai, le père Migneault nous l'a confirmé par téléphone. À l'église Saint-Alphonse-d'Youville, pas de problèmes... À la chapelle du presbytère de Saint-Louis-de-France, pas de problèmes non plus. Nous nous marierons les premiers et nous irons ensuite au mariage de nos amis. Oui, partout, Dieu est avec nous...

En vitesse, j'écris un mot à papa pour lui demander de monter à Montréal me servir de père comme il se doit. Par téléphone, je raconte à Albert Ledoux que nous nous marions le 2 mai et il me répond aussitôt que sa mère est d'accord pour nous préparer une table ce jour-là, que ça fera un grand plaisir à toute la famille, et le reste... Généreux Ledoux !...

Quand monsieur Boily de la JEC apparaît dans notre paysage, il se trouve en face d'un couple complètement emporté par l'euphorie. Je viens de porter mon habit chez le nettoyeur, d'acheter un petit jonc en or chez Eaton, de me faire couper les cheveux, et de donner ma démission au docteur Stern qui s'est montré tout offusqué, ma mère dirait instipolé, de mon départ si brusque.

Monsieur Boily s'occupe d'abord de nous calmer les nerfs pour mieux nous entretenir ensuite de tout ce qu'on doit savoir, faire et ne pas faire dans la vie du mariage.

— On sait pas mal de choses vous savez...

— Je m'en doute bien, le père Migneault m'a tellement parlé de vous...

Il toussote et commence pour vrai:

— Ce n'est pas mon genre de m'inspirer de la théorie de la sexualité de Freud, soyez sans crainte... Je veux simplement vous souligner l'importance de l'hygiène au moment de vos relations, vous parler des conséquences morales qu'il y a pour un couple à empêcher la famille en dehors de la méthode Ogino, et, finalement, vous donner quelques notions sur la psychologie du couple et de l'amour conjugal en général... Commençons par un petit billet que j'aimerais vous faire lire...

Malgré que sa pensée soit bien loin de celle de Borduas et de la nôtre, ce monsieur Boily arrive quand même à nous plaire par sa simplicité et sa bonhomie. Prenant le billet en souriant, je glisse avec humour:

— On dirait qu'vous êtes d'la même école que notre ami Olivier...

Puis je lis à haute voix: « Il n'y a jamais eu de créature. Il n'y a jamais eu que le couple. Dieu n'a pas créé l'homme et la femme l'un après l'autre, ni l'un de l'autre. Il a créé deux corps jumeaux unis par des lanières de chair... »

Françoise s'exclame et m'interrompt:

— Qui a écrit ça?

Ton fier, monsieur Boily répond:

— Jean Giraudoux.

18

Les jours sautent. Papa m'a écrit de compter sur lui pour la cérémonie du mariage. Monsieur Boily servira de père à Françoise, le sien ayant refusé, et viendra nous reconduire à Saint-André après la réception chez les Ledoux. Il y a des ombres au tableau, mais les pétillements dans nos yeux finissent par être les plus forts.

C'est déjà la veille du grand jour. Pas le temps d'aller voir ma « future » qui est elle-même occupée par-dessus la tête avec tous ses préparatifs. Je fais comme elle, je m'organise. Fébrilement. Comme un amoureux, dans toute la force du mot, qui vit ses derniers moments de célibat.

À l'atelier, je décroche tous mes cadres, mes images, et les attache en paquets. Je démonte mon poêle, mon chevalet, mes étagères et bourre ma valise de linge à moitié sale. Mes traîneries sont toutes rangées dans des boîtes pour que Legault Transport de Saint-André puisse tout prendre vitement quand il viendra.

Mon habit est bien nettoyé, pressé... j'ai une chemise blanche neuve et une belle cravate, toute neuve aussi. Je me fais la barbe, me lave la tête et prends mon bain, c'est rien qu'une façon de parler car je fais tout ça avec mon bol à mains, de l'eau froide et un restant de savon Palmolive. Quand tout est bien fini, je crinque mon cadran et me garroche sur mon banc-lit pour la dernière fois...

Nuit blanche, j'aurais dû m'en douter, malgré ma fatigue. Tourne d'un bord, tourne de l'autre, banc-lit qui branle, banc-lit qui craque, j'ai la tête si agitée que mon cadran sonne bien avant que j'aie pu fermer l'œil. « Debout, mon gars, c't'à matin qu'ça s'passe. »

Il fera beau, le ciel est dégagé, c'est ma petite fenêtre qui me le dit. Bon... Toilette, mon trente-six, un bon coup de peigne et me voilà prêt à partir pour rejoindre Françoise chez Lyse où doit nous prendre monsieur Boily.

Dernier coup d'œil sur les murs vides de mon atelier. J'y ai passé de bons moments, et d'autres où ç'a été plus toffe. J'y ai fait quelques bonnes peintures, mais je sais déjà que c'est à Saint-André que je donnerai le grand coup. Mon dernier mot n'est pas dit, il fait rien que commencer à se dire... Valise à la main, je sors, un bon pincement à la place du cœur.

À pied, toujours à pied. C'est le point du jour, une heure où les rues de Montréal sont à leur meilleur. Patte en l'air, je descends Papineau et pique en travers du parc Lafontaine. J'arrive en face de l'appartement de Gilles et Lyse avec pas de clé dans mes poches. Je fais le tour du bloc et passe par la ruelle. Des chats sautent des poubelles car mes petits souliers ferrés résonnent pas mal fort. Je connais par cœur la fenêtre qui me permettra d'entrer. Clac! Je l'ouvre d'une main ferme, l'enjambe et arrive carré dans le recoin du salon où se trouve le grabat de Françoise.

— Lève-toé, on s'marie à matin!...

Je lui flanque un gros bec et la taquine en lui tirant un bigoudi. Toute souriante, la voilà sur ses jambes et qui gagne la salle de bains pendant que je lui présente son linge tout prêt dans la penderie. Le temps de quelques mots, le temps de saluer les Hénault à travers leur porte de chambre et nous voilà dehors avec chacun notre valise. L'air printanier de la rue Sherbrooke nous égaye encore la face, comme si c'était possible. Le soleil est là qui coule plein la rue déserte; les nouvelles feuilles dans les arbres sont tout en lumière; dans le décor, les yeux bleus de Françoise me rendent le cœur millionnaire rien qu'à les regarder. Je la prends par la taille et nous guettons l'arrivée de monsieur Boily...

Venant de l'est, une grosse Chevrolet apparaît à toute vitesse. C'est lui, c'est lui. Papa est assis en avant, c'est bien ça, monsieur Boily est allé le prendre dans le nord chez mon oncle Josaphat. On fait du pouce, en riant...

— Allô… Bonjour!

Fleur à la boutonnière, notre galant chauffeur de la JEC met nos bagages dans son coffre, on monte et ça repart en grande en direction de Saint-Louis-de-France, tout près. Papa a l'air parfaitement à jeun et a mis « sa belle habit grise ». Pour moi, c'est un vrai cadeau…

Le père Migneault nous attend sur le perron du presbytère. Présentation de papa, bonjour, bonjour, nous sommes cinq, tout le monde au complet, il est 7 heures tapant, on entre donc, sans bouquetière, sans orgue ni fla-fla, par une grande porte qui mène à une autre plus petite, laquelle donne direct dans la chapelle qui n'est pas plus grande qu'une chambre à coucher ordinaire. Je blague à l'oreille de ma femme:

— Un peu plus pis on s'mariait dans une garde-robe…

Le père Migneault est devenu grave. Il enfile déjà son surplis, non son aube, sa chasuble verte et or et son étole. Devant une simple table avec nappe blanche et tout le nécessaire à la célébration, il commence sans tarder à faire de longs marmonnages. Nous, on a quatre chaises et quatre prie-dieu. Quand chacun a bien pris sa place etque la porte s'est refermée sur le silence, on ne pourrait pas ajouter une personne de plus, autant dire que la chapelle est bien pleine.

Le père Migneault va vite. Il a l'air nerveux, pressé, ou bien c'est l'habitude. Dos tourné, il fait des gestes, monte la main, des-

cend la main, prie comme s'il était tout seul, se
tourne vers nous, les yeux baissés, se détourne
en poursuivant ses chinoiseries latines que personne ne comprend. Comme des marionnettes,
il nous fait nous lever, nous asseoir, nous mettre à genoux, communier, amen. Arrivé enfin au
moment crucial de notre union devant Dieu, il
se plante devant nous, comme pour un speech,
et, machinalement, récite sa formule... Quand
il dit avec gravité: « Jean-Paul Filion,
acceptez-vous... » ça fait belle lurette que mon
oui est prêt à sortir. Et quand il pose la question à Françoise, elle répond un oui dix fois
trop fort pour la grandeur de la chapelle. Moi,
j'ai la main mouillée et qui tremble déjà en serrant dans ma poche mon beau petit jonc à cinq
piastres que j'enfile aussitôt dans l'annulaire
d'une main blanche et mince qui tremble autant que la mienne.

— Je vous déclare unis pour la vie par les
liens sacrés du mariage...

Encore quelques bouts de prières murmu-
rées, quelques simagrées, et voilà la cérémonie
qui s'achève aussi vite qu'elle a commencé.
Tout le monde bouge, respire et sort en souriant pendant que le père Migneault se débar-
rasse de ses pelures liturgiques.

Dehors, sous le soleil éclatant, il nous rejoint, embrasse les mariés et dit à grande voix,
comme s'il voulait prendre tout Montréal à témoin:

— Mes enfants... maintenant que j'ai tout
fait ça pour vous, faites-moi la promesse de me

faire un beau bébé le plus tôt possible. Dans la vie, dites-vous toujours que c'est très bien que tout soit comme ça, mais que ça serait encore mieux si c'était autrement...

On rit de sa tirade que l'on connaît par cœur, on niaise un moment, on saute dans la voiture. Monsieur Boily court à son volant, papa nous fait gaiement ses souhaits de bonheur. Prochaine étape: le mariage de Diane et Olivier... Vite une go pour l'église de Saint-Alphonse-d'Youville avant notre réception chez les Ledoux. Ouf, que c'est énervant la vie de mariage!

19

Dans mon pays au nord de l'Outaouais, il fait un ciel de mai que je connais comme si je l'avais peint mille fois. Le printemps n'a pas la même couleur ni la même odeur qu'à Montréal. Ici, l'espace, la lumière et le fond du cœur sont entre amis. Et qu'on n'aille pas prétendre que c'est seulement à cause du jour de mes noces... Saint-André-Avellin, c'est Saint-André-Avellin, point final.

Murs gris, fenêtres blanches, toit noir, la maison en bardeaux, sur la butte à droite du chemin, passé la crique à Palma Bourgeois à un bon mille du village, elle est là devant nous. Juste bien jouquée au-dessus de nos yeux. La maison de l'amour est complètement seule et son toit a l'air de vouloir piquer dans le ciel comme un toit de chapelle. Marcel est avec nous autres, c'est lui qui a la clé et va nous montrer les airs. Maman nous a fait toutes les gentillesses possibles: jusqu'à s'excuser d'être venue ici installer des lits et faire du ménage pour que tout soit propre.

Dans le bas de la côte, monsieur Boily a l'air bien empêtré avec sa grosse voiture. Tout le monde gigote et veut parler en même temps :

— J'suis v'nu avec mon truck mais prenez pas d'chance, on va monter à pied...

— La belle côte toute croche !

— Oh, la rivière en face !...

C'est la plus belle procession de têtes heureuses jamais vue dans le monde entier. Olivier, bouffon, bat la marche avec son pacsac en chantant du grégorien, sa femme ricane sur ses talons. Monsieur Boily et Marcel grimpent ensemble en jacassant. Françoise sautille dans une ornière et moi j'ai le cœur parti pour la gloire.

En haut, c'est le paradis. Grande place pour le jardin devant la maison, une remise à bois, un poulailler, une grange. On domine le monde. Les quatre vents nous entrent du parfum plein les poumons. Tout le ciel est à nous. J'étends la main avec importance :

— Là-bas, c'est la montagne des Sœurs. Là, c'est la Côte Saint-Pierre. On voit l'clocher d'l'église... En bas, c'est la rivière Petite-Nation qui s'promène...

Les Ah ! les Oh ! éclatent de partout. Marcel me passe la clé, j'ouvre la porte. La porte de ma première vraie maison. C'est simple, c'est propre. Pauvre et dénudé, mais on comble les vides par l'imagination.

— Icitte on va mettre un divan...

213

— Olivier est habile de ses mains, il va faire une bibliothèque par là...

— Comme glacière, on va prendre la cave.

Rien ne sera trop beau pour personne. Marcel se lance dans une suggestion :

— La couleur d'la cuisine est pas fameuse, vous la changerez en blanc. D'l'alabastine ça coûte pas cher...

— C'est quoi ça d'l'alabastine ?

— C'est ça qu'les habitants prennent pour les poulaillers...

— Ah ben...

Monsieur Boily, homme pratique, nous dit son inspiration :

— Diane sait tisser, greyez-vous d'un métier et faites des catalognes pour vendre...

Laissant la gang à son verbiage, j'emmène Françoise en haut voir les chambres. La gang nous suit... évidemment. L'escalier donne sur une pièce ouverte, grande comme le quart de la cuisine, avec un bol de toilettes, bien à la vue, à gauche dans le coin...

— J'vas faire mon atelier juste icitte.

Là, les chambres. Celle de gauche est cloisonnée, une cretonne fleurie servant de porte. Ce sera la nôtre. On y entre pour découvrir avec ravissement le lit que maman nous a monté. C'est un matelas à sprignes recouvert d'un drap de coton jaunâtre et d'une couverte de laine grise. Il y a deux oreillers propres. Le tout est installé sur quatre boîtes à beurre bien solides. Pas de bureau, mais il y a une fenêtre avec une vue qui rachète tout.

La chambre de droite sera celle de nos moineaux mystiques. Même genre de lit, même genre de fenêtre. Un seul problème; la cloison est ajourée, laissant voir de simples vieux colombages...

— J'ai une idée, s'emballe Olivier. On va cloisonner avec des branches de cèdre...

— La balance des murs, on fera ça en alabastine, que j'ajoute, fort de la suggestion de mon frère Marcel.

En dégringolant l'escalier, un grand fou-rire nous prend et je crois bien m'apercevoir que le diable au corps de chacun commence à être pas mal crevé.

Monsieur Boily ne veut plus s'attarder, il parle de repartir dans la minute. Je le comprends, pour lui nous sommes au bout du monde et il n'a pas l'air d'être plus à son aise que ça. De toute façon, il a fait son devoir de missionnaire laïque, on le voit dans ses yeux, et il n'a plus qu'à s'en retourner aider le père Migneault en fouettant d'autres jeunes chats. Toujours pour la gloire de Dieu et celle du mariage. On le remercie chaudement, chacun l'embrasse et il sort pendant que Marcel le suit en nous criant son affection:

— Si vous avez besoin de n'importe quoi, gênez-vous pas...

Françoise se colle à mon oreille:

— J'l'aime gros ton Marcel, il pourrait être ton jumeau.

— Comment t'as trouvé maman au village?

— Bien fine... on va s'entendre à merveille...

Olivier, crinière en l'air, un vrai poulain qu'on met au pacage, est parti à courir, à se rouler dans l'herbe sauvage, à sauter autour de la remise et de la grange en criant longuement sa délivrance: «Le voilà le festin des noces de Cana!» Diane l'imite comme elle peut en trottinant, les bras en croix pour mieux prendre le vent pour elle toute seule.

Françoise m'embrasse puis admire le pays qu'elle découvre les larmes aux yeux...

— Ah, qu'on va être bien!...

— Oui, tu peux l'dire...

— On va avoir un grand jardin...

— Un grand pis un beau... Compte su' moé, j'connais ça.

Bon, c'est bien correct pour le jardin, mais il est encore loin de pouvoir nous donner à manger. En attendant, qu'est-ce qu'on fait? On a faim, on a soif, il n'y a rien sur la table, encore moins dans les armoires. Il faut tout de suite convoquer le poulain au pacage car c'est lui qui a le plus d'argent en ce moment. Les deux femmes prennent déjà les choses en mains.

— Allons au village faire un p'tit marché.

— J'connais un magasin qui ferme tard...

Ainsi commence l'organisation de notre vie. On a beau s'aimer par-dessus la tête, il faut quand même avoir les pieds un peu sur terre. En tout cas, moi, intérieurement, j'y pense en maudit. D'abord manger... Pour manger, ça prend des sous. Pour les sous, pas d'inquiétude, j'ai ma djobbe de « time keeper » qui m'attend le 15 mai. Mon salaire sera autour de vingt piastres par semaine, le jardin nous aidera, je pense bien que ça va aller... Olivier fera sa part, c'est normal, je ne sais pas encore de quelle façon car je ne l'ai jamais vu travailler, mais il fera sûrement quelque chose...

Premier jour, première nuit; deuxième jour, deuxième nuit. Jusqu'au moment où, sur notre butte qu'Olivier a baptisé « La Butte à Tobie », tout finit par se placer comme il faut. En peu de temps la roue s'est mise à tourner à belle allure. On comprend vite qu'à quatre, ce n'est pas comme à deux, et qu'à deux, ce n'est pas comme à un. Alors on se fait une sorte de programme avec des lois et des règlements pour que la liberté dont on a tant parlé soit saine et sauve dans chacun des cas. On se fait même un dessin. Il y aura des heures pour travailler, des heures pour s'amuser. Des temps pour lire, pour écouter de la musique au radio; des temps pour manger, faire la sieste, l'amour, prier, dormir...

Quand le camion de Legault Transport de Saint-André nous apporte enfin de Montréal toutes les choses qu'on attend avec impatience : le stock de mon atelier, des caisses de livres, des affaires de chez les parents d'Olivier ainsi qu'un beau métier à tisser envoyé par les parents de sa Diane, nous sommes au comble de

217

la joie. La première chose que je fais, j'en ai des fourmillements partout, c'est d'installer mon chevalet et mes peintures en haut dans la pièce ouverte où il y a le bol de toilettes. Françoise m'aide. Nous chantons. Olivier bricole une bibliothèque dans le salon et monte le métier de sa femme dans un coin de la cuisine...

Courage, entrain, joie profonde, il n'y a pas d'autres mots pour dire ce qui nous habite. On bêche le jardin, avec du fumier dedans. J'initie mon monde de la ville. On achète les grainages pour que tout soit prêt quand les chaleurs viendront pour de bon. Tout l'intérieur de la maison est peinturé à l'alabastine comme nous l'a dit Marcel. On court dans le bois couper mille branches de cèdre qui serviront à fermer la cloison de la chambre d'Olivier. Je commence une peinture, oh, pas bien grande, juste pour me faire la main, pendant que Françoise arrange et décore notre chambre. Au-dessus de la tête de notre lit, elle pique au mur une croix faite avec des restants de branches de cèdre... et ça sent bon comme tout. Chaque soir, à genoux au pied du lit, on regarde cette croix pleine d'évocations et l'on prie, comme pour fermer les yeux sur les enseignements de Borduas et pour donner plus de chance aux influences du père Migneault. « Promettez-moi de me faire un beau bébé le plus tôt possible » qu'il nous a dit en sortant de la cérémonie du mariage... Ce sacré jésuite arrive même à nous en imposer jusque dans notre lit, de sorte que souvent après avoir prié, on fait l'amour, bien amoureusement, oui, mais aussi bien catholiquement en ne faisant strictement rien pour empêcher la famille... Ainsi, le bon père Migneault aura vite sa récompense et tout le monde sera content.

À table, ou en travaillant, nous causons beaucoup de peinture, de musique, de religion... À propos de cette dernière, Françoise et moi on se morfond à expliquer à nos amis que pour le couple en unité avec Dieu, un enfant est l'accomplissement parfait de l'amour, le fruit de la fleur, l'aboutissement logique d'un cheminement essentiellement valable, et blablabla. Je vais jusqu'à ajouter de mon cru :

— Depuis mon mariage, j'découvre la femme comme un être sacré. J'sens que j'ai saisi tout à coup l'inaccessible... ma raison d'être. Rien qu'pour ça, Françoise doit jamais être lésée en rien...

Olivier, grand lecteur des vieux sages, du Livre de Job, du Cantique des cantiques, s'oppose délicatement à nous sur cette question fondamentale :

— Nous, on préfère suivre l'exemple de Jacques et Raïssa Maritain...

— Quel exemple ?

— L'abstinence totale de tous plaisirs sexuels...

Là, j'avoue que les cheveux me retroussent sur la tête.

— J'veux pas m'mêler d'votre intimité, mais vous couchez ensemble et vous êtes pas des bouts d'bois...

— On peut dormir ensemble sans faire l'amour...

Je décide de mettre mon nez encore plus loin :

— Mais... on vous voit souvent rôder tout nus à l'entrée d'vot'chambre...

— Qu'est-ce que ça prouve?...

Olivier met finalement un terme à cette conversation un peu difficile en nous écrivant tout simplement un billet. Oui, en plein comme à Montréal. « Tout est Esprit, l'Esprit est tout et tout est dans l'Esprit de l'Absolu. »

— Piquez ça au mur de votre chambre et méditez...

« Y aura beau nous écrire tous les billets qu'y voudra, on a quand même un corps ben en chair et en os... Qui fait l'ange fait la bête... » Mes réflexions ont bouillonné si fort que je n'ai pas vu filer les trois derniers jours... Papa me fait justement dire par Marcel qu'il m'a trouvé quelqu'un de la Côte Saint-Pierre qui travaille pour Marchessault et qui se fera un plaisir de me voyager. Françoise s'énerve et m'aborde avec une sorte de compassion :

— Il faut que j'te prépare un lunch... À quelle heure l'auto va t'prendre?

— Sept heures...

— Va falloir se lever à six heures?

— Ben oui...

Après toutes mes enfances vécues, me voici, veux, veux pas, embarqué dans celle du mariage. Avec Françoise, je forme un couple, nous sommes une paire. À l'instant, je découvre donc l'importance des responsabilités, des obligations... Ce n'est pas que ça me chicote sans bon sens, mais quand on a son cœur livré à l'amour cent pour cent et qu'on s'aperçoit tout à coup que, pour avoir droit à ça, il faut prendre la grosse partie de soi-même et de son temps pour aller travailler sur une route en construction, on se sent drôle...

Premier matin où je quitte la maison, Françoise, mes peintures, les amis. Elle est debout la première, sa vivacité m'étonne, pour me préparer à déjeuner. Le soleil s'est à peine montré le bout du nez que le café est déjà prêt. Mon lunch aussi.

— C'est beau l'paysage du matin...

— Qu'est-ce que tu vas faire aujourd'hui?...

— Rateler les plates-bandes du jardin comme tu m'l'as appris...

Poute! Poute! Ça crie en bas, au chemin... C'est mon gars, mon auto... Vite, un bec, bonjour, et je me tire dehors pour dégringoler la côte croche de ma chère Butte à Tobie. Un bazou est là qui m'attend.

20

Après le Portage, à la tête de la côte du Pic-Dur, je suis descendu dans mon nouveau décor. Côté gauche, un terrain plat envahi de camions, grattes, bulldozers; côté droit, une maison ancienne et croche de partout: c'est le bureau. Un grand type maigre à la face pas plus souriante qu'une roche m'a ouvert la porte sur ces mots: « C'est toé l'nouveau? » Pour simplement lui répondre oui, j'ai dû prendre mon courage à deux mains...

Journée d'apprentissage, journée de bourrage de crâne. Le type va vite dans ses explications car il n'a pas l'air d'aimer trop trop la besogne. Je fais de mon mieux pour en comprendre le plus que je peux. Grand livre pour entrer le temps des hommes, grand livre pour l'inventaire des pièces de machinerie, un autre pour les comptes à payer, et encore un autre pour les sommes versées en salaire; une machine à écrire poussiéreuse et une machine à calculer encore poussiéreuse; une table boiteuse encombrée de paperasses et des murs bourrés de calendriers cochons et de pads de notes, voilà un peu le paysage dans lequel je passerai le plus clair de mon temps.

— Monsieur Marchessault est pas là?

— Y est à Saint-Jovite.

— Quand est-ce qu'y va venir?

— J'sais pas...

— Qu'est-ce qu'y fait là à Saint-Jovite?

— Un gros contrat... Dix fois pire qu'icitte...

— Ah...

Dans l'après-midi il m'envoie sur le chantier porter de l'eau aux hommes, des gallons, des gallons, et prendre les présences à l'ouvrage, jeter un œil, même si les foremen sont là. «Rien d'mieux qu'un commis pour faire le détective», m'a confié Aldège, il a fini par me dire son nom pendant qu'on mangeait notre lunch du midi. «Faudra pas trop m'en demander... c'pas mon genre de faire le bavasseux», que j'ai répondu, mine de rien...

Ça fait une bonne mèche que je n'ai pas tapé à la machine à écrire, depuis le bureau du club Saint-Louis, mais je réapprends vite même si je trouve mes doigts un peu raides. Aldège, pas pressé, comprend tout ça, ce qui me laisse tout le temps dont j'ai besoin... Il suffit que je lui conte un peu ma vie pour qu'il devienne un peu plus amical. Ça ira, ça ira. Chez Marchessault, la routine s'apprendra sans trop de peine.

Entre la butte et mon bureau, du jour au lendemain, ma vie se partage carrément en deux. Non seulement ma vie, mais mon temps avec, et puis mon âme, et puis mon cœur... Je cherche déjà le moyen de faire de la peinture régulièrement, de me tenir plus près de Françoise, mais quand on doit se lever à six heures du matin à cause du Poute! Poute! dans le bas de la côte, ça veut dire que le soir les veillées n'en mènent pas large et que ça devient toffe de se séparer en morceaux pour être partout tout à la fois...

Pour le moment, je n'ai rien contre rien. Quand je reçois ma première paye, je fais le budget avec mon amour, ça me soulage et me permet de faire un peu de peinture la fin de semaine la tête libre. Les autres, eux, travaillent aussi, bien sûr. Les femmes bûchent sur le métier à tisser, elles ont commencé une grande catalogne, pendant qu'Olivier trime dehors à monter un four en pierres des champs et voit au poulailler et aux dix poules que papa vient de nous donner en cadeau. Maman nous envoie des tartes, Marcel vient nous voir et nous apporte du bois de poêle dans son petit truck d'électricien. On a de l'aide et on l'apprécie.

Début de juin, l'été s'installe pour de bon. On fait notre jardin en chantant comme des enfants. À quatre, ça ne traîne pas, on sème et plante le tout: laitues, tomates, choux, carottes, concombres. Il y a plein d'animaux dans les pâturages qui longent nos clôtures maganées. Comme il faut bien protéger nos semences, c'est Olivier qui joue de la pince, du marteau et des crampes pour remettre les barricades en ordre.

Une semaine d'ouvrage, une journée de repos. C'est la loi, c'est la vie. Le dimanche, on se fait beaux pour descendre à l'église pour la messe, mon Dieu que c'est loin, puis on s'en revient le regard toujours un peu plus léger. La matinée du jour du Seigneur est régulièrement consacrée à la grande musique. C'est Olivier qui se charge de trouver le bon poste de radio, et, quand la maison se remplit de sons d'orgue et de concertos brandebourgeois, personne n'ose plus ouvrir la bouche. Françoise et moi on en profite pour s'adonner à ce qui nous passionne. Elle fait de la lecture dans la chambre et moi de la peinture dans mon minuscule atelier où, cherchant mon inspiration, je peux rester de longs moments les yeux braqués dans le vide, ou encore sur le bol des toilettes juste à mes côtés...

J'ai fait peu de choses depuis mon arrivée ici. En tâchant de me souvenir de mon mieux des grandes réflexions de Borduas, j'essaie tant bien que mal de poursuivre un certain travail de libération commencé à Montréal... J'y arrive à moitié, plutôt pas trop bien. D'accord, je fais de l'abstraction à partir du vide parfait, mais on dirait que côté forme, parce que je m'applique à créer par la forme autant que par la couleur, ça marche tout de travers. Je sue, je transpire, je peine. Rien ne coule de source. Est-ce le pays de Saint-André avec sa clarté toute spéciale qui m'influence et que je n'arrive pas à rendre, même dans le non-figuratif? Est-ce l'amour, le mariage? Marchessault? C'est peut-être la faute à certaines humiliations, comme par exemple: en bas, à table, et ça à n'importe quel repas de la semaine, chaque fois que quelqu'un me parle de ma dernière peinture qui n'est pas «tout à fait réussie», je me dis: «Tiens, celui-là y vient d'la toilette...» Ce qui me donne tout à coup l'envie de tout sacrer là.

Non, l'art n'est pas facile. Pas plus que la vie en tout cas... Je suis justement en train de jongler à ces choses quand Françoise, une fin de journée, m'invite à faire une longue marche jusqu'au fond de la terre. Son air drôle m'intrigue. Jusqu'ici elle n'a jamais eu le genre à me tirer à l'écart pour me parler... C'est une femme qui a la parole directe, qui n'a pas la langue dans sa poche, et qui est capable de dire sa façon de penser à n'importe qui n'importe quand. Qu'est-ce qu'elle peut ben avoir à m'dire? que je me répète tout en fixant le soleil qui descend son escalier vers les montagnes et qu'on s'engage dans une trail à vaches...

— Tu t'rappelles c'que l'père Migneault nous a demandé après nous avoir mariés?

— Oui, un bébé pour sa récompense...

— Eh bien... j'pense que j'suis enceinte...

— Hein? Pas d'farce!...

226

Ma main part à courir sur son ventre comme pour vérifier de plus près. Je me sens rouge, vert, blême, je ne sais plus quelle couleur. Je souris, je ris, j'arrête... c'est comme si j'allais pleurer, non, je ris encore.

— Bravo! On va avoir un enfant! Ah, tu peux pas savoir comment j'me sens!...

Je l'embrasse et tourne autour d'elle comme une toupie.

— Es-tu ben sûre?...

— Oui...

— Faudra aller chez l'docteur pour un examen...

— Oui...

On continue à marcher jusqu'au trécarré, autant dire jusqu'au bout du monde. Le soleil est presque au bas de son escalier quand nous décidons de rebrousser chemin. Je cherche à me sortir de la bouche les meilleurs mots que je peux:

— Faut pas s'énerver, j'ai ma djobbe, on est ben à la maison, j'vas m'occuper d'toé au coton... Tu vas avoir tout l'hiver pour préparer ton trousseau... pis, sur la fin, on ira à l'hôpital de Lachute...

— C'qui m'dérange le plus, c'est la présence de Diane et d'Olivier...

— Quant à ça, j'te comprends... Va falloir trouver une solution...

Pendant que le jardin pousse et que, sans me plaindre, je continue mes longues journées de «time keeper», la solution vient. Toute seule. Je ne sais pas trop par quelle inspiration, mais elle vient quand même. L'œil clair, je dis à ma femme, que j'entoure de mille petits soins, surtout depuis que le docteur a confirmé qu'elle portait la vie pour vrai :

— Mon idée est faite, à l'automne on déménage dans l'village. On peut s'payer un coin rien qu'pour nous autres...

Aussitôt pensé, aussitôt trouvé. Avec Marcel, mon indispensable Marcel toujours là pour m'épauler au bon moment, je déniche un petit logement pas cher dans le haut de la maison en papier brique qui fait le bout de la rue derrière le couvent des Sœurs. C'est l'ancienne ménagère du curé Yelle, madame Leclerc, qui occupe le bas avec sa grande fille. Elle nous loue son haut pour une pinotte, et nous serons chauffés à même la chaleur qui montera de son poêle à bois. Nous pourrons nous installer dès les premiers jours de septembre, après les récoltes du jardin, comme on voudra... Françoise s'amène voir ça et se montre très conciliante car, pour dire le vrai, la place n'est pas grande : au sommet de l'escalier, une pièce ouverte avec une lucarne qui donne sur la rivière ; au fond à gauche, une petite chambre à plafond incliné et une fenêtre, où je ferai mon atelier ; au fond à droite, une chambre à débarras inutilisable.

— Très bien madame... ça nous intéresse. On arrivera le lendemain de la Fête du Travail...

En un rien de temps, la Butte à Tobie change de visage. La maison aussi. Quant à nos

amis... ils se transforment vite à nos yeux. On
les aime bien, mais le secret de notre déménagement a déjà commencé à nous éloigner d'eux.
Comment vivront-ils? Olivier qui n'a jamais
voulu entendre parler d'une djobbe en dehors...

— Pense pas à ça, c'est pas not' problème...

Entre-temps, de Montréal, nous arrivent
des amis presque à chaque fin de semaine.
C'est Gilles Hénault avec Lyse. C'est monsieur
Boily avec le père Migneault. Les parents d'Olivier ou ceux de Diane. Muriel Guilbault, comédienne. Robert Blair, peintre. Pierre, Jean,
Jacques... À chaque fois, nous profitons de
la visite pour nous faire aider dans nos travaux de jardinage. On a toujours un plaisir fou
à faire sarcler un carré de navets ou de bettera-
ves par un poète, un peintre, un musicien. Ils
sont gauches, ils sont heureux. On sent qu'ils
envient notre air pur, notre soleil et que, même
s'ils n'ont pas le courage de le dire, le poids de
leur Montréal les écrase. Chaque fois que j'en
vois un regagner la ville, je goûte encore mieux
l'espace de Saint-André où la vie, quand même,
se montre meilleure pour la liberté de l'esprit...
Il est vrai que pour le moment je n'ai pas
beaucoup de temps à consacrer à ma peinture,
mais à l'automne, seul avec Françoise dans notre nouveau logement au village, je pourrai m'y
adonner pour de bon en attendant l'enfant.
Faire une peinture par mois, aussi bien dire
qu'on n'en fait pas pantoute. Une par jour, là

un peintre peut en parler... C'est mon rêve: ne plus me disperser, mais faire, agir, créer, sans arrêt, comme pour dire ma vie du plus creux de moi-même. Les grands passionnés comme Utrillo, Van Gogh, Gauguin, me remontent à la mémoire... À la gorge. J'ai presque honte d'être si éloigné de mon chevalet et de mes couleurs...

Au Pic-Dur, juste au moment où je commence un peu à m'apprivoiser à mon ouvrage sur les chantiers de Marchessault, j'apprends brusquement une maudite nouvelle qui me coupe les bras, les jambes, la voix avec. Bon gré, mal gré, on me force à monter finir la saison à Saint-Jovite où il y a trop à faire pour un seul commis. C'est monsieur Marchessault lui-même qui me parle avec autorité:

— Là-bas, tu seras nourri, logé, mieux payé.

— J'm'en sacre...

— C'est plus gros et tu trouveras ça plus intéressant...

— J'm'en sacre...

— Tu vas porter un beau casque d'acier parce qu'on fait sauter une montagne de roc à la dynamite...

— J'm'en sacre...

— Écoute, Jean-Paul... fais pas l'idiot. T'es plein de talent, viens à Saint-Jovite, ce sera mieux pour toi... Plus tard, je te prêterai une de mes autos et tu viendras à Saint-André tant que tu voudras...

— J'veux faire d'la peinture...

— D'accord, mais tu en feras dans tes temps libres, comme tous les jeunes qui commencent...

Cette idée de Saint-Jovite plaît à Olivier et Diane, car ils veulent justement monter dans ce coin-là pour essayer de se trouver une place pour eux tout seuls et tenter de se partir un petit commerce d'artisanat. On ne leur a même pas parlé de notre déménagement dans le village qu'ils ont déjà tout deviné :

— La vie à quatre, ça ne fait qu'une saison...

— Pour dire le vrai, oui...

— À part de ça, pour Françoise enceinte, ce sera mieux que chacun parte de son côté...

— Quant à ça...

Ma Françoise jubile de voir comment les choses s'arrangent bien. Des amis, c'est des amis. Pour ce qui est de mon départ prochain pour Saint-Jovite, c'est elle qui me crinque et m'encourage. Rien comme une femme pour trouver la manière de pomper un homme...

— Essaye toujours... Si c'est trop dur, tu t'en reviendras...

— J'vas m'ennuyer à mourir...

— Personne te demande l'impossible, ni Dieu, ni moi, ni Marcel, mais c'est l'mois d'août... tu viendras, on ira t'voir...

— Et ma peinture?

— T'as toute la vie devant toi...

Ces belles paroles m'entrent en dedans comme des remèdes d'amoureuse et ça file déjà

231

mieux. C'est vrai que si ça ne marche pas à mon goût, je n'aurai qu'à djomper et m'en revenir en courant. À Saint-André, je trouverai toujours le moyen de me débrouiller...

À monsieur Marchessault qui attendait ma réponse, je réponds donc oui avec un sourire qui fait son possible. C'est vrai qu'on a toujours des cachettes pour les moments difficiles... Aujourd'hui, je fouille dans mes réserves et me découvre assez de force pour partir en faisant un homme de moi. On dirait que la vie est faite pour être mille fois recommencée. Calvaire!...

21

J'aurais été condamné pour un séjour en
enfer que ça n'aurait pas été pire. Si je suis
parti vite, comme dans un rêve, je reviens en
trombe, bagne! Saint-Jovite, la mort; ici, la
vie. Françoise est seule.

— Pas toi?

— Ben oui, me v'là!

On se saute au cou. On rit, on pleure. Des
plans pour perdre connaissance...

— Où sont les autres?

— Partis dans les Laurentides, ils ont trouvé
un moulin formidable pour lancer un commerce d'artisanat.

— Comment, par qui?

— Un prêtre qu'on connaît pas...

Parle, jase, ricane, gesticule, les mots revolent comme des flammèches. Françoise veut
tout savoir...

— Qu'est-ce qui t'arrive au juste?

— J'ai djompé, j'ai rasé d'virer fou...

Et j'explique tout de long en large sans rien ménager: les baraques en bois roffe où j'ai travaillé, mangé des bines, dormi; les gros hommes qui sapaient en mangeant, sacraient en parlant, pétaient en rotant; la montagne de roc en miettes pour faire passer la route de Mont-Laurier... Puis l'ennui, les cauchemars, le braillage à tous les jours...

— Après deux semaines, j'avais l'âme pliée en deux, j'en pouvais p'us... J'ai éclaté comme une bûche qu'on fend, devant Marchessault lui-même... C'est là qu'y a compris pis qu'y m'a donné ma paye.

— Pauvre toi...

— Comment t'sens-tu dans ton ventre?

— Très bien...

— Ça bouge?

— Pas encore...

— As-tu hâte de déménager?

— Oui, on va être tellement mieux au village...

— T'ennuies-tu des amis d'Montréal?

— Parfois j'ai l'cafard... rien d'grave...

— On dirait qu'tu m'caches quelque chose...

— Oh...

— Dis-le.

— Je m'inquiète seulement un peu d'la manière dont on va s'tirer d'affaire... Tu sais, j'ai été élevée dans une famille où rien manquait...

Elle me dit ces choses avec précaution, délicatesse. Je l'écoute avec amour et voudrais à l'instant lui mettre la lune sur un plateau d'argent. J'ai mal d'être si gauche, j'ai mal d'être si mal avec le monde du dehors, le travail, le social... Pourtant, je n'ai pas le droit de me laisser avoir. Qui peut sauver la situation sinon moi ? Qui peut retrousser ses manches et se botter le cul sinon, bibi, en personne ? Après tout, le défi n'est pas si énorme. Tous les hommes travaillent sur la terre, les femmes aussi, chacun son rôle.

— J'ai une idée !

— Quoi donc ?

— J'vas faire du lettrage commercial... J'vas prendre des contrats partout dans l'village pis j'te jure qu'ça va marcher.

Le temps de le dire, me voilà embarqué, tout feu tout flammes, comme lettreur professionnel avec petits pots de peinture, pinceaux et la main pleine d'adresse. Marcel et papa trouvent que « ç'a ben du bon sens ». Françoise aussi. Elle va même jusqu'à me promettre de faire sa part :

— Quand on aura un camion à lettrer, j'ferai ma porte.

Sur ces entrefaites, Olivier et Diane nous arrivent pour nous apprendre qu'ils déménagent à Saint-Jovite, qu'ils vont occuper leur moulin, qu'ils y ouvriront un magasin d'artisanat, qu'ils auront vingt tisseuses à leur service, tout ça avec la grâce et la bénédiction de leur ami prêtre qu'on ne connaît pas...

— Tant mieux pour vous autres... vot' vie est sauvée.

Pendant que j'exécute mon premier contrat de lettreur au village, une vitrine de boucher où je dois peindre en plein milieu une belle vache avec le mot BOUCHER en grosses lettres juste au-dessus, Olivier et Diane s'occupent fébrilement de démonter leur métier à tisser et de paqueter leurs petits. Olivier ne porte plus à terre et fume deux cigares à la fois. Il ne parle pas, il chante :

— Je compte les couchers d'soleil, au troisième, le camion nous aura déjà emportés sur une autre butte, celle des artisans du nord...

Comme un enfant brise-fer, il sort subitement et, hache à la main, se met à fracasser le beau four de pierres qu'il avait fabriqué près de la maison. (L'air bête... au lieu de le laisser là...) Ce geste nous étonne tous. Françoise n'y comprend rien, moi non plus. Le vandale s'explique en riant :

— Je n'veux laisser ici aucune œuvre accouchée de mes mains, il faut tuer le passé...

— Y est drôle, lui...

Après trois jours, c'est la séparation. Tout se fait sans drame ni larmes. Leur camion parti, leur nuage de poussière disparu, Françoise respire et moi, pas une minute à perdre, je cours au village lettrer la vitrine du boulanger. Le lendemain, c'est celle d'un magasin de coupons. Puis c'est le petit truck de Marcel où il faut écrire FILION ÉLECTRIQUE, SAINT-ANDRÉ-

AVELLIN, P.Q. sur chaque porte. Puis c'est une annonce de coiffeuse, une autre de forgeron, une autre encore de cordonnier.

Ma femme me suit, m'accompagne, m'aide tant qu'elle peut. Elle fait ses lettres, je fais les miennes. La courageuse. D'une pancarte à une banderole, d'une affiche à un écriteau, on ne se laisse pas d'un pouce. Aussi bien que ce soit comme ça car j'en bave un peu de ne plus trouver de bon temps pour peindre. Mais je me tais et travaille la tête haute. Rien qu'à penser au ventre qui s'est mis à grossir, il n'en faut pas plus pour me fouetter allégrement.

Le temps des récoltes se met aussi de la partie. À quatre pattes dans la terre, on arrache les oignons, les patates, les navets, les carottes; on remplit de gros paniers que Marcel transporte avec son camion jusque chez papa qui a eu la bonté de nous offrir un coin de sa cave pour ranger nos provisions dans des carrés de sable. Une après l'autre, on tue ensuite nos poules qu'on met en conserve avec l'aide de maman. Le jardin mort, le poulailler à l'abandon, notre chère maison en bardeaux ne fera pas vieux os elle non plus. On commence déjà à rapailler nos affaires et à faire des boîtes. Le déménagement s'en vient, le cœur ne lâche pas, c'est tout ce qui compte.

Un matin de septembre, nous quittons la Butte à Tobie comme on laisse un coin de commencement du monde. Maintenant, dans notre « p'tit haut pas cher » de la maison en papier brique au bout de la rue du couvent des Sœurs, nous devenons de vrais villageois. Autrement dit, partis de Montréal pour aller vivre isolés sur un pic de terre en plein firmament, nous arrivons enfin « dans la place » avec les deux pieds dans le vrai réel de la réalité. Près du couvent, c'est l'école d'un bord et l'église de l'autre. En face, la Banque Provinciale. Plus bas, le docteur. Plus loin, le magasin général, le cordonnier, la boutique de forge, le dentiste, le magasin de fer, l'hôtel, le moulin à scie, le barbier, boulanger, boucher, enfin tout ce qu'il faut pour faire un village ordinaire.

Avec le truck de Marcel, un seul voyage a suffi pour transporter nos choses dans notre nouveau logis. On ne peut pas dire qu'il est bien grand, mais pour le temps d'un hiver, ça pourra aller.

Dans la pièce ouverte, au haut de l'escalier, il y a deux espèces d'armoires avec laizes de cotonnade en guise de portes. Dans une on mettra la vaisselle, dans l'autre la lingerie. Le lit, monté sur ses quatre boîtes à beurre, trouve juste sa place contre le mur entre les deux portes menant aux chambres. Au fond, à gauche, une grosse valise contenant draps et couvertures. Au fond, à droite, une table à cartes pliante et deux chaises pour manger. La petite chambre vide me servira d'atelier, je l'ai déjà dit.

Par le trou de l'escalier, la chaleur nous vient direct d'en bas. Le gros poêle à bois n'aura pas une minute à perdre, surtout qu'il va aussi servir pour l'eau chaude des lavages et la popote. À côté du « boiler », deux ronds pour madame Leclerc et deux pour nous autres. Pour ce qui est des toilettes, c'est plus petit qu'une garde-robe, le bol servira également aux deux ménages. Ce qui veut dire, pour parler clairement, que Françoise, enceinte ou pas, devra passer son temps dans l'escalier. Pour moi, qui l'aide beaucoup, ce sera pareil. Descendre pour voir à la soupe et aux patates, remonter après avoir vu aux nouilles ou aux saucisses ; descendre préparer le thé, le café, remonter avec l'eau bouillante pour la vaisselle. Le matin, descendre pour le pipi et autres besoins qui font du bruit ; le soir, remonter avec le bol à mains pour le ménage du corps. Durant les premiers jours, c'est franchement un peu toffe de s'ajuster, mais tout finit par aller comme sur des roulettes. La gentillesse de madame Leclerc et la bonne humeur de Françoise me font croire qu'ici on n'aura pas de trouble avant longtemps.

Mon atelier monté, mon chevalet ouvert, mes peintures étalées, pour moi c'est la vraie vie qui prend forme... Un jour, je peux pondre une toile abstraite avec tons divisés, touches juxtaposées et, le lendemain, faire une grande annonce pour un garage sans que ça me dérange le moindrement. Bon joueur, je m'adapte à tout. Pourvu que Françoise demeure l'amoureuse dont j'ai besoin ; pourvu aussi que je sois l'amoureux qui ne fera rien pour la décevoir. Qu'on me laisse accoucher ma petite peinture de temps en temps et la vie n'aura pour moi rien d'absurde. C'est déjà gros...

Nous pensons de plus en plus au bébé qui fait maintenant des siennes en jouant des coudes et des genoux dans son nid de chaleur. On en parle beaucoup et ça nous fait de la joie. Mais, bon Dieu de bon Dieu, deux choses nous arrivent coup sur coup, et qui viennent nous chambarder complètement l'esprit. La première se rapporte à la religion à cause d'un incident pas drôle à l'église même de Saint-André ; la seconde concerne mon travail de lettreur qui est subitement arrêté à cause du froid et de la saison morte...

L'incident de l'église n'a rien d'un ouragan social, mais, spirituellement, il nous flanque un maudit coup dont on ne se remettra peut-être jamais. À tous les dimanches, Françoise et moi on va à la basse messe. Et comme on doit calculer nos économies jusqu'à la moindre cenne, on va se placer dans le transept à droite du chœur, là où vont tous les pauvres qui n'ont pas de quoi payer leur banc. Un dimanche, ayant manqué la basse messe, on se rend naturellement à la grand-messe et sans penser à rien on va s'installer comme d'habitude dans le transept des pauvres. Mais ce qu'on ne sait pas c'est que le règlement qui est en force pour la basse messe ne l'est plus pour la grande. À l'heure de la quête, le bedeau nous arrive donc avec son assiette et nous la présente en tendant le bras. Je le regarde et lui fais comprendre des yeux et des mains que je n'ai aucun sou en poche. Il s'étonne, insiste, s'avance encore. J'ouvre la bouche et lui dis à petite voix fâchée: « J'ai pas d'argent pis à part de ça, icitte on est dans l'transept. » Choqué noir, il déguerpit pendant que tout le monde observe mon air bête...

La messe finie, l'église se vide. Dehors, la moitié des habitants de la place jacasse sur le grand perron. C'est exactement ici que se passe l'incident qui, spirituellement, nous flanque un maudit coup. Le curé, notre cher vieux curé Yelle à tous, sort de l'église à son tour, bedeau à ses trousses, se fraye rapidement un chemin à travers le pâté de gens et vient se planter droit devant nous avec une tête de lion enragé accompagnée d'un air de beu...

— C'est toé qu'a pas voulu payer ta messe?

— C'pas parce que j'ai pas voulu, c'est parce que j'ai pas pu.

— Tu m'contes des menteries... pour le bon Dieu, on peut toujours.

— J'vous dis qu'on avait pas d'argent...

La foule de curieux s'approche.

— T'es ben le p'tit Filion, l' garçon du barbier?

— Oui c'est ça...

— Ben, j'ai rien qu'une chose à t'dire: arrête de boére pis d'fumer pis paye-la ta messe!

Là, monsieur, le rouge me monte aux yeux, Françoise se colle, je vois des éclairs et me mets à cracher, à la face du curé et devant tous les paroissiens, le plus beau discours qu'un jeune n'ait jamais fait à son directeur de conscience. M'inspirant miraculeusement du *Refus Global* de Borduas, les paroles giclent de ma bouche en colère et je vide mon sac avec une éloquence qui ferme la gueule à toute l'assistance...

— Vous saurez, monsieur l'curé, que j'prends pas une goutte de boisson, pis que même si j'en prenais, vous auriez pas l'droit de m'faire passer publiquement pour un ivrogne. À part de ça, votre église icitte c'est pas un théâtre... vous êtes pas légal une sacrée miette en obligeant l'monde à payer pour venir à la messe. Pis votre affaire de transept en avant pour les pauvres, moé j'appelle ça d'l'injustice, d'la discrimination. Oui j'suis un p'tit Filion, mais j'suis en même temps un jeune marié et j'arrive de Montréal où j'ai fait mes études à l'École des Beaux-Arts. Voici ma femme, elle est enceinte et sait porter la vie dans son ventre comme jamais vous la porterez dans vot' cœur de Séraphin. Spirituellement, nous autres on est en pleine santé, tandis que vous, vous êtes devenu tellement matérialiste que vous êtes en train d'souiller l'autel et l'hostie avec vos mains sales qui pensent qu'au maudit argent. J'peux ben vous l'dire en pleine face, la hiérarchie ecclésiastique et toute l'organisation sociale de l'Église, ça pue l'capitalisme à plein nez et ça nous écœure.

Ouf! Le curé Yelle n'en peut carrément plus et me lâche sa condamnation:

— Toé, à l'avenir, j't'interdis de r'mettre les pieds à l'église!

— On s'en sacre, on est capables de prier chez nous.

Il m'envoie tous les dards qu'il peut sortir de ses yeux en furie, fait une pirouette, sa soutane volant si haut qu'elle accroche au passage cinq chapeaux de femme qui partent au vent, et se sauve au presbytère insulté raide. Avant de se disperser, les gens nous regardent avec l'air de nous dire: Vous autres, au moins, vous avez pas frette aux yeux...

L'autre chose qui nous arrive et qui vient nous chambarder l'esprit, c'est l'emploi que je me trouve pour remplacer mon travail de lettreur qui ne marche plus à cause de l'hiver tout proche. Oui, un miracle est arrivé. Comme chaque fois que j'ai été mal pris. Marcel me met au courant que le gouvernement de Duplessis lance un vaste projet d'électrification rurale à travers toute la province et que notre région va forcément en profiter...

— J'comprends pas c'que c'te patente-là peut m'donner...

— Monte au bureau du gouvernement qui vient d's'ouvrir à Ripon et demande une djobbe de dessinateur. Y a là une gang de spécialistes de Québec qui vient d'arriver: des techniciens, des arpenteurs, des ingénieurs... Va faire application, j'ai confiance...

Marcel avait raison d'avoir confiance: je vais à Ripon voir les spécialistes de Québec et me décroche tout de suite une place d'aide-arpenteur et de dessinateur qui va me payer

243

trente-huit piastres claires par quinze jours, ce qui fait plus que mon affaire. Françoise reçoit la nouvelle avec soulagement car ces derniers temps elle s'inquiétait de savoir comment on allait passer l'hiver. Encore une fois, tout s'arrange. Finis les maudits contrats de lettrage, qu'ils aillent au diable maintenant que j'ai un ouvrage qui sera plaisant, moitié au bureau de Ripon à dessiner des plans de lignes et des géographies de la région, moitié dehors à faire de l'arpentage en jeep. À l'horizon : beau temps, bon temps. On pourra mieux oublier l'incident du perron de l'église et calmer notre conscience d'excommuniés.

Cette djobbe à Ripon est sans doute la moins pénible que j'aie pu avoir jusqu'ici. Quelqu'un me voyage et ça va tout seul. Autour de moi, les gars sont sympathiques, même si je n'ai pas le goût de me mêler intimement à eux. Au niveau du travail, je les trouve pas pires à fréquenter. Tout ce que je leur demande, et ils le font de bonne grâce, c'est de ne pas m'achaler dans mon heure de lunch... Le midi, j'aime avoir la paix et manger tout seul, soit dans la cour à poteaux, dans mon bureau ou au petit restaurant du bout de la rue. Ce qui me permet, aussitôt mon dîner avalé, d'aller faire des marches dans les champs, le long des coulées. Ces moments-là me sont plus précieux que tout au monde. Seul, je peux regarder à mon goût la forme des arbres, des montagnes, des nuages ; je peux écouter à mon aise tout ce que me raconte le silence; je peux me retrouver, me parler, me mesurer, enfin faire avec le temps devant moi les plus beaux projets... Comme on peint une image sur une toile.

Grand saut en plein hiver. À ma djobbe, j'ai dessiné cent plans à l'encre de Chine et fait cent voyages d'arpenteur en jeep entre Buckingham et Saint-Rémi; entre le Lac-Cœur et le Lac-Grosleau, assez pour en avoir tout mon soûl. Dans notre petit haut, les choses ont roulé tout en douceur. Sans radio ni journaux. Nos veillées se sont passées à lire, peindre, marcher dans la neige, jaser, oui, jaser beaucoup car Françoise en a eu un besoin fou et moi aussi. Elle, sa spécialité: ses impressions de lecture:

— Faut qu'tu lises Colette, elle est merveilleuse...

Moi, ma spécialité: mes tiraillements de peintre...

— Si seulement j'pouvais en arriver à plus d'fraîcheur...

Ensemble, notre plus beau sujet c'est la grossesse.

— Penses-tu qu'ça va être une fille?...

— J'sais pas, mais ça bouge en diable là-dedans!...

— T'as pas peur?

— Non, pourquoi?

— Ça s'en vient... ton ventre est gonflé comme jamais...

Depuis quelque temps, j'ai pris l'habitude de poser mes mains sur la grosse rondeur et de parler à l'enfant avec des mots tendres et affectueux tout comme si je le voyais pour vrai. Il paraît que c'est bon pour lui, même à cet âge-là.

— As-tu des noms en tête?

— Oui, une liste de cinquante...

— Tu dois trouver l'temps long.

— Un peu... En parlant de temps long, qu'est-ce que tu dirais si on invitait le dentiste Simard et sa femme à venir veiller samedi soir?...

— Icitte dans not' coqueron?

— Pourquoi pas? J'rencontre souvent madame Simard au magasin et j'l'aime beaucoup...

— Comme tu voudras...

C'est fait. Les Simard viendront. Je les connais depuis ma tendre enfance. Elle, aimable comme on ne voit plus ça; lui, fin causeur, l'esprit ouvert, très libéral, un homme rare pour une place comme Saint-André...

Une veillée, deux veillées, et trois, et quatre. Les Simard, les Bourgault, les Quesnel, tous des gens «d'la haute». Ils viennent et nous voient comme des «jeunes artistes bohèmes», ce qui nous vaut tous les honneurs. Notre vie sociale s'organise, ça aidera le temps long. Entre-temps, Françoise prépare le panier d'osier qui servira de lit de bébé et qui a trouvé sa place sur la grosse valise de notre chambre, tricote des petites pattes de laine et met tout en œuvre pour qu'àu retour de l'hôpital rien ne manque à personne.

22

Le 21 février, je ne vais pas à l'ouvrage. Pour deux maudites bonnes raisons: il fait brusquement deux tempêtes, une de neige qui commence à bourrer les chemins et une de douleurs dans le ventre de ma femme. Le docteur vient, examine et lâche le mot:

— Le travail est commencé madame. Il faut vous rendre à l'hôpital...

Je fais trois tours en rond, m'habille en fou, sors et cours jusqu'en haut du village pour demander de l'aide à Marcel.

— Peux-tu nous mener à Lachute?

— Y neige pas mal fort...

Papa et maman l'encouragent, vu les circonstances.

— Ton truck peut toujours ben pas avoir peur d'une p'tite tempête de même...

Marcel dit oui, s'emmitoufle et part son Fargo dans lequel je monte aussi énervé que content. À la porte de chez nous, juste le temps de se virer de bord qu'on aperçoit Françoise à la porte, déjà habillée, petite valise à la main...

— As-tu eu d'autres douleurs?

— Juste une petite... On a l'temps...

Avec ses gros pneus frisés, le Fargo fait ses traces sans misère. On sort du village, le vent siffle et les essuie-glace se coltaillent avec la poudrerie. Le trafic est plutôt rare. Ça va bien. On ne peut pas dire que ça jase fort dans le camion, mais ça va bien quand même.

À Papineauville, on pique en direction de Lachute. La charrue vient de passer, mais le long de la rivière Outaouais le vent gronde deux fois plus fort. La neige est grosse, lourde et tombe de biais comme des flèches. Les essuie-glace ne fournissent plus. Il faut s'arrêter à tout bout de champ pour les déglacer. Françoise a le visage crispé et met tout son temps à prendre des respirations.

— Ça fait mal?

— J'ai de bons répits...

Marcel, muet comme une carpe, est tout à sa roue. Il a du mal à suivre le chemin tellement il est encombré.

— Penses-tu qu'on va s'rendre?

— Ça devrait...

Entre Montebello et Fasset, la tempête devient inquiétante. On ne voit plus ni ciel ni terre. C'est bien juste si le Fargo fait son 10 milles à l'heure. Marcel est blême, Françoise a les deux mains barrées sur son ventre, et moi je me sens étiré, inquiet à mourir. Juste le temps d'une petite éclaircie et l'on aperçoit un énorme banc de neige. Marcel change de vitesse, pousse du pied sur la pédale à gaz et attaque comme s'il entrait dans un mur. Ça ne passe pas...

— Ah ben Christ!

Embraye de l'avant, essaye à reculons, rien à faire. On est bloqués, djammés, comme si la tempête venait de nous avoir par la peau du cou. Françoise se débat avec une crise de contractions... je me mets à niaiser:

— On a l'air fin...

— Laissez rouler l'moteur, grouillez pas d'là... j'cours demander d'l'aide chez l'premier habitant...

Brave Marcel. Tuque enfoncée, capuchon de parka remonté, le voilà qui marche devant nous, plié en deux pour mieux se protéger des rafales. Il disparaît vite dans le blanc de la route, ou plutôt, dans le blanc tout court tellement c'est partout pareil. Dans le truck, heureusement, la chaufferette nous donne une bonne chaleur. Dehors, les sifflements sont si violents qu'on ne prend même pas la chance de parler.

Dix minutes passent, puis quinze, puis vingt et encore. On a les yeux pris dans la tempête, on s'impatiente... Enfin, on peut distinguer des ombres qui bougent devant notre banc de neige. Des ombres qui finissent par se dessiner plus ou moins clairement... Oui, c'est ça, c'est une team de chevaux avec, derrière eux, un homme, guides aux mains, et Marcel.

On entend un gros « Wo back ! », les chevaux tournent et se plantent le fessier devant nous. L'habitant attache des chaînes au pare-chocs; Marcel, enneigé, la face comme une forsure, prend sa place au volant :

— C'est comme ça pour deux cent pieds par en avant, après y a presque plus rien, le vent balaye tout...

L'habitant claque ses guides, hurle un « guédoppe ! » de tous les diables, les chevaux se cambrent et ça part à tirer. Marcel, en petite vitesse, fait l'impossible pour aider les chevaux. Ça décolle d'un pied. L'habitant fouette, claque encore, crie, tant et aussi longtemps que les bêtes, ventre à terre, n'ont pas réussi à nous sortir de notre trou.

Grand cri de soulagement. On l'a eu. Marcel donne cinq piastres au bonhomme qui se montre bien content et nous souhaite bon voyage. Le Fargo, fringant, passe d'une vitesse à l'autre comme en plein été. L'enfer est fini, la clarté est bonne dans notre regard qui se détend...

Sur la route, c'est maintenant poudreux, vaporeux, léger, rien que beau à contempler. Françoise se sent mieux, elle ne parle pas mais son visage le dit. Marcel sifflote un air de n'importe quoi et moi je chantonne un petit bout de l'*Hymne à l'amour* de Piaf, comme si on voulait rire de tout.

Lachute. Le havre, la délivrance. L'hôpital est petit et ressemble à un cloître. À la jeune sœur qui nous accueille, je marmonne:

— C'est tranquille sur l'étage...

— Le silence est encore plus beau dans la chapelle... La porte est juste à côté...

Marcel nous a laissés à nos affaires et s'est rendu attendre les nouvelles chez Huguette, notre sœur, qui habite tout près. Bien au chaud dans sa chambre, Françoise est toute décrispée. Un lit plus blanc que le sien, je n'ai jamais vu ça nulle part ailleurs. Douleurs, pas douleurs, ici, il me semble qu'on est sauvés. Les heures passent, le jour tombe. Les heures passent encore, c'est la nuit. Je suis collé contre le lit et n'en démords plus.

Les gardes viennent, examinent, s'en retournent, reviennent, repartent encore. Les douleurs se rapprochent et sont de plus en plus violentes. On a commencé par me dire que c'était grand « comme un trente sous »... Je ne peux pas dire que je comprends tout jusqu'au fond, mais rien qu'à voir le mal venir tout déformer le visage de Françoise, je ne suis pas sans m'apercevoir que le bébé pousse et fait son chemin. Son rôle à elle: se débattre avec son mal. Mon rôle: dire un mot d'encouragement, mouiller un linge pour le front, prendre une main. Voir souffrir m'agite autant que si c'était moi qui étais dans le lit.

Six heures du matin, branle-bas dans la chambre. Trois gardes, une civière à roulettes, enfin, on emmène la patiente à la salle d'accouchement. Les gardes me jettent un coup d'œil avec l'air de me dire: Vous, membre inutile, restez ici et attendez... Je les regarde à mon tour avec l'air de leur dire: Vous autres, j'aimerais ben vous voir à ma place...

Tanné, cabassé, inquiet, angoissé, je reprends mon fauteuil et j'attends. Quand j'entends sonner sept heures, j'attends toujours. Comment grouiller de ma place... Une religieuse entre et me suggère d'aller à la messe qui va commencer dans la minute à la chapelle d'à côté. Bonne idée. Ça va passer le temps et peut-être aussi m'aider à me tenir un œil ouvert. Allons prier pour la mère, le père, aussi pour celui qui s'en vient parmi nous...

— C'est une belle fille. Elle pèse six livres et quatre onces. Tout s'est très bien passé...

C'est une garde qui vient me claironner la nouvelle juste comme je reviens de la messe.

— Une fille!

— La maman est dans la salle de réveil...

Me voilà sur le piton comme si je venais de dormir douze heures d'affilée. Je fume, refume et fume encore. Une fille... Josée Filion... Ça fait bien... L'énervement m'emporte. Je demande un téléphone, j'appelle Huguette, folle de joie au bout du fil:

— Félicitations... Dis à Françoise que j'irai la voir dès qu'tu seras reparti à Saint-André. Dis-lui aussi qu'à sa sortie d'hôpital j'la garderai avec le bébé pour une couple de jours. Le baptême se fera à l'église tout près d'chez nous... On avertira ses parents à Montréal...

— T'es ben fine... Dis à Marcel de m'attendre...

J'ai à peine remis le pied dans la chambre que Françoise m'arrive, heureuse, pleurant autant qu'elle rit, regard dégagé, ventre libéré, plus de douleurs, plus rien qui fasse mal. Seulement cette bonne joie qui n'en finit plus d'éclairer son visage. On s'embrasse, on se félicite, on est si contents...

— Au téléphone, Huguette m'a dit qu'elle s'occuperait d'toé... Marcel m'attend... Quand j'aurai vu la p'tite, on repartira à Saint-André...

— Oui, oui...

— Le baptême se fera à l'église de Lachute pendant qu'tu t'reposeras chez Huguette...

— Oui, oui...

— Veux-tu qu'j'appelle tes parents à Montréal et que j'les invite pour le dimanche du baptême?...

— Oui...

Bon, ça en fait des choses de réglées tout d'un coup. Mon élan me charrie si loin qu'il me semble que je pourrais passer trois autres jours et trois autres nuits, les yeux comme de l'eau de source.

À l'hôpital, ça ne traîne pas. La garde nous amène déjà le bébé dans sa belle toilette blanche et rose. Françoise le prend, un peu gauchement, ça se comprend, c'est la première fois... « Allô Josée... » Moi je suis encore plus gauche. Tout ce que je sais faire c'est de lui sourire, gêné, et lui promener un gros doigt tremblant sur son front tout plissé. J'essaie aussi de lui prendre une main, mais j'ai peur de lui faire mal. Elle se met à pleurer, à crier, et devient rouge de colère. Ça me fait de la peine... La garde, elle a l'air de savoir ce qu'elle fait, reprend déjà la petite pour la remmener à la pouponnière.

— Bonjour mon amour...

— À bientôt, Josée...

Françoise et moi, on se regarde... et là, tous les mots qu'on voudrait se dire nous restent bloqués bêtement derrière la gorge.

— J'pense que j'vas t'laisser t'reposer...

Lui serrant la main, je peux enfin sortir quelques mots pour son oreille:

— J'appelle tes parents... On s'verra tous ensemble le jour du baptême...

Yeux fermés, elle me répond par un long long sourire. Je sors sur la pointe des pieds.

23

Dans notre logement, la vie est toute changée. On n'arrête plus de balayer, d'épousseter pour que ce soit propre; madame Leclerc n'arrête plus de chauffer le poêle pour faire monter la chaleur, on parle moins fort pour ne pas la déranger et je n'ose plus peindre parce que la peinture c'est trop fort pour son nez.

Josée est là. Dans son panier d'osier niché sur la grosse valise de chambre. À côté de notre lit, elle gigote, pleurniche, fait la risette, mouille sa couche, prend son biberon, sa suce, et pique des sommes qui durent des heures.

— Penses-tu qu'elle dort trop?...

— Non, c'est normal...

Dans ma tête, c'est fou ce qu'il peut s'en dire des affaires : À Lachute, tout a ben marché... Après les jours d'hôpital, Huguette s'est dépensée comme une bonne pour Françoise et Josée... Quand j'ai téléphoné aux beaux-parents pour leur apprendre la nouvelle, j'étais dans mes p'tits souliers... ça faisait un an qu'on s'était pas parlé. La belle-mère m'a tout d'suite mis à mon aise en s'montrant heureuse comme tout et en ménageant pas ses éloges à not' sujet... Le matin du baptême, j'ai r'gagné Lachute avec Marcel, le cœur plein de toutes sortes de trémoussements... Chez Huguette, tout a r'volé en éclats: joie, bonheur, beauté sur les visages... Françoise en pleine forme, le bébé tout langé de blanc pour la cérémonie à l'église, les beaux-parents en avaient la larme à l'œil de revoir leur fille... Y ont pas mesquiné sur le champagne, les cadeaux, les bons mots, disant sans arrêt qu'un bébé c'est comme le temps, ça peut arranger ben des choses...

Pendant que je chasse encore la poussière autour du panier d'osier, je pense à tout ça comme on se rappelle un rêve. Le fameux jour de la tempête, avec Marcel, quand on est montés en Fargo à l'hôpital, on était trois assis en avant; quand on est revenus à Saint-André, on était quatre...

Je travaille toujours à ma Coopérative d'Électrification Rurale. L'hiver, je me tiens plus à l'intérieur à dessiner des plans... on ne fait quand même pas d'arpentage avec des frettes de 20 en bas de zéro et 8 pieds de neige à grandeur de vue. Tous les hommes de mon entourage font comme moi: ils bûchent machinalement et sans trop se plaindre...

À la maison, Françoise se débat avec ses montées de lait, fait son barda et s'occupe du bébé à plein temps. Nos soirées se passent à lire ou à jaser à demi-voix. Côté sommeil, on a les nuits qu'on peut. On dirait que Josée est toute mêlée avec son temps et qu'elle prend le jour pour la nuit et vice versa. Quand je vais à l'ouvrage, elle dort sa pleine journée; la nuit, elle est toute réveillée et a pris la mauvaise habitude de pleurer. Grande discussion pour essayer de comprendre pourquoi elle ne veut pas dormir aux mêmes heures que nous. Serait-elle capricieuse ou malade? La bercer? Pas question... Premièrement parce qu'on n'a pas de chaise berçante; deuxièmement parce qu'on a lu dans des livres qu'un bébé bercé faisait un bébé gâté. Manque-t-elle d'affection? Jamais de la vie. Finalement, les gens qui nous entourent savent bien nous rassurer en nous disant que cela arrive souvent chez les nouveaux-nés, ne fera pas long feu et de ne pas nous laisser décourager pour si peu.

On a beau avoir l'âge qu'on a, mais après une vingtaine de nuits de braillage on cherche sérieusement une solution pour calmer la bourrasque qui s'installe sournoisement dans notre système nerveux. L'idée qui nous vient n'est peut-être pas géniale, mais elle est drôlement efficace. À chaque nuit, il y aura un de nous deux qui se bouchera les oreilles avec des tampons d'ouate et qui s'enfilera en plus un casque de bain pour plus de sécurité. Comme ça il pourra dormir en paix. On essaie cette méthode qui, même si elle n'a pas l'air trop catholique, a au moins le mérite de nous accorder une bonne nuit de sommeil chacun notre tour.

La sacrée belle petite Josée, pas folle dans son panier d'osier, a dû s'apercevoir de notre ruse car après quelques nuits de casque de bain, elle a fait la culbute tant souhaitée et s'est mise à suivre nos heures de veille et de sommeil à nous. Ouf, on est sauvés!

L'hiver tire à sa fin. C'est avril, et quand il y a dans l'air de ces odeurs et de ces lumières qui baraudent partout avec la fonte des neiges, moi ça me grise comme du vin. Je dis à Françoise que c'est bien beau la modestie, le renoncement, la bohème, mais que, quand même, « y a toujours ben des maudites limites. » Et je fonce:

— On peut pas toffer à trois dans un logis aussi misérable...

— J'voulais pas m'plaindre, mais j'trouve ça pas mal dur... Y a bien des choses qui m'manquent, tu sais...

— T'aurais dû l'dire avant...

— Penses-tu qu'on pourrait s'trouver un vrai logement, dans un bas, quelque part?...

— Certainement.

Pour la grandeur de Saint-André, deux jours de recherche me suffisent. Je trouve dans une petite rue, qui s'appelle justement « La Petite Rue », la moitié d'une jolie maison blanche qui sera libre le premier mai. C'est peut-être rien qu'un côté de maison, mais c'est bien organisé. En bas: un salon, une cuisine; en haut: deux chambres avec belles fenêtres. J'emmène

Françoise voir ça: elle se pâme et devient toute pimpante:

— On achètera une bazinette à Josée qu'on mettra dans notre chambre, et l'autre chambre te servira d'atelier...

— Oui, Seigneur...

On avertit madame Leclerc qui fond en larmes car elle nous aimait bien et s'était déjà amourachée de Josée.

Quand on a hâte à une chose, on trouve généralement le temps long, mais cette fois, on trouve qu'il galope. Dernière quinzaine d'avril: replie mon chevalet, remballe mes peintures, je commence à en avoir l'habitude, fais des caisses, des boîtes et des valises... Premier jour de mai, on fait comme tout le monde, on déménage. Soleil d'une humeur à tout casser; ma femme d'une humeur à encadrer. Enfin on va avoir un chez nous qui a de l'allure... Enfin, bon Yeu d'bon Yeu, on va pouvoir recevoir le monde comme du monde, même celui de Lachute, même celui de Montréal...

— As-tu vu dehors la belle place pour le jardin?

— Oui, pis on est rien qu'à deux pas d'la rivière...

D'accord, on ne met plus les pieds à l'église depuis longtemps, mais rien ne nous empêche de penser aux choses spirituelles et d'en parler. Avec le temps, c'est comme si on avait réussi à s'inventer une pratique religieuse rien que pour nous-mêmes. Moi, en tout cas, je trouve que tenter une communication avec l'inconnu, l'invisible, c'est comme faire de la poésie et ça me fait du bien.

— Au fond, la religion pourrait s'passer des églises...

— T'as raison. Pour moé, la vraie religion c'est la foi, et la foi est une affaire de conscience personnelle. À chacun son dialogue avec l'au-delà...

— Ta mère a bien d'la peine qu'on aille plus à la messe...

— Faudra qu'elle s'accoutume...

Dans notre nouvelle maison toute blanche, la roue s'est remise en marche de son mieux. J'ai eu une augmentation de salaire; notre Josée, de plus en plus éveillée, grossit et s'embellit à vue d'œil. À quatre pattes sur le plancher, quand on l'observe dans son parc avec ses jeux de blocs, ses poupées en guenille ou ses nounours en peluche, on se demande parfois si ce n'est pas elle qui nous en apprend plutôt que le contraire. Près de la table, on peut déjà l'asseoir dans sa chaise haute et elle peut partager ses platées de purée avec nos repas. Maintenant, on est trois, rien n'est plus pareil et l'on pense que c'est pour le mieux.

On s'est enfin acheté un radio. Il remplit la maison de musique et de chansons. Rien qu'à entendre Édith Piaf chanter *Le prisonnier de la tour* nous rend tout nostalgiques et nous soûle de nos plus beaux souvenirs. De Montréal, évidemment...

Ma famille, on la voit assez souvent, pas trop, juste assez. Françoise, avec raison, a ses réserves, mais pour ce qui est de Marcel, c'est une autre paire de manches, celui-là est accepté et aimé sans discussion. Il vient veiller, jaser, nous prenons des marches ensemble, et c'est toujours comme un peu de baume dans notre solitude.

Le soir, dans mon atelier, je peins des images qui font leur possible pour se tenir debout dans leur espace, mais je ne peux pas dire que c'est beau à tout coup. Quand je travaille, il fait toujours un silence qui parfois me détend, parfois m'angoisse... ça dépend. Mais c'est mon lot et je tiens tête sans parler. À mes côtés, Josée dort et Françoise lit, des heures durant. Des livres comme *Le Deuxième Sexe* de Simone de Beauvoir, ou *Crime et Châtiment* de Dostoïevski. Pour moi qui n'ai pas tellement de temps à mettre à la lecture, ça m'arrange car je profite, gratuitement, de tous les résumés, impressions et réflexions qui suivent chaque livre dévoré. Elle parle, j'écoute. Ça lui fait du bien, je sauve du temps. Tout est parfait.

Le monde veille déjà sur les galeries. Dans le village, les plus riches ont commencé à parler de vacances et de chalets. C'est le temps des lilas et des pissenlits partout dans la nature. Moi, ça me donne l'envie de casser les murs de ma retraite, de faire péter la corde du temps, comme on dit.

— Les gens sont comme des siffleux, y sont sortis d'leu' ouache...

— Qu'est-ce qu'on ferait donc pour s'épivarder nous autres aussi?... Se guérir de l'hiver?...

— J'sais pas trop...

Juste comme on est en train de chercher une forme de vie nouvelle pour l'été qui commence, nous arrive d'un peu partout de la visite comme jamais on n'en a eu. Ma sœur Huguette s'amène de Lachute avec son mari; Olivier et Diane viennent de Saint-Jovite; un beau dimanche, c'est au tour des parents de Françoise de nous surprendre. À un moment donné, une idée me brûle, car j'en ai déjà plein le casque :

— On va-tu s'promener pour changer d'air à not'tour?...

— Où est-ce qu'on irait?

— À Montréal...

— J'aimerais trop ça...

— Ça fait un an passé qu'on y a pas mis les pieds...

— Ça serait formidable de revoir les amis...

Ni une ni deux, Josée est vite placée chez maman, et, un beau samedi matin, nous voilà en route, sur le pouce, comme deux étudiants. Françoise pomponnée, moi frais rasé. À nous voir voyager le long de la rivière Outaouais, on jurerait qu'on n'a jamais rien vu de notre sainte vie.

24

Notre temps à Montréal fut court mais bourré de joie. On est allés voir les beaux-parents, plusieurs de nos amis, et l'on s'est fait de nouvelles connaissances : Louise Audette, une amie de Lyse, et Roland Giguère que Gérard Tremblay, un vieux chum des Beaux-Arts, m'a présenté comme étant un fou de la poésie et de la gravure. On a enfin revu des rues et des quartiers qui nous ont mis le cœur un peu à l'envers... Le retour à Saint-André s'est fait sans un mot... comme si on avait ramené avec nous une drôle de boule cachée au fond de la gorge.

On a retrouvé notre maison de La Petite Rue comme des chasseurs remettent les pieds dans leur shack. Maintenant, il faut oublier les voyages et tâcher de ravaler la boule cachée. Dans nos bras, Josée nous fait mille façons et c'est ça qui compte.

À Montréal, comme on n'avait pas manqué de faire des invitations à gauche et à droite, les réponses ne se sont pas fait attendre. On n'a pas sitôt repris le fil de notre train-train que les amis ne se gênent pas pour faire cent milles et venir nous voir chacun leur tour. C'est Louise, c'est Lyse. C'est aussi et surtout Roland Giguère, le fou de la poésie et de la gravure... Celui-là nous arrive, tout feu tout flammes, avec sa blonde, pour une fin de semaine. Elle: rougeaude, rieuse, grassette; lui: danseur, chanteur, jongleur avec tous les mots qui se disent, ça fait un joli couple qui pète la santé de partout.

Intéressé par mes dessins à l'encre, Roland me demande tout à coup:

— Veux-tu exposer en Europe avec un groupe de peintres de Montréal?

— Moé, en Europe?... Es-tu fou?

— Sans blague... C'est organisé par un de mes amis qui est secrétaire de l'Association pour le Progrès Intellectuel et Artistique de la Wallonie...

— C'est où ça, la Wallonie?...

— En Belgique. L'exposition va aller à Liège, Bruxelles, Paris, partout...

— Les autres peintres, c'est qui?...

— Tremblay, Bellefleur, Dumouchel, Morin...

Je prends un grand respir, Françoise aussi, et dis oui à Roland comme s'il venait de me faire le plus beau cadeau du monde. Une patte en l'air, il repart à Montréal emportant sous son bras six de mes plus belles encres pour les confier à l'organisateur de l'exposition.

Si Roland s'est montré vibrant pour mon travail, de mon côté j'ai été pas mal impressionné par sa poésie. Il avait un poème qu'il a tiré de sa poche pour nous le faire lire, il en a écrit un autre, dans un coin de la maison sur un bout de papier, comme s'il avait été habité par je ne sais quel dieu qui lui dictait au fur et à mesure les images les plus belles. Après son départ, j'ai été dans la lune pendant trois jours. Trois jours d'absence au diable vert à cause de l'exposition en Europe, aussi beaucoup à cause de la poésie...

Maintenant, ça va mieux dans mon réel. J'ai retrouvé Françoise et Josée, repris mon travail de jour à Ripon et mon travail du soir devant mes peintures. Mais il m'est resté une démangeaison... Sans le vouloir, ni le savoir, Roland m'a ramené quelques années en arrière, au temps où vers les douze, treize ans, ici même à Saint-André, je faisais des poèmes au bord de la rivière et des chansons d'amour, avec une guitare, pour mes sœurs et les filles du village...

Nostalgie du poème, de la chanson, de l'écriture. Curieux... Pourquoi ce Roland-poète m'a-t-il tant chaviré avec la magie de quelques vers juste au moment où du côté peinture mon monde intérieur à l'air de vouloir prendre forme?... Pourquoi me sentir tout à coup ballotté comme une frêle chaloupe comme si mon désir de peindre ne valait pas deux cennes? De quoi ai-je faim exactement? Mystère, mystère...

Faut tourner l'dos à tout ça, que je me répète un soir dans mon atelier, et t'accrocher vite à deux mains, pis solidement, à ton possible, ton familier, ton monde présent: le dessin, la peinture, l'amour; Josée qui pousse, grandit et s'ouvre; l'ouvrage de chaque jour qui paye le pain sur la table. Arrête de chialer pis bûche, c'est tout c'que t'as à faire. Un jour viendra où tu pourras vivre comme artiste en même temps que comme du monde; gagner ta croûte et pis ton âme dans un même geste...

Maudit de maudit! Baptême de baptême! L'automne vient, Françoise et moi on est pas sitôt rentrés dans notre chaleur et notre intimité qu'à un moment donné j'entends au radio, par hasard et pour la première fois, un nouveau poète qui chante ses propres compositions en s'accompagnant à la guitare. Il a une voix chaude, ronde, basse, rugueuse, et qui sent à plein nez le vent, le bois, les lacs et les rivières. Il s'appelle Félix Leclerc. On le présente, dans une émission intitulée *Adagio,* comme un troubadour, un barde national, le premier chansonnier de chez nous depuis la Bolduc, un poète bucolique, authentique, et je ne sais plus quoi. En tout cas, tout ce que je peux dire, c'est qu'en l'écoutant, j'ai l'oreille si envoûtée qu'elle ne peut plus se décoller du petit haut-parleur. Françoise fait comme moi. Elle rêve. On entend des accords de guitare si profonds, si nouveaux qu'on en a le souffle bloqué. Des mots comme: marais, bal, château, sentier, labour, bouleau, gaffe, draveur, nous arrivent comme d'une source de montagne et nous vont jusqu'au fond de l'âme...

Découverte. Révélation. Ces chansons ont par leurs seules qualités expressives le pouvoir de me charrier si haut que j'en ai bien pour une semaine complète à me ramener sur terre. La mienne. Encore plus qu'après la visite de Roland Giguère, je fus pris d'un tiraillement si épouvantable dans tout mon corps qu'il a bien failli me faire abandonner la peinture à tout jamais. Françoise a dû me parler longuement pour m'aider à me ressaisir...

— Après tout c'que t'as fait, c'est pas l'moment d'lâcher...

— T'as raison. J'suis trop sensible... On dirait que j'ai toujours peur d'être en dehors de ma traque...

— Si un jour on pouvait s'en retourner à Montréal, on retrouverait notre vrai milieu et t'aurais plus à souffrir de tous ces complexes...

— T'as encore raison...

L'hiver s'avance et fait son chemin. J'ai fini par retrouver mes esprits comme on reprend le fil de quelque chose. Mon travail à Ripon avec les arpenteurs, les ingénieurs, les planteurs de poteaux et les monteurs de lignes est devenu si routinier que je n'en parle même plus. Mon atelier de peintre vit, vivote, se meurt, se réanime, pendant que Josée fait ses dents et que

Françoise passe ses longues soirées en compagnie de ses auteurs russes préférés: Gorki, Dostoïevski, et ses auteurs français préférés aussi: Sartre, Camus, Montherlant.

Après les Fêtes, on sent le poids du temps si lourd dans nos pensées que la question fatale vient à se poser très sérieusement:

— Faudrait envisager notre retour à Montréal pour le mois de mai... J'te vois pas peindre encore longtemps en pleine sauvagerie...

— Ouais...

— À moins de t'organiser une exposition à l'hôtel de ville de Saint-André...

La blague n'entre pas dans l'oreille d'un sourd. Elle me pique au vif comme un coup de dard.

Comme on dit, c'est encore une fois l'intuition féminine qui m'aura secoué les puces, m'obligeant ainsi à voir les choses en face, me forçant en quelque sorte à faire le point. Le point et mon inventaire. Quelle est ma situation? Côté travail, à ma coopérative d'électricité de Ripon, les techniciens et les ingénieurs de Québec auront quitté les lieux en moins d'un an. Côté maison paternelle, Françoise et moi on aime bien l'affection que nous témoignent maman et Marcel, mais je ne suis pas sans savoir que papa nous crée les plus vives inquiétudes à cause de la boisson qui le rend malade au point qu'il faut à tout bout de champ s'occuper de le placer dans un hôpital, en ville, pour des cures de désintoxication qui sont toujours à recommencer. Côté peinture, rien qu'un mot à dire:

si je continue à vivre ici, ma passion d'artiste ne fera pas vieux os. Je ne suis quand même pas un génie capable de pondre une œuvre magistrale caché au fond d'une caverne, non... je me sens plutôt comme une plante qui demande de l'eau et de la lumière un peu chaque jour. Oui, Françoise a raison de croire que les amis de Montréal sont devenus indispensables, non seulement pour mon salut mais pour le sien aussi.

De jour en jour, de nuit en nuit, mine de rien, l'idée d'une vie nouvelle fait sa trace. Dans notre esprit, notre conscience. Plus ce rêve s'installe en nous, plus je détèle de mon travail de création. C'est comme si j'avais décidé, par paresse ou impuissance, de me mettre en veilleuse en attendant le lever d'un gros soleil rouge...

Une bonne fois, sans que je m'y attende le moindrement, on dirait que le gros soleil rouge veut se lever pour vrai. J'ai un signe à l'horizon, une lueur jaunâtre, non, une lumière rose. C'est dans mes yeux, dans ma tête; c'est comme un point du jour et ça me fait un bien fou.

Louise Audette, j'en ai déjà parlé, s'amène de Montréal passer une fin de semaine chez nous pour la deuxième fois. Comme elle a de la jasette à revendre, et que Françoise ne donne pas sa place non plus, j'essaie donc de me placer entre les deux pour mettre mon mot chaque fois que j'en ai la chance. Pendant les moments où la chance se fait rare, j'en profite pour m'occuper de la petite, faire du feu, préparer un café. Enfin, c'est cette belle Louise qui m'apporte comme par enchantement le gros soleil dont je rêvais tant. Elle a un ami ingénieur qui travaille à l'Hydro-Québec, sur la rue Craig à Montréal. Elle croit qu'en lui parlant de moi, il pourrait m'aider à me placer là comme dessinateur, vu mon expérience à la Coopérative d'Électrification Rurale...

— Aimerais-tu ça?

— Tu parles!

— Tu gagnerais un bon salaire...

— Tu penses?

Louise est une logicienne et une rationnelle. Sensible, mais chez elle c'est caché. En d'autres mots: avec elle, à cause de sa tête jamais ailleurs que sur ses épaules, on se sent toujours en confiance et en sécurité. Donc, elle n'est pas sitôt partie de chez nous que dans la semaine elle m'écrit déjà un mot pour me dire qu'elle a rencontré son ami de l'Hydro-Québec, qu'il lui a dit que oui je pourrais bien monter à Montréal, tel jour, telle heure, et qu'il se ferait un plaisir de me présenter au patron du Planning System Department qui a justement besoin d'un dessinateur...

— Françoise, t'as lu ça?

— C'est formidable!

— Si ça marche, on déménage tout d'suite...

« Faut battre le fer tandis qu'y est chaud », disait un vieux. Je réponds donc à Louise le même jour. Je la remercie, l'embrasse cent fois et lui dis de faire savoir à son type que je ne manquerai pas d'être là, sans faute, tel jour, telle heure, de compter sur moi les yeux fermés, et tout le reste.

Les jours qui suivent, avec le printemps à la porte, Françoise et moi on ne porte plus à terre et Josée se fait chouchouter vingt fois plus que de coutume.

Le moment venu, je me mets le plus « chic and swell » que je peux et pars pour la ville. Le train file de son mieux, mais c'est long et le cœur me cogne pendant cent milles. Enfin, j'arrive à la gare, j'arrive chez Louise...

— Allô, bonjour !

— Vite, prends ton tramway, tu descendras au terminus de la rue Craig. L'Hydro, c'est juste à côté, monte au cinquième et demande monsieur Langevin, il t'attend.

— Merci, j't'en donnerai des nouvelles...

La ville est toujours pareille : ça grouille et ça va vite. Mais, à mon grand étonnement, je m'y sens bien et il me semble retrouver mon souffle de la même manière qu'en arrivant à Saint-André le jour de mes noces. Silence, terminus...

— Monsieur Langevin...

— Monsieur Filion...

— C'est pour l'emploi de dessinateur.

— Très bien. C'est par ici. Je vais vous présenter à monsieur Bob William, directeur du Planning System Department.

Silence, grand bureau...

— Mister William?

— Mister Filionne?

— I am enchanté...

— Sit down...

Moi, un mot en anglais, deux en français : lui, trois mots en anglais. Miracle! À cause de mon expérience, l'affaire est dans le sac en un rien de temps. Il m'engage. C'est pour dans quinze jours. Quarante piastres par semaine.

Il y a beaucoup de « blauques » dans le service : des ingénieurs penchés sur des cartes géographiques, des mathématiciens le nez planté sur des règles à calculer, j'ai un œil de chat, et des filles qui tapent sur des grosses machines à écrire, en anglais sans doute... Mais moi, je m'en sacre, pour dessiner à l'encre de Chine des diagrammes, des courbes, des lignes de transmission, ils ne peuvent toujours pas me demander de faire ça en anglais. Rien que cette idée me rassure et me donne des ailes.

— See you bientôt soon mister William...

— So long, John Paul.

Vite dehors. Tout l'air de Montréal me fait d'un coup dans les poumons la plus joyeuse des rafales. Ici, ce n'est pas comme à la campagne, on n'est rien qu'en mars et l'on ne voit même pas une graine de neige dans les rues ni sur les trottoirs. Le soleil est plus chaud, le temps plus attirant.

— Allô Louise... Ça marche pour ma djobbe. Merci pour tout. Peux-tu t'occuper d' nous trouver un logement pas trop cher dans tes parages? C'est pour dans deux semaines...

Allô Gilles, allô Lyse, Albert, Roland, Gérard... Je téléphone à tout mon monde, les beaux-parents avec, pour leur apprendre en criant qu'on s'en revient en ville, qu'on reprend souffle, qu'on reprend vie...

— Oui, c'est ça, on a hâte de faire la bombe. À bientôt...

En rentrant à Saint-André, devant une Françoise exaltée, mon enthousiasme continue de plus belle. Ce sera le paradis : des êtres qui nous ressemblent, des ateliers vivants, la création, le théâtre, les vues... Ce sera ta famille, tes amis, nos copains des Beaux-Arts. Ce sera, ce sera...

On s'excite, on s'enfarge partout. La petite dans nos jambes, des traîneries dans tous les coins de la maison, on prépare le déménagement : les caisses, les boîtes, les valises, les peintures. Des vrais experts...

— As-tu averti tes gens au bureau ?
— Ben oui.
— Le propriétaire aussi ?
— Ben oui.
— Et Marcel, et ta mère ?
— Ben oui...

On reçoit une lettre de Louise, la fine, la dévouée, qui nous apprend qu'elle a trouvé un logement de trois pièces dans Rosemont qui nous conviendra.

— C'est merveilleux, c'est mon quartier d'enfance !

— Y a un bon Dieu pour nous autres !

Sueurs au front, en coup de vent on finit par finir de paqueter tous nos petits. Le poêle à bois est barguiné à un voisin puis c'est la fin.

Dernière visite à chez nous: embrasser maman qui pleurniche, serrer la patte à Marcel qui fait l'oreille basse et saluer papa qui a de la misère à cacher sa peine...

— On va prier pour vous autres...

— Montréal c'est pas New York, on va venir souvent...

— Faites attention à la p'tite...

— Ayez pas peur...

Legault Transport est prévenu. C'est demain à cinq heures du matin qu'il prendra notre ménage. On sera debout. J'aiderai à charger. On montera tous avec le chauffeur, en avant du truck. Françoise au milieu avec Josée, moi assis au bord.

Troisième Partie

LES MURS

Sur mon écran qui a bloqué tout le ciel de l'Île d'Orléans, les ombres et les lumières bougent comme dans un gigantesque film. Sans commencement ni fin. Je n'ai toujours pas quitté ma lucarne de l'Ange-Gardien. J'y suis cloué pour écrire tout ce que voient mes yeux, pour dire tout ce qu'imagine mon esprit. Il y a deux sortes d'images : les réelles et les autres que j'invente pour leur tenir compagnie. Ça fait un monde double. Plus chantant.

Coupé en deux comme une pomme, un morceau de moi reste ici, obligatoirement, comme spectateur et témoin écrivant. L'autre morceau se déplace, travaille, vit et voyage. Ce qui explique qu'avec Yo et Manu j'ai pu récemment prendre l'avion et me retrouver, le plus naturellement du monde, en France. Nous vivons présentement à Vence, entre mer et montagnes et à cheval sur un hiver jamais connu. C'est la vie, la nôtre. J'écris chaque jour. Et quand j'écris, l'espace ne compte plus.

25

Montréal en ville. C'est la fête. La grande.
Celle des jeunes amours, des amis. Celle de
l'art aussi. Dans les journaux d'Europe et du
Québec, on parle déjà du succès de notre exposition de groupe et ça, pour moi, c'est un vrai
cadeau. Tout le temps dolle, comme mort, de
Saint-André-Avellin est rattrapé, racheté en
criant lapin. Ici, les semaines flaillent au galop
et les mois défilent en tourbillonnant comme
les eaux de la rivière La Diable.

Rosemont n'a duré qu'une courte saison de
rien du tout. Dans un logement étroit de la
16e avenue, Josée a fait ses premiers pas, pour
notre plus grande joie et celle de son fessier;
Gilles Hénault et Lyse sont venus passer de
longues soirées, parler de pluie, de poésie et
de beau temps; mon radio m'a fait découvrir
Burl Yves, un chanteur de folklore américain
qui s'accompagne à la guitare et dont la voix et
les chansons m'ont charmé gros. Armand, le

frère de Françoise, s'est souvent amené pour nous jaser abondamment de Bergson, Blondel et autres philosophes dont il avait la tête si pleine qu'il me laissait toujours complètement étourdi et bouche cousue. Enfin, Roland Giguère fut à Rosemont le plus régulier et le plus fidèle des amis. Lui, il arrivait chez nous le vendredi soir et sa visite durait jusqu'au lundi midi, de sorte qu'il fallait bien le garder à coucher avec nous, oui dans notre lit s'il vous plaît. Lui au bord, moi au milieu, vu le manque de place ailleurs. Avec ce poulain débridé, étudiant à l'École des Arts Graphiques, c'était à chaque fois la débandade totale: histoires, chansons, danses, calembours, poèmes, dessins, rires et nuits blanches. C'était encore: le vin, la bière, et aussi d'interminables jeux et expériences avec un microscope qui nous faisait découvrir tous les univers qu'on lui flanquait sous la lentille: œil de mouche, patte de maringouin, goutte de sang et goutte de sperme. Dans le cas du sperme, pour faire une cueillette nécessaire, c'était lui ou moi, chacun son tour, qui disparaissait aux toilettes l'espace de deux minutes et qui en ressortait avec le « précieux-liquide-échantillon » sur une lamelle de verre. Alors c'était la fenêtre lumineuse ouverte sur un monde grouillant, coloré, devant lequel on se pâmait comme des enfants.

Côté gagne-pain, il y a eu évidemment mon apprentissage de dessinateur technique à l'Hydro-Québec. Ça n'a pas été facile. J'ai appris de mon mieux et fais encore aujourd'hui mon gros possible: partir en tramway tous les matins et dessiner à longueur de jour, au propre, à la plume, au tire-ligne, à l'encre noire, des cartes géographiques, des diagrammes et autres chinoiseries, toujours d'après des barbouillages graphiques m'arrivant des ingénieurs et des mathématiciens anglais qui m'enragent toute la gang à force de se faire mal comprendre. Ils ont beau m'expliquer qu'ils préparent « Bersimis » et « Manicouagan » que loin d'aider ma comprenure, ça la rempire. Il ne faut pourtant pas que je me plaigne de rien...

Maintenant, la « grande fête » se continue pour nous dans le nord de la ville, rue Saint-Denis, dans un troisième étage. Nous habitons un beau quatre pièces pas piqué des vers. En avant: un balcon de 3 pieds par 4, au moins, en plein soleil; en arrière: un autre balcon après lequel s'agrippent escalier et hangar qui montent de la ruelle d'en bas.

Dans la cuisine, on a le gaz. Françoise trouve ça bien commode à côté du maudit poêle à bois de la campagne. Trois autres pièces en ligne droite nous servent de chambre, salon, atelier. On accède à toutes ces pièces par un long corridor dont le bas des murs est en burlap et le haut en tapisserie fleurie. Quand on entre dans l'appartement, la première chose que l'on voit c'est un recoin meublé d'une belle fournaise à l'huile et dont le tuyau monte comme un cou de girafe et s'étire au plafond en faisant des croches jusqu'au fond de la cuisine.

283

Françoise et moi on s'est mis dans la tête de faire de cette place un lieu chaud où il fera bon vivre, peindre, recevoir le monde. On n'a pas beaucoup d'argent mais avec les moyens du bord on y mettra le temps.

— Qu'est-ce qu'on fait en premier?

— On arrache le burlap.

— Ensuite?

— On peinture le tuyau d'la fournaise avec d'l'aluminium.

Pendant ce temps-là, Josée grimpe ses barreaux d'échelle: elle court partout, fouille dans la pharmacie pour avoir des bonbons, brasse les casseroles, joue sur le balcon. J'en profite pour recommencer à peindre dans mes temps libres. Françoise parle de travailler, ou de prendre des cours, soit de danse, soit de théâtre. Moi, je ne parle de rien, je gagne ma vie, rue Craig, sur une table à dessin anglaise... Mais qui me laisse quand même, il faut bien le reconnaître, des petits moments où je peux m'exprimer en faisant, dos tourné, des encres abstraites que je suis toujours fier de rapporter à la maison. Un beau dessin pour moi, entre deux plans pour le patron, ça sauve souvent ma journée.

Les amis se sont multipliés comme des mouches. De Gilles en Roland, de fil en aiguille, nous voilà plongés pour de bon dans le milieu le plus fantaisiste de tout Montréal. Une comédienne, un lithographe, des peintres, des photographes; un fin lettré, un annonceur de radio, un sculpteur, un joueur de flûte et encore des peintres. Les noms : Denyse Marsan, Lucien Morin, Alfred Pellan, Roland Truchon, Arthur Gladu, Bernard Jasmin, Gaétan Barrette, Albert Dumouchel, Charles Daudelin, Léon Bellefleur. Ça parle de théâtre, de religion, de cubisme, de gravure, d'érotisme et de délire. Gérard Tremblay m'entreprend :

— Peux-tu m'aider à m'trouver une djobbe ?

Je le fais entrer à l'Hydro comme deuxième dessinateur et lui fais installer une table juste à côté de la mienne. Comme ça on pourra se montrer nos petits dessins faits en cachette et les journées seront moins dures.

Roland Giguère m'entreprend à son tour :

— Tu devrais venir faire d'la sérigraphie aux Arts Graphiques avec nous autres...

Albert Dumouchel me dit :

— Tes dessins sont beaux, tu devrais faire d'la gravure...

Oui, les amis sont comme des mouches. C'est Montréal plus que jamais.

Tous ces mordus à tête d'oiseau, ces fouilleurs de beauté, ces affamés d'un monde meilleur, on les fréquente, on va chez eux, ils viennent chez nous. Pour ma part, je comprends vite que mon long séjour à Saint-André me fait un peu tirer de l'arrière : ils sont tous dynamiques et me parlent d'abondance de grands maîtres étrangers comme Picabia, Paul Klee, Ernst, Hartung, que je ne connais même pas. Mais je les rejoins vite en m'acharnant, bûchant, m'entêtant chaque soir dans mon atelier, devant des toiles blanches, angoissantes, et qui finissent malgré tout par vivre leur propre vie. Une fois, pour faire comme les autres, je décide même d'envoyer une grande aquarelle pour le Salon du Printemps au musée des Beaux-Arts. Qui vivra, verra...

Les fins de semaine se passent toujours de la même façon: on se reçoit les uns les autres, à tour de rôle, et l'on fête. Joyeusement. Librement. Gallons de vin, caisses de bières. En gang, on lâche la bride, on fait les fous, on danse. Ou bien on écoute les disques des nouveaux chanteurs français: Mouloudji, Yves Montand, Juliette Gréco. Ou bien on discute gravement, en vrais intellectuels, des choses de l'art. Et là, « j'vous en passe un papier », comme disait mon père, les opinions jaillissent, éclaboussent, tournaillent, dégringolent, toujours semblables, toujours issues d'une même chapelle:

— Le figuratif c'est rien qu'bon pour les bourgeois.

— La masse est comme une vieille horloge qui retarde.

— Une peinture authentique est une peinture indépendante de tout le reste du monde.

— Peindre c'est montrer l'invisible...

Et blablabla, et blablabla. Moi, je peux dire tout de suite que tous ces verbiages me tombent vite sur les rognons. Il y en a qui sont bons là-dedans et qui aiment vraiment ça décortiquer, analyser, fendre les cheveux en quatre, moi pas... Ça me mêle trop et m'empêche en plus de m'exprimer d'instinct et par amour. Pour dire le vrai fond de ma pensée, ça me fait chier. Non pas que je méprise tout le groupe en bloc, je reconnais au contraire qu'il m'apprend beaucoup de notions nouvelles, mais, des fois, je me dis que trop c'est trop.

Par exemple, dans le domaine de la chanson, pourquoi toujours parler de Prévert et Kosma et ne rien dire de Félix Leclerc? Pourquoi ne lit-on que des auteurs comme Queneau, Sade, Nerval, Lautréamont et ne vouloir rien savoir de Saint-Denys Garneau? Pourquoi encore ne va-t-on que dans des « ciné-clubs » voir des films de Dreyer ou de Flaherty et se fait-on une joie glorieuse d'assaisonner nos conversations de couleurs toutes parisiennes?...

— Non, mais sans blague...

— La politique c'est dégueulasse...

— L'Église déconne de plus en plus...

Ah, pour suivre, je suis. On peut me parler du génie de Gérard Philipe et me vanter le théâtre de Jean Vilar, je suis. On peut me casser les oreilles avec les hallucinations d'Henri Michaux et les prophéties du visionnaire Artaud, je suis toujours. Sans lâcher, presque aveuglément. Mais, baptême de simonac! j'avoue que lorsque je vais dans ma famille à Saint-André ou que Marcel s'adonne à venir me voir à Montréal, il y a chez moi une sorte de manque de naturel qui gêne tout le monde.

— Paulo, qu'a c'est qu't'as? On dirait qu't'es p'us l'même qu'avant...

Marcel va jusqu'à me confier une fois:

— J'aimerais ça qu'tu reprennes ton violon pis moé ma guitare et qu'on fasse d'la musique comme dans l'bon temps...

Dans ces moments-là, je deviens tout drôle, le grain serré, les oreilles basses, et j'irais me cacher loin dans le bois... Pour longtemps...

Pourtant... Pourtant... Mes dessins, mes peintures font leur chemin dans le milieu des connaisseurs et des «annonciateurs». Je viens de remporter le deuxième prix d'aquarelle du jury numéro 2 au Salon du Printemps et participe, au musée des Beaux-Arts, à une exposition groupant des noms comme: Barbeau, Marcelle Ferron et Borduas. Ces succès ne sont pas sans me faire un petit velours. C'est rien que normal. De même qu'à Françoise et à sa famille, laquelle pourtant se moque gros de tout ce qui s'appelle «peinture moderne». Mais au fond, ces succès n'ont pas le don de me réchauffer bien longtemps. Flambée de paille, feu d'allumette. Un dessin terminé, je le montre et il meurt. Une peinture finie, on la regarde, on fait ouais... on fait ah... et puis elle meurt à son tour. Une vente, un prix, une exposition: trémoussement d'un jour. Le lendemain, tout est à recommencer. Toujours.

Quand j'ai donné le meilleur de ma journée à l'Hydro-Québec; quand j'ai partagé les restes de mon meilleur entre mon amour pour ma femme, ma fille et ma peinture, j'ai souvent peur de manquer de ressort. De ne plus pouvoir toffer. Alors, je me laisse entraîner à sortir : répondre aux invitations, m'amuser avec la bande, tant que je peux, quitte à brûler la chandelle par les deux bouts. Bals masqués : un chez Mousseau, un autre chez Dumouchel. Randonnées en bicyclette : on monte à Montréal-Nord chez Léon Bellefleur voir ses peintures, Rita sa femme, si fine, humaine, chaleureuse, et les cinq enfants qui forment la couvée. Ou bien on pédale jusqu'à Sainte-Rose voir Alfred Pellan qui vient de s'acheter une grosse maison.

En gang, qu'est-ce qu'on fait encore pour brûler la chandelle par les deux bouts ? Bien des choses que je ne peux pas dire... Comme des petits flirts entre couples et des petits partys nudistes qui n'ont jamais de succès car les participants se font plutôt rares. On a beau tous être des forts en gueule et parler avec la plus grande liberté de liberté, de libération et même de libertinage, de là à demander à un artiste de se montrer les fesses pour vrai et à la femme d'un artiste de s'exhiber, nue comme un ver, même si elle est enceinte, « y a toujours ben des maudites limites »...

System Planning Department. Hydro-Québec. Gérard Tremblay et moi on y tient le coup. On trouve ça pas facile, mais on se crée quotidiennement des compensations. Le midi, on va manger dans le Chinatown, ou bien sur la Main dans des bineries à 25 cennes du repas. C'est distrayant. Mais notre plus grand plaisir est toujours de nous voler des moments au travail pour faire de « l'expression personnelle ».

Avant de prendre le bord de ma main et d'aller s'étendre sur une feuille blanche, bien des idées me chauffent la tête: Y faut s'défendre contre nos journées d'chiens battus. Y est essentiel de s'déchaîner, de crier contre l'insoutenable... Et ça donne des images, des graffiti, des dessins excessifs, fulgurants. Comme j'aime soigner les effets graphiques et les textures, je travaille donc mes abstractions avec des encres essuyées avec le doigt, je les enrichis de grenailles d'efface, de poudre de mine de plomb, de crottes de nez, et même de gouttes de sang. Oui, je vais jusqu'à me piquer les mains au sang pour les besoins de la cause... Mais ma plus belle trouvaille est celle-ci: à la machine à imprimer les blueprints du département, je vais me tirer, à l'aide de transparents, des papiers brun opaque, couleur sépia, sur lesquels je fais mes dessins en me servant de deux acides spéciaux. Ces acides appliqués à tour de rôle font graduellement fondre le brun de mon papier et, selon le temps que je mets à intervenir avec un papier buvard pour en arrêter l'action, j'obtiens des blancs ocrés et des ocres brunâtres des plus fascinants. Avec ma patience d'ange et mon émerveillement, je fais en peu de temps une série d'images dont les qualités graphiques sont incontestablement belles. Dans mon milieu de curieux, la surprise est grande. Chacun s'étonne et veut savoir « avec quoi j'ai fait ça », mais mon secret c'est mon secret et il n'y a pas un diable capable de me l'arracher.

Mon aventure de « sépias » fait boule de neige. Tant et si bien qu'un soir, chez nous à l'heure du souper, je reçois un téléphone de Guy Viau, un critique d'art officiel, qui me demande poliment d'être reçu dans mon atelier, qu'il est en compagnie de Borduas, oui lui-même en personne, et qu'ils sont tous deux intéressés à venir voir les dessins dont ils ont entendu parler...

— Oui, certainement... C'est un honneur... À l'heure que vous voudrez...

Je raccroche et me mets à tourner dans la cuisine :

— Françoise ! Couche la p'tite !... Faut faire un peu d'ménage, Borduas s'en vient icitte !...

Ils sont venus et sont restés deux heures. Deux heures à regarder mes choses, à parler de qualités plastiques, de raffinement dans l'expression, de richesse de mon univers inconscient. Deux heures avec de longs moments de silence dedans. Françoise était là. Elle a pu glisser quelques mots, elle en était capable. Moi pas. Tellement j'étais ému, impressionné.

Petit, taille mince, traits étirés, tête chauve, regard intense et comme habité par un autre monde, Borduas — il avait quelque chose de mon père — a fini par me faire en partant un grand sourire plein de bonté et de satisfaction. D'une main joyeuse, il m'a chiffonné les cheveux comme on fait à un enfant et m'a dit :

— Tu fais des choses plus belles que ce que tu veux faire... Continue... Et va vite proposer tes sépias en consignation à la galerie Agnès Lefort.

Il a eu raison. Le lendemain, après une nuit blanche, je cours chez Agnès Lefort lui proposer quatre sépias: mes plus belles et les mieux encadrées...

— Quelle poésie!

— Vous trouvez?

Agnès Lefort garde mes « images de rêve » et les vend au bout de quelques jours à un acheteur en or qui les emporte direct à l'ambassade canadienne au Japon.

Je ne me comprends pas et je ne comprends rien à rien. Au lieu de m'encourager à aller plus loin sur la voie de mon invention, cette vente me fige, me trouble au point que j'arrête net de produire des sépias. Françoise se fâche:

— Regarde tes amis, Roland, Gérard, Claude Haeffely, ils continuent eux autres...

— J'sais ben, mais on dirait qu'j'ai peur... Y m'semble toujours qu'y a comme un mur devant moé...

— Le mur, c'est ton manque de confiance...

Je commence à être conscient de ce qui se passe et je trouve ça grave en maudit: je sens au fond de moi-même, c'est creux, bien caché, une sorte d'état d'avilissement et d'humiliation qui me vient direct de mon éducation. Enfant, je me suis toujours senti tellement diminué qu'aujourd'hui la chienne me pogne aussitôt que je suis en face d'une nouveauté qui pourrait me charrier quelque part, je ne sais où. L'inconnu, l'aventure me font carrément blêmir et trembler. Non, ce n'est pas ça... Mon esprit regimbe. C'est à cause de la peinture... Est-ce bien mon domaine? Pourquoi n'ai-je jamais, au grand jamais, avoué à personne que je me sentais foncièrement comme étranger à l'art de peindre? Dans mon for intérieur, il s'en brasse en bon Yeu des questions, des sacres, des révoltes: Calvaire, qu'est-ce que j'ai? Va-t-y falloir que j'lève le cul pour de bon et que j'tourne le dos à tous les enseignements reçus? Que j'reparte à neuf comme un colon? Où trouver mes nouvelles inspirations, mes vraies racines?

J'écris à Marcel, en pleine nuit. Il me répond que je devrais faire « un peu d'musique pour te reposer la caboche. » J'en parle à Françoise qui tente de me comprendre de son mieux, m'encourageant même à m'acheter une guitare si, en fin de compte, la musique pouvait me faire du bien. J'écornifle dans un gros livre et lis: « L'art est un drame car il tente désespérément d'inventer l'impalpable avec du palpable, de faire de l'absolu avec du relatif... » Ouais!... Comment trouver de l'aide? Je rencontre Roland Giguère qui me fait miroiter tous les avantages de la « création graphique » en me parlant longuement de ses Éditions Erta que je connais un peu mais pas assez à son goût:

— Tu t'rappelles de ma première plaquette, *3 Pas*?

— Oui, je l'ai...

— Regarde c'qu'on a fait depuis...

Et j'en ai plein les mains: *Yeux fixes, Faire naître, Midi perdu, Les Armes blanches*. Je feuillette, tâte, regarde, admire et lui remets le tout en disant :

— C'est ben beau, mais moé... la gravure, l'estampe, la lithographie, j'connais rien là-d'dans...

— Arrête de t'tracasser !... J'vais t'passer deux livres de Paul Éluard que tu devrais aimer...

— C'est pas un dadaïste, j'espère...

— Jamais d'la vie.

Je reviens chez moi avec dans ma poche : *Capitale de la douleur* et *Une leçon de morale*.

26

Trouvaille. Découverte. Enfin, je rencontre la tendresse en poésie. Éluard chante l'homme, la femme, l'amour, la douceur, l'inquiétude avec des mots pleins de clarté et des images à la tonne, toutes aussi belles et lumineuses les unes que les autres. Son seul poème *Liberté* me donne plus de joie que n'importe quelle peinture.

— Lis ça, Françoise, c'est écrit comme si c'était d'la musique...

J'appelle Roland pour lui dire mon plaisir. Il me répond qu'Éluard est son maître et que « c'est un poète de la solidarité ». Ça me fouette. Je relis tout, plus attentivement, pour mieux comprendre encore: je découvre un poète charnel, lyrique, qui jongle avec le réel autant qu'avec le rêve. Un poète qui ne pense pas sa poésie, mais qui la vit. Et c'est ça le secret...

Choc. Coup au cœur. Insomnie. C'est devenu si incontrôlable que j'ai toutes les misères du monde à rester dans mon atelier à regarder jaunir mes choses. Je me sens enchaîné de partout par le seul mot poésie. Dans ma tête, ça brille et ça tire comme un aimant.

Un soir, ça y est. N'en pouvant plus de me sentir paralysé, pinceau à la main, je me tourne de bord et commence à griffonner un poème sur un bout de papier. Je ne sais pas ce qui se passe mais mon ventre tiraille, mon esprit est comme en feu et l'écriture coule toute seule :

> *Vapeurs des journées amoindries par un écran*
> *[de ciment*
> *écran de ciment noir et solide*
> *entre deux mondes*
> *comme un coupe-papier...*

Le lendemain, j'écris encore, tellement ça me soulage :

> *L'amour ferme les mains.*
> *et se retire comme une mare*
> *dans son buvard de sable...*

Et les jours d'après, encore des vers, et encore d'autres qui sortent malgré moi :

> *Nous étions l'homme de paille de l'illusion et*
> *[des fausses manivelles*
> *la vie était un plâtre...*

Au bout de ma douzaine de poèmes, je risque le tout pour le tout : faire lire à Françoise. Je tremble.

— C'est beau... mais comme c'est triste...

— J'vide mon sac.

— Qu'est-ce qui peut bien t'rendre comme ça?

— J'sais pas... Mon ouvrage à l'Hydro... La peinture aussi... qui m'a donné tant d'fil à retordre...

— Moi, si tu veux mon avis, j'pense plutôt qu't'es déçu d'la vie du mariage...

— Le mariage... le mariage... depuis qu'on est revenus en ville qu'on est mêlés à du monde qui en dit plus d'mal que d'bien. Toé comme moé, on a pris l'habitude de souvent parler contre...

— Des fois, j'me demande si t'aurais pas été mieux d'rester libre...

— Dis pas ça...

Je veux abandonner la peinture pour me libérer de mille tracas intellectuels, je commence à écrire pour mieux me retrouver, me soulager, et voilà que je sens déjà le danger des mots. Si avec la poésie je me mets à nu au point de faire de la peine à ma femme, c'est le diable fourré dans mes pattes. Le langage, un autre mur...

Pourtant, Éluard se présente dans ma vie comme un sauveur. J'écris comme lui, comme Roland, mais je le fais avec tant de joie et d'amour que même Borduas, qui a toujours prêché « l'expression intégrale », ne pourrait me reprocher de changer mon fusil d'épaule. Allons-y donc. Fessons dans l'tas, que je me dis un soir que je n'arrive pas à m'endormir comme du monde. Pour moé, vivre, c'est deux choses: aimer et m'exprimer. En peinture, l'authenticité de l'émotion faisait trop défaut à mon goût. Un gars honnête doit faire c'qu'y a à faire avec passion, jamais comme une corvée. La poésie, elle, m'ouvre toutes les portes, j'la sens sans limite. Y m'semble tout à coup que j'pourrais écrire toute ma vie sans jamais chercher mes mots...

Françoise dort à mes côtés. Me sentant devant un bon bout de nuit blanche, je me lève et me fait du café. Assis au bout de la table de la cuisine, mes yeux se perdent dans le vide... Pour passer à travers, y m'faut des outils. J'suis pas pour me contenter d'travailler comme dessinateur à l'Hydro pis m'fermer la gueule pour le restant d'mes jours. Aussi ben prendre le bord du cimetière tout d'suite. C'que j'ai à dire, j'vas l'dire, coûte que coûte. Si en peinture ç'a pas marché comme j'voulais, à partir d'à c't'heure c'est avec l'écriture que j'vas bûcher. Me battre. À peine d'en crever. Me battre à mort contre la laideur d'la ville, les vices maudits d'une société d'esclaves où penser, critiquer, est interdit par tous ceux qui ont l'pouvoir dans les mains. Me défendre jusqu'au bout contre tout c'qui m'fait mal, tout c'qui magane l'amour...

Encore du café, encore des cigarettes. Derrière le mur de ma cuisine, mes yeux regagnent le vide... L'amour, ah ça, par exemple, j'peux pas dire que c'est toujours facile à vivre... J'sens pourtant qu'c'est quelque chose qui doit être toujours actif... qu'on doit cultiver, comme une plante... Où c'est qu'j'ai lu ça une fois?... L'auteur disait: « L'amour doit être l'étoile qui dirige la vie, il fait partie du plan de la nature; la vie est amour... » J'crois qu'c'est vrai cent pour cent, mais dans l'quotidien, j'trouve que l'étoile s'efface souvent. Françoise est soucieuse, moé aussi. Elle parle souvent d'autonomie et d'liberté... elle m'a dit l'autre jour qu'elle voulait pas être qu'une maîtresse de maison et j'la comprends... Y a rien d'drôle là-d'dans... Mais, maudit baptême, la grande question que j'me pose à la fin c'est: comment vivre tous les deux en communion d'corps et d'esprit, comme disait l'père Migneault, tout en jouissant d'une liberté réciproque? Comment aimer sans être possessif? Aller dans l'même chemin sans qu'un retarde la marche de l'autre?...

Mes idées s'embrouillent... mon mur se met à tourner. Le café est froid. Un coup d'œil par la fenêtre, du côté de la ruelle, je devine déjà des lueurs dans le bas du ciel.

Temps de nombreuses lectures. De longues conversations aussi. Pendant que Françoise lit les *Mémoires d'Hadrien* de Marguerite Yourcenar, moi je fouille dans vingt livres à la fois, comme pour aller chercher des réponses à mes questions. Après *Moravagine* de Blaise Cendrars, ce fou de toutes les aventures et du monde entier, je saute dans du Henry Miller dont le lyrisme débridé et le langage fantastique me dénouent de fond en comble. Je lis les poètes, beaucoup de poètes: Beaudelaire le romantique, Apollinaire le symboliste, Max Jacob le mystique, Francis Jammes le religieux et Aragon dans son superbe *Roman inachevé*. Tous des génies capables de pratiquer l'art du langage total. On dirait qu'ils ont des pouvoirs surhumains...

— Françoise, moé j'arrête de lire, ça m'mêle trop... Ton frère Armand pense trouver la vie dans les livres, on dirait que j'suis parti pour faire comme lui. Au fond, j'pense pas que l'chemin soit là...

Après avoir dit ces choses en bougonnant, je dévore en vitesse deux romans populaires américains, Steinbeck, Caldwell, et deux romans canadiens, Gabrielle Roy, Roger Lemelin, comme pour me prouver une fois pour toutes que je suis plus heureux à donner qu'à recevoir. Lire, c'est bon pour la connaissance, la culture, mais écrire, me sortir le monde des tripes sans jamais me complaire dans l'abstraction, pondre un œuf, comme dirait l'autre, m'apporte encore plus de joie.

Je parle de tout ça aux amis. Avec naïveté. Ils ont tous la même réaction: «Tu étais pourtant bon en peinture...» Léon Bellefleur et sa femme Rita, avec leur tendresse et leur amitié profonde, m'aident gros, plus que quiconque, à me situer. Ils croient à la poésie et à la chanson autant qu'à la peinture. Ils sont les seuls parmi mes amis à aimer la Bolduc, à adorer Félix Leclerc. Pour eux, je n'ai pas à me casser la tête: «Sois authentique, n'écoute que ta vraie nature... » Je saute sur ces bons mots et me trouve quelques sous pour m'acheter un long playing de Leclerc. Moi qui croyais le connaître, je le redécouvre. L'oreille collée contre le haut-parleur d'un phono-maison mal patenté, j'écoute: *Notre sentier, Le bal, Bozo, La drave, Mac Pherson.* En un seul jour, ce Félix béni des dieux devient le remède à tous mes maux. La charpente de sa voix, la carrure de ses accords de guitare, son amour de la terre parce qu'elle permet de mieux voir ce qui dépasse les arbres, sa manière pleine de santé de forger de la beauté pour faire honte au médiocre, tout ça chez lui m'entre dans la peau comme une lumière nouvelle. Enfin, un poète d'ici, qui m'éclaire et me va à l'âme comme un gant.

Mon souffle nouveau me charrie en l'air. Je cours m'acheter un autre disque dont j'entends parler: des chansons blues d'un noir américain nommé Josh White; je me sauve dans un théâtre de Ville Mont-Royal écouter chanter un autre américain, Pete Segers, folkloriste; un soir, je me glisse au théâtre Séville de la rue Sainte-Catherine pour me laisser envoûter par encore un noir des États-Unis: Harry Belafonte. Ma tête se remplit de guitares, de banjos et de chansons anglaises aux titres que je ne comprends même pas: *One meat ball, Living in the country, Matilda, Jamaïca farewell...*

Le soir, en prenant des marches, tout seul, dans mon quartier et jusqu'au fond du parc Jarry, j'essaie de chanter ces chansons et je mêle tout. Une phrase de l'une avec un bout de l'autre, une minute en anglais, une minute en français car j'aime bien aussi m'essayer avec *Jericho* de Josh White autant qu'avec *Le train du nord* de Félix. Je tente même de faire des imitations. Je n'ai qu'à contorsionner mes cordes vocales, travailler ma voix soit en me bombant le torse, soit en avançant ou reculant mes mâchoires et ça y est, je deviens l'autre, celui que j'admire, comme par magie. J'en ressens un grand réconfort. Une sorte d'assurance qui me valorise. Mais à chaque fois, j'ai une misère de chien à me remettre dans ma peau de Filion.

La maladie de la chanson m'ayant pogné pour de bon, un matin, au lieu d'entrer dans ma ouache de dessinateur à l'Hydro, j'arpente la rue Craig de long en large et finis par me trouver dans une pawn shoppe une guitare à quinze piastres que j'emporte chez nous, fou balai, comme l'objet le plus précieux du monde.

— Regarde, c't'à moé...

Quand j'étais jeune, à Saint-André, j'en jouais mais, en vérité, je ne savais que trois accords.

— Tiens-toé ben, j'vas prendre des cours pis avant longtemps j'te promets des surprises...

Françoise est contente. Elle vient de s'inscrire à des cours d'art dramatique, je l'approuve, chacun sa chance. S'arracher du quotidien... Tout ce qu'elle peut faire pour se faire du bien me fait du bien ; tout ce qu'elle entreprend pour se libérer me libère. Si je la sens malheureuse, ça m'arrête. Alors, aussi bien qu'elle découvre les voies qui lui conviennent. L'art dramatique d'un bord, guitare et poésie de l'autre, avec au milieu notre Josée, grande fille, je ne vois pas pourquoi le temps ne jouerait pas pour nous.

Avec Alberto Funaro, un Italien qui joue de la guitare électrique dans un petit orchestre au Press Club de la rue Saint-Denis, je prends mes premiers cours... Pour deux piastres la leçon. Sur ma guitare, il m'apprend la base : les gammes, les accords, les tempos. Je bûche comme un damné. Ça m'émerveille. Après l'Hydro, toutes mes soirées y passent. Sur les cordes d'acier d'un instrument qui vient chambarder toute ma vie, les doigts de ma main gauche deviennent en feu, tandis que ma main droite tient un petit pic en corne qui fait sonner des notes que je ne changerais pas pour tout l'or du monde. À travers mes gammes d'étudiant, je me permets vite de tricher un peu en me laissant aller à m'inventer de courtes mélodies, plaintives, lyreuses, sentimentales. Rien que pour le bonheur de mes oreilles à moi. Rien que pour ça...

Dans mon logement, un samedi, je donne un coup terrible : je fais le ménage dans la pièce qui me servait d'atelier de peinture. Je maudis à la poubelle les trois quarts de mes dessins, gouaches, huiles que je ne peux plus sentir. Du jour au lendemain, j'ai une belle pièce rien que pour la musique et l'écriture. Un soir, Josée dort, Françoise est sortie, il se passe un miracle. Assis, dos voûté sur ma chaise droite, j'ai la tête penchée et l'oreille écrasée sur ma guitare. Je joue des notes. Sur les basses. Une mélodie se forme d'elle-même. C'est profond, c'est beau. On dirait que ça m'arrive de très loin, d'ailleurs. Comme un cadeau. Je lâche ma guitare et m'empare d'un crayon. J'écris deux mots, puis trois, puis quatre. Je reprends ma guitare et joue les notes qui vont sur les mots. Très doucement, tout est tellement délicat, fragile, je me mets à fredonner les mots qui vont sur les notes. Je trouve des accords pour habiller les paroles chantées. J'écris encore. Une chanson, ma vraie première à moi, est en train de se faire. J'ai des sueurs, je fais une strophe complète qui devient couplet. Les accords suivent, la mélodie se tient. Je recommence, répète, arrange, polis, comme un artisan, tant que ce n'est pas au goût de mon cœur. Le temps ne compte plus… Trois, quatre couplets… Ma joie est comme si j'inventais le monde. Cinq couplets, ça y est, c'est fini. La chanson est faite, là, sur ma feuille de papier, dans ma guitare, au bout de mes doigts, dans ma voix, mon âme, partout. Elle s'appelle: *Un poète des rues.* Je me la chante longtemps après minuit, à mi-voix pour ne pas réveiller les gens d'à côté ni ceux d'en bas.

Une chanson ne va pas sans l'autre. Un poème non plus. J'écris donc tout ce qui me passe par la tête. Avec fébrilité. Émotion. Ça parle d'amour difficile, de ville qui tue les papillons, de chien mordu, de solitude de père en fils et d'un « mort-chantant » sorti de je ne sais où. En tout cas, je sens que j'en ai gros sur le cœur à conter. Guitare et paroles : je tiens enfin des outils mille fois merveilleux. Jamais je n'ai été heureux comme ça les mains dans la peinture.

Ma sixième chanson terminée, je me sens la voix et les accords assez d'aplomb pour commencer à faire mon troubadour, pied sur une chaise, devant Françoise qui s'impatientait et qui avait bien hâte d'écouter ça. Même si je tremble comme une feuille — il me semble que ça ne paraît pas trop — j'arrive quand même à lui donner mon récital jusqu'au bout. Elle m'encourage et trouve tout beau :

— J't'envie de créer... J'aimerais être poète comme toi...

Ses remarques me gênent autant qu'elle me font plaisir. Je ne veux pas lui donner de complexes, pas plus que je veux me sentir coupable d'écrire : tout ce que je cherche c'est de mieux me sentir dans ma peau en m'inventant des sons et des images comme je peux. Avec le plus de vérité possible.

— Trouves-tu qu'ça ressemble à du Leclerc ? À du Josh White ?

— Pas du tout.

Fouetté par ce compliment, une fin de semaine je saute dans le train pour Saint-André chanter mes affaires à Marcel. Dans l'intimité. J'en reviens tellement stimulé que je décide de

risquer mon tour de chant du côté des amis :
Tremblay, Giguère, Bellefleur. La voix et les
mains me tremblent deux fois plus fort que devant ma femme ou Marcel, mais autour de moi
les regards attendris m'aident à passer à travers...

— C'est personnel...

— Pour la respiration, tu devrais aller voir
Lucie de Vienne Blanc...

— Ça fait neuf...

— À ta place, j'prendrais des cours de guitare classique avec Stephan Fentok...

— Fais des chansons si tu veux, mais lâche
pas la peinture...

Les commentaires vont bon train. C'est
chaud, c'est tiède, ça dépend... Honnêtement,
il est vrai que tout commence, que tout reste
encore à dire. J'ai bien le temps de me faire crier
que tout est parfait...

27

L'Hydro, mon troisième étage. Aller retour à tous les jours que le bon Dieu amène. De clarté, gagner le pain; la nuit, écrire. Des poèmes, des poèmes; des chansons, des chansons. Funaro, mon professeur de guitare, ne me convient déjà plus. Ce n'est pas jouer avec un pic sur des cordes d'acier que je veux, c'est jouer avec les doigts sur des cordes de nylon. Je pense fort à Stephan Fentok, guitariste classique dont quelqu'un m'a parlé...

Entre-temps, Françoise fait du théâtre le soir et se fait des amis. Josée a commencé à aller dans un « Jardin d'enfants » et se fait aussi des amis. Amoureusement, je file comme dans un creux de vague. Il me manque quelque chose et je ne sais pas quoi. Mauvais coton. Voir le monde me fatigue, j'aime mieux rester seul. Ainsi j'ai moins l'impression de perdre un temps qui m'est de plus en plus précieux. Il me semble que quelqu'un ou quelque chose n'arrête pas de me pousser dans le dos pour que je travaille à me situer dans un monde qu'il me faut aussi définir. J'ai découvert l'écriture comme un moyen de connaissance irremplaçable, heureusement pour moi. Dans ma tête, j'ai souvent des éclaircies qui me disent que je n'ai pas à rougir de chanter tout simplement l'homme que je suis et mon appartenance à un pays à peine exprimé. J'ai des moments de lucidité qui me convainquent que mon chemin n'est pas pantoute dans la fuite inconsciente, ou l'espace surréaliste, comme c'est à la mode autour de moi, mais plutôt dans le jus de la vie, dans le cœur des choses, où chaque parole que je mettrai sur papier sera forcément vraie, chaude, habitée.

Voyant que je n'arrive pas à me sortir de mon état de renfermé, Françoise décide un soir de m'entreprendre de la belle façon:

— Tu vis trop en solitaire... Nous sommes devenus comme deux étrangers. Vois du monde, sors... J'aimerais mieux pour ton bien te voir partir tout seul de temps en temps et te dévergonder plutôt que de rester toujours dans ta coquille comme tu l'fais...

Simonac! comme disait mon père. Ça me réveille tout d'un coup. Mes yeux s'allument, ma fierté est mise en cause, je tourne le dos à ma guitare et lève le nez sur tous mes poèmes. Elle a raison en baptême!... Faut que j'me grouille les fesses. J'commence à avoir l'air d'un mort avec ma p'tite vie cachée et des bebites plein la tête...

Le lendemain, après l'ouvrage, je décide de ne pas rentrer souper, maudit que c'est forçant! et de rester en ville pour flâner dans les rues, courir les restaurants et les tavernes pour essayer de faire des rencontres. Carré Viger, j'entame la conversation avec un robineux. Il me coupe la parole au premier mot et se met à me baragouiner des affaires sur la guerre de la France en Indochine que j'ai toutes les misères du monde à saisir. Il me passe un journal qu'il arrache de la poche de son coat:

— Lis, mon jeune...

À ses côtés, sur un vieux banc de parc, je lis, rien que pour lui faire plaisir. «Après une guerre impopulaire qui aura duré huit ans, la France vient de perdre sa dernière forteresse. Diên Biên Phû est tombé hier aux mains des forces Vietcong savamment dirigées par Hô Chi Minh...» Du chinois pour moi, mais je veux me montrer poli auprès de mon robineux:

— Pourquoi y ont fait la guerre?

— Pour rien, Christ!

Le voilà qui crache à terre, me tire le journal des mains et s'en va en marchant tout croche. De mon côté, je me sauve dans une taverne pour boire de la bière comme font tous les hommes.

— Deux verres...

Ça me donne de l'importance. Loin de mes petits problèmes, je respire. Ici, c'est plein de monde: brouhaha de voix criardes, chantantes, baveuses. Il y a tant de fumée qu'on pourrait la couper au couteau. À ma droite, un journal traîne sur une chaise. Je le ramasse et me mets à le feuilleter distraitement. C'est un journal populaire, à potins, chose que je n'ai pas l'habitude de regarder. J'y lis à pleines pages des articles sur des artistes américains dont je ne sais absolument rien: Perry Como, Elvis Presley, James Dean. Une grande photo me montrant un nommé Marlon Brando, gueule de dur, veste de cuir, sur une grosse moto nickelée, me donne des frissons partout dans le dos...

— Waiter, deux autres verres...

J'suis pas un ange pis j'veux pas m'séparer d'mon contexte physique et social... L'art doit s'nourrir d'la condition humaine, avec ses hauts et ses bas, ses beautés, ses misères... Faudrait ben qu'j'écrive ça...

Poussé par un besoin épouvantable de me prouver que je suis capable d'être un homme fort, libre, total, je sors de ma taverne, les yeux mêlés, et marche plus loin m'engouffrer dans un club de nuit. C'est rempli d'hommes qui boivent, avec, par-ci par-là, une femme qui boit aussi. En avant il y a une plate-forme avec trois musiciens dessus, et une danseuse qui est en train de se déshabiller. Mes yeux se démêlent et je commence à trouver les lieux pas mal intéressants... Tout à coup, une fille, pas trop laide, s'approche de ma table:

— On peut s'asseoir?

— Certainement...

— Tu veux m'payer un verre de que'que chose?

— Mais oui... c'que vous voudrez...

Bingo, la jasette commence et l'on boit un bon coup comme si on se connaissait depuis longtemps. Elle n'a pas la langue dans sa poche:

— La chambre est à côté, viens, ça t'coûtera pas cher...

— Quelle chambre?

— Ben... ça t'tente ou ça t'tente pas?...

Beau gnochon de niaiseux, j'aurais dû comprendre... Ces mots-là me dégrisent assez vite que j'ai juste le temps de me rappeler que je dois être un homme coûte que coûte, jusqu'au bout, et je réponds à la fille:

— Correct, allons-y...

Remords, mauvaise conscience. Cette aventure m'a fait plus de mal que de bien. Qu'est-ce qu'il m'a pris de croire qu'une chambre de bordel pouvait m'apporter des forces nouvelles? Grosse tempête en moi pendant que je regagne en vitesse mes papiers, ma guitare...

Entre Françoise et moi le malaise s'installe. Elle a ses raisons pour se plaindre. L'état sauvage que j'affirme quotidiennement et mon inadaptation dans le monde du travail ne sont pas sans la troubler. La force de son caractère et les mots qu'elle emploie pour gueuler contre tout ce qui s'appelle conditionnement ne sont pas sans me troubler à mon tour. Elle me voudrait autre et moi je la voudrais différente aussi. Nous nous cherchons. Avec la plus grande sincérité, mais on dirait que nous le faisons comme si l'on était chacun en dehors de l'autre. Nos longs dialogues nous aident mais, bon Dieu, peuvent-ils guérir le fond du mal?...

Tout me porte à écrire: les rires comme les larmes. L'art pour l'art, celui des chapelles et des tours d'ivoire, ne m'intéresse plus depuis longtemps. Finis les égarements. Aujourd'hui, plus que jamais, tous les mots que j'accouche ne veulent qu'une chose: crier après l'amour, après le salut, la liberté. Quand on a la chair de poule, on cherche la chaleur...

Un peu de réconfort m'arrive par un bon livre qui me tombe sous la main: *Moi, mes souliers* de Félix Leclerc. Je le lis tout d'une bouchée comme on mange du pain de ménage. C'est écrit dans un style simple, savoureux, dépouillé. Félix n'a pas de masque, les purs n'ont pas besoin de ça, son message est bourré d'enchantement. Il a la force du bonheur et c'est ce qui me plaît en lui. Moi, avec des pensées aussi peu rougeaudes que « Ma vie est une étroite plate-bande », ou que « Mon enfant m'échappe comme l'eau coule des mains », je donnerais cher pour trouver mon radeau.

Avec innocence et candeur, je parle à Françoise de ce radeau et elle ne sait vraiment plus quoi me dire...

— Moi aussi je cherche le mien, figure-toi...

— T'as tes cours de théâtre...

— C'est fini l'théâtre... j'laisse tomber.

— Comment ça?

— Manque d'assurance, et sans doute... de talent.

Pour nous deux, c'est le moment ou jamais de faire l'impossible pour trouver une solution à notre marasme. Sur la table, pendant un café, je lance une idée comme une carte: aller au Mexique sur le pouce.

— Ça nous ferait du bien...

— As-tu pensé à Josée?

— On la placerait à Hawkesbury chez ma sœur Mado...

Les soirées se passent à tirer des plans. Un couple de nos amis revient justement d'un voyage à Mexico sur le pouce. On va les voir, on en parle. Leur enthousiasme nous ouvre la voie toute grande: il faut partir à tout prix. Changer d'air, de pays. Oublier tout ce qui est noir en arrière et se mettre la face au soleil. Le feu monte, Françoise prend les devants:

— J'me charge de trouver quelqu'un pour garder le logement...

— Parfait.

— On part tout d'suite cet été...

— Pas d'problème.

— Peux-tu avoir un congé de deux mois à l'Hydro?

— Pas question d'congé, j'démissionne pis j'ramasse mon fond d'pension, c't'avec ça qu'on va voyager...

— D'accord.

Coup de téléphone et Mado accepte de garder Josée. Ma démission de l'Hydro, adieu cher System Planning Department, me donne quatre cents piastres d'un coup. Le magot. Ce n'est pas à 65 ans que je veux vivre, c'est tout de suite.

Pacsac au dos, béret sur la tête, deux vrais scouts, un bon matin le beau temps est avec nous. On a salué les parents, les amis, Josée est en sécurité, notre troisième étage aussi, on file maintenant, pouce en l'air, vers Saint-André-Avellin pour une première halte. Dans deux jours nous coucherons à Chicago. On ne va jamais au Mexique sans passer voir les Grands Lacs.

28

Les voyages forment la jeunesse. Celui-là nous a formés, c'est vrai. Dix semaines au large, 9,000 milles de route dans le corps, un seul repas complet par jour à cause de notre budget serré, on en a vu de toutes les couleurs.

Les États-Unis : un grand cirque luxueux qui nous aurait amusés comme des enfants s'il n'y avait pas eu tant de Noirs dans le paysage, tristesse collée aux yeux et toujours à part du monde. Le Mexique, lui, pays du pittoresque et de la pauvreté comme on nous l'avait dit, avec au beau milieu un Mexico plein de contrastes : les classes riches d'un bord et les misérables de l'autre. Avec notre soif d'horizons, on a baraudé partout avec extase : les pyramides de la Lune et du Soleil, Cuernavaca, Teotihuacán, Taxco. Et les montagnes jusqu'au ciel, et les ânes, les enfants affamés, les corridas, les palmiers, les agaves, les mariachis, les hommes avachis, les femmes marie-quatre-poches, et tout et tout.

Maintenant que notre évasion nous a fait tout le bien qu'elle a pu, c'est fini, on tourne la page et on n'en parle plus. Tout ce qu'il nous reste à faire c'est de nous raccrocher à notre réalité, mais avec du sang nouveau. Nous retrouvons Josée avec une émotion qui tourne aux larmes; à côté de nos chambres de voyage à deux piastres, notre logement nous apparaît grand et luxueux. Les amis, les parents n'ont plus le même visage, c'est tellement évident que je suis sûr d'avoir franchi deux ans en deux mois. Françoise s'affaire à reprendre le fil des choses et moi, tout en retâtant distraitement ma guitare, je pense fort à me trouver une nouvelle djobbe. Quelque chose de différent et que j'aimerais...

En attendant, j'ai recours à Marcel pour lui emprunter un peu d'argent, il faut bien vivre. Marcel, mon frère, mon meilleur ami, est toujours à Saint-André. Au premier signe, il ne m'a jamais fait défaut. Cette fois-ci, répondant par lettre à ma demande, il se montre encore généreux: « Je sais que les artistes sont toujours mal atriqués financièrement, je t'envoie donc un mandat de poste... » Sacré Marcel!...

Le temps ne met pas de temps à nous tirer d'embarras. Au lieu de rester dans la maison à bayer aux corneilles, on bouge. Nos sorties en ville nous désennuient — ma sauvagerie est moins pire — et nous enrichissent de nouvelles rencontres. Parmi elles: un couple de comédiens. À

notre âge, quand ça colle, ça ne veut plus dé-
mordre. Lui, un tendre, plein d'humour, et qui
joue des rôles dans des pièces de théâtre pour
la télévision de Radio-Canada qui fait ses débuts; elle, une inquiète, mais jolie, charmeuse,
et qui semble plus habile à parler d'art dramatique qu'à jouer...

Eux et nous, ça fait rapidement comme les
quatre doigts de la même main. Ils viennent à
la maison, nous allons chez eux. Notre amitié
va si bon train qu'elle se change sans qu'on s'en
aperçoive en sentiments amoureux: moi pour
elle, lui pour Françoise. Nos soirées ensemble
s'étirent, s'allongent et finissent par ressembler
un peu beaucoup à des nuits complètes où il
se passe des choses qui sortent de l'ordinaire.
C'est quasiment trop pour le dire. En tout cas,
au début, tout se fait si naturellement et si librement que personne pense à en souffrir. Ce
n'est qu'à un moment donné, où le fer est si
chaud et les relations si poussées, qu'on se rend
compte du danger qui nous guette...

— Les enfants dans tout ça?...

— Ben oui, les enfants...

Alors, lui le comédien tendre et plein d'humour, décide un soir de mettre le holà à tant
de folies: « Nous nous reverrons plus tard,
quand nous serons de vieux sages... »

J'ai dit qu'à notre retour du Mexique le
temps nous avait vite tirés d'embarras. C'est
justement ce comédien qui, nous quittant, me
serre une dernière main, me disant d'aller à
Radio-Canada, qu'il avait fait une démarche

pour moi auprès du directeur de la scénographie et que j'avais des chances de trouver là un poste d'accessoiriste pour les studios de télévision.

Un autre mur d'abattu. À Radio-Canada, je vois un certain monsieur Lefebvre qui ne branle pas dans le manche et m'engage aussitôt comme accessoiriste. Mes années de Beaux-Arts et mon chum le comédien ont été mes deux grandes chances. Françoise soupire de soulagement. Plus de maux de tête ni d'insomnie...

— Tu pourras écrire des chansons à ton goût...

— Oui pis j'commence tout d'suite des cours de guitare classique...

Rue Dorchester près de Guy, premier matin à Radio-Canada, je suis au spot. Premier contact aussi avec les studios — très impressionnants avec leurs décors, caméras géantes, projecteurs — les salles de contrôle, salles de maquillage, magasin d'accessoires et ateliers de toutes sortes. Je ne connais personne mais je sens bien que je croise des gens importants. Le confrère accessoiriste qui me fait visiter n'arrête pas de faire la pie :

— Ça c'est un réalisateur... Lui, un régisseur. Elle, c'est Michèle Tisseyre, une animatrice. Lui, c'est Émile Genest, comédien. Un annonceur, un chef d'orchestre, madame Alarie, une danseuse, un chanteur... Miville Couture, Gratien Gélinas, Denise Pelletier...

Le sang me monte au visage et je reluque partout, gêné, sans pouvoir dire le moindre mot. Je garde pour moi mes réflexions: Quel milieu plaisant! Icitte, j'vas en apprendre des affaires...

Enfin, ma tournée se termine dans le bureau du patron qui me dit:

— Tu feras d'abord un stage de magasinier. Ça va t'aider avant d'passer dans les studios.

— C'est quoi ça un magasinier?

— C'est le responsable au magasin d'accessoires. Tu auras à contrôler toutes les sorties et les rentrées de chaque émission.

Cette nouvelle me donne un coup, mais pas trop fort. Je ne peux toujours pas commencer l'échelle à l'envers. Déjà chanceux d'avoir une place...

Une fois renvoyé au bureau de mon chef d'équipe, j'apprends qu'être magasinier ça veut dire aussi commencer à 5 heures du matin et faire des journées de dix, douze heures. Ça c'est une nouvelle qui me donne un coup pas mal plus dur que le premier.

— Pourquoi 5 heures du matin?

— Parce que décors et accessoires s'installent de bonne heure pour l'éclairage et les répétitions...

— Ah...

— C'est payant, tu vas t'faire d'l'overtime...

— Ah...

À la maison, le mouvement s'est tout bonnement remis en marche. Françoise s'est inscrite à un cours de danse chez madame Chiriaeff. Une nouvelle échappée. Je ne suis pas contre.

Notre voyage au Mexique est passé aux oubliettes et Josée a commencé son école. Étant donné que je dois me lever à l'heure des poules, il va sans dire que le soir, je caille et me cante pas longtemps après le souper. Avec ma femme, ça fait des veillées plutôt écourtichées ; avec ma guitare, mes poèmes, mes chansons, ça ne fait plus de veillées pantoute.

— Faut pas t'laisser abattre pour ça...

— Non, mais j'ai hâte en maudit d'passer accessoiriste pour avoir des heures plus normales...

Tout à coup, l'idée me vient de prendre le beu par les cornes : Si j'm'emportais du papier à Radio-Canada, j'pourrais écrire... Dans mon coqueron d'accessoires, à 5 heures du matin quand j'ai rien à faire, y a pas un chrétien qui pourrait m'empêcher d'composer...

C'est fait. Mon idée prend sa forme et j'emporte aussitôt à l'ouvrage mon gros cahier noir qui contient tous mes textes de chansons, mes poèmes, mes barbouillages. En un rien de temps, on s'habitue à tout, j'arrive à me sortir des vers du ventre aussi bien le matin, peut-être mieux, que le soir. Entre le montage des émissions « Tourbillon » et « L'île aux trésors », j'écris :

Ballotte mon bateau, sans armes ni manteau ; ballotte bien ton gueux et fais-en ce que tu peux.

Entre « La Famille Plouffe » et « Le Théâtre Colgate », j'écris :

Les pissenlits sont sortis comme des chandelles dans l'herbe ; il ne fera plus jamais nuit, la voilà ta vie en gerbe.

Ce sont des chansons. Pour le moment, ça va, je les écris et c'est le principal. La musique viendra en son temps.

Les confrères accessoiristes me trouvent drôle. Bizarre plutôt. Courant toujours après du temps libre, cela m'empêche de me mêler, d'échanger. J'aime mieux être seul, caché derrière mes tas d'accessoires que de parler avec eux de la Ligue du Vieux Poêle et du hockey. Je me fais souvent taquiner:

— Pour un gars d'Beaux-Arts, comment ça s'fait qu't'écris?

— Un poète icitte... ça fait déplacé...

Laissez faire, les gars, un jour j'chanterai devant les caméras et vous rirez plus, que je leur dis, intérieurement, sans ouvrir la bouche.

— Viens prendre un verre à la taverne avec nous autres...

— Merci, un autre fois...

C'est dur, mais, veux, veux pas, je m'adapte. Quoi faire d'autre?... Pourvu que j'aie une ou deux heures bien à moi tous les jours, c'est déjà mieux qu'à l'Hydro.

Quand je sens le souffle me revenir pour de bon, je réalise mon dernier rêve: prendre des cours de guitare classique. Stephan Fentok devient mon professeur. À côté de mon italien Funaro d'autrefois, Fentok me paraît sévère et très fort sur la discipline. Tant mieux. Avec lui, il faut pratiquer deux heures par jour: c'est en plein ce qu'il me faut. Première exigence: changer de guitare au plus sacrant. Ce que je fais avec grand bonheur. Enfin, comme un objet sacré, je tiens dans mes mains un bel instrument en bois blond et mince, avec cordes de nylon, et dont la seule sonorité me rend fou en partant. Un cours, deux cours, trois cours, et c'est accroché. La joie qui m'habite, je crois dur comme fer qu'elle ne me lâchera plus jamais. En tout cas, cette joie-là me rapproche de la maison, de Françoise, de Josée, et aussi, bien sûr, de tous mes poèmes qui n'en peuvent plus d'attendre leur musique.

Mon professeur sévère m'a embarqué dans des études qui me demandent tout mon petit change. Surtout côté concentration. Une méthode en trois volumes d'un grand guitariste nommé Tarrega n'est pas sans m'énerver sur les bords, moi qui n'ai jamais su lire la musique.

— Tu es ici pour apprendre, tu apprendras...

Il a bien raison. Fidèle à mes exercices de chaque jour, je développe ma main gauche, ma main droite, et peux jouer rapidement toutes sortes d'arpèges. Mais les arpèges, à la longue, ça devient ennuyant. Fentok n'est pas fou... À travers ça, il a la bonne idée de me faire apprendre des petites sonates, gavottes et bourrées qui deviennent mes plus belles récompenses. Un jour, quand j'en arrive à être capable de jouer, presque aussi bien que lui, *Lagrima* de Tarrega et une Étude de Fernando Sor, là c'est le bout de la fête. Une fête qui devrait toujours durer...

Le plus beau dans cette histoire de guitare c'est qu'il m'est de plus en plus facile de créer

des chansons et de les accompagner avec accords et arpèges toujours plus savants, plus
merveilleux. C'est alors que dans ma tête j'ai
bien fini de me poser des questions : c'est clair
comme bonjour, je suis poète et chansonnier,
même si pour le moment je suis le seul, à part
ma femme, à le savoir.

29

Dans ce grand Montréal, que je vois comme un champ de bataille à n'en plus finir, une rencontre importante: Roger Varin de l'Ordre du Bon Temps. Le premier gars qui écoute mes chansons avec intérêt et même admiration. Tellement qu'il va jusqu'à m'enregistrer avec un micro et une machine... C'est vrai que j'en ai regagné avec le temps, mais ce Varin, comédien sympathique et grand amoureux du folklore québécois, tombe en amour avec mes créations, me prend en charge et ne veut plus me lâcher. Pas avare de son temps pour deux cennes, il m'écoute, me conseille, me corrige, visage toujours souriant, et ça dure des heures, des veillées, des semaines. Quand il me sent mûr, il me lance:

— Samedi prochain, tu chantes en public.

— Es-tu fou?

— J'ai une soirée de folklore au centre de loisirs de la paroisse Saint-Édouard, tu seras notre artiste invité.

Des frissons me prennent et la gorge me serre.

— Aie pas peur, ça va bien aller.

Le soir venu, je me suis pratiqué comme un damné, j'arrive dans une salle pleine de monde — je crois comprendre qu'il y a eu un souper aux bines car ça sent partout — et vais me cacher dans un coin derrière une sorte de paravent qui me sert de coulisse. Varin m'arrive :

— Pas trop nerveux ?

— Non...

Quelle menterie ! J'ai peur de la tête aux pieds. Il disparaît pour se rendre en avant de la salle et grimpe sur une plate-forme où se trouve un micro monté sur pied. Lui, comédien, il n'a pas frette aux yeux :

— Mesdames et messieurs... Ce soir, notre artiste invité est un jeune poète de grand talent. Il fait ses propres chansons et je vous prierais de bien écouter tout ce qu'il a à dire...

Après une présentation interminable, les jambes comme deux guénilles, guitare à la main, j'arrive enfin sur la plate-forme. On entendrait voler une mouche. Ce silence me donne des coups effrayants dans la poitrine. Au pied du micro, il y a une boîte à beurre. J'y mets la patte avec précaution et plaque les premiers accords de ma première chanson.

Un poète des rues, dont je n'ai jamais su le nom, a quitté mon pays de misère...

Sous un projecteur qui m'aveugle, c'est parti, ça va tout seul. Jusqu'aux applaudissements. Et puis deux, et puis trois chansons. Le monde aime ça, c'est l'attention de la salle qui me le dit. Moi j'aime ça aussi. Une fois réchauffé, je sors tout ce que j'ai de meilleur en moi et ça dure comme ça pendant une heure.

Quand c'est terminé, au bout de mon rouleau, trempe en navette, je me sauve derrière mon paravent, sans même avoir salué un public qui n'arrête pas de taper des mains. C'est Varin qui va saluer à ma place et dire le mot final. Moi, je ne veux plus sortir de ma cachette.

Ce sacré Roger Varin se met à me traîner partout. Depuis mon premier tour de chant du souper aux bines, la confiance s'est installée en lui, en moi, à tel point que nous nous sentons partis en grande et pas question de reculer. Il me fait chanter dans des salles paroissiales, des salles de banquet, et enfin, dans les Laurentides, dans des centres de jeunesse, La Cordée, Rabaska, où la poésie et le folklore font mauditement bon ménage au coin d'un gros feu de foyer.

— Habille-toé, on monte dans l'nord...

Françoise est contente. Chaque fois qu'elle le peut, elle m'accompagne. C'est une femme qui ne se fait pas tirer l'oreille pour sortir et en même temps elle me fait le meilleur des juges.

— Tu fais des progrès mais surveille ta diction. Fais attention à tes finales...

Reste que tous ces petits récitals m'aident gros à mieux supporter ma djobbe à Radio-Canada. Je souffre moins d'un bord quand je me fais du bien de l'autre. Je continue de plus belle mes cours chez Fentok et n'arrête pas d'écrire.

Il y a aussi les rencontres qui sont importantes. Il ne se passe pas une seule veillée de chansons sans que je sois mis en contact avec des gars aussi intéressants les uns que les autres : Guy L'Écuyer, le père Ambroise Lafortune, Gaston Miron. Ce dernier est un grand noir, aux lunettes noires aussi, nerveux, gesticuleux, voix forte, rustre, et qui fait grosse impression. De lui, les uns disent qu'il est cabotin, les autres qu'il est don quichotte. Pour le moment, tout ce que je sais et qui m'intéresse en lui c'est qu'il est poète et qu'il aime bien chanter des chansons de folklore. Avec un gars comme lui, je me sens naturellement en famille et ça, je ne peux jamais le refuser.

Capable de s'imposer sans la moindre cérémonie, ce Miron ne met pas de temps à forcer mon attention sur tout ce qu'il est et tout ce qu'il fait...

— J'ai publié en 53 un recueil de poèmes avec Olivier Marchand. Ça s'appelle *Deux sangs*. Tiens, r'garde-moé les titres là-d'dans : *Oh, secourez-moi, Les bras solitaires, Potence...*

Pendant que je feuillette sa plaquette, il se colle et me bouscule de sa voix épeurante :

— Pis c'pas toute ça !... C'te recueil-là marque la fondation des Éditions de l'Hexagone. On a parti ça, moé, Gilles Carle, Louis Portugais, pis d'autres gars... On a déjà trois autres plaquettes de sorties, des bons poètes : Luc Perrier,

Jean-Guy Pilon, Fernand Ouellette. Veux-tu publier? Montre-moé tes poèmes...

Il a bien parlé une demi-heure avant que je puisse placer un mot:

— Bon, correct, ça m'ferait plaisir que tu lises mes choses...

Comme j'ai affaire, c'est facile à voir, à une espèce d'engagé enragé dans le monde de la poésie, je ne perds pas une minute et lui emporte un soir mon meilleur choix de poèmes que j'ai pris soin de bien taper à la machine. Avec Miron l'actif, le dynamique, ça ne niaise pas. Aussitôt lu par l'équipe de l'Hexagone mon manuscrit est accepté. En peu de temps, il est publié dans la collection « Les Matinaux » sous le titre *Du centre de l'eau.* Pas besoin de dire que cela me remue fortement: je sens une joie qui me rend fier, et, en même temps, de voir mes textes imprimés me crée un trac pire que le tour de chant. J'ai peur. Moi qui trime tant pour m'exprimer et voilà que tout à coup je file tout mal d'être mis à nu aux quatre vents...

L'Hexagone me présente comme un poète instinctif et douloureux accordé aux éléments; Miron dit de moi que je suis l'angoisse cristallisée; les critiques viennent vite pour dire à tour de rôle que je suis un poète de l'amour. Qui croire? Quel chemin prendre? Marcel s'adonne justement à venir de Saint-André pour me voir à Montréal. Lui qui ne sort presque jamais, il arrive à point.

— J'te dis mon vieux que j'suis mêlé de c'temps-là...

Et je lui montre mon petit livre de poèmes. Pendant qu'il y jette un coup d'œil, je flambe trois cigarettes d'affilée. Il fronce les sourcils et me parle avec tendresse, comme toujours :

— Moé, ça m'fait rien... mais à ta place j'continuerais à faire des chansons... C'est ça qu'est beau, avec ta guitare...

Marcel a parlé. Ses mots simples me font du bien. Avec lui, pas de tricherie, ni de petites manières, ni de bebites d'intellectuel. Pour son plaisir et le mien je lui chante mes nouvelles chansons. Il écoute religieusement, il aime ça et me le dit tout doux avant de s'en retourner. Une fois seul, je passe une nuit blanche à me répéter que mes prochaines créations devront dire mes racines profondes comme jamais je n'ai su le faire jusqu'ici.

Le temps file et il s'en passe des choses. À Radio-Canada, je suis sauvé de ma djobbe puante de magasinier et me voilà promu accessoriste. Enfin, je pourrai travailler dans les studios, voir du monde et toucher les artistes presque de la main. Cette perspective me réjouit mais, bon Dieu que ça ne fait pas long feu. D'un côté, je suis obligé de continuer à puncher une carte de temps comme avant, ce qui me crée en dedans un sentiment d'humiliation que je n'arrive pas à digérer; et de l'autre, quand je me vois pris pour mettre dans un décor un simple tabouret pour un chanteur, ou tenir un texte devant la face d'un comédien caché sous un théâtre de marionnettes comme « Pépinot et Capucine », ça fait mal à ma fierté au point que j'aurais le goût de tout sacrer en l'air. Moi, poète... moi qui fais des chansons, comment servir les autres à quatre pattes sans en rougir de honte.

— Christ que ça peut être dur d'avoir à gagner sa vie en dehors de c'qu'on aime !

— Filion, décourage-toé pas...

Les gens ignorent tout de ce que je suis, de ce que je fais. Et ça, à tort ou à raison, ça me met le feu au cul. Il n'y a pas un maudit chat qui semble être au courant que la semaine dernière j'ai chanté à l'Auditorium de l'Université de Montréal ; que la semaine prochaine, je chanterai avec Thérèse Renaud au théâtre de l'École des Beaux-Arts ; que j'ai deux engagements de signés : un au théâtre Anjou où je chanterai avec Claude Léveillée, et l'autre au Centre d'Art de Sainte-Adèle ; que Jacques Douai, grand folkloriste français nouvellement arrivé à Montréal, est venu chez nous écouter mes bobines de chansons et qu'il en a choisi trois pour mettre dans son tour de chant... Qu'est-ce qu'il faut donc que je fasse pour qu'à Radio-Canada on me dise : « Ta place n'est pas dans les accessoires, viens donc chanter devant les caméras... »

Non, rien n'est si simple. Françoise et les proches amis me le répètent sur tous les tons : « Faut y mettre le temps, la patience. T'es trop pressé... Regarde Félix, regarde Brassens... Continue... »

Oui, justement, c'est peut-être à cause de ce sapré Brassens si j'ai tellement envie de prendre ma place de poète-chansonnier au plus sacrant. Je l'ai découvert dernièrement chez des amis, sur disque, et ça m'a donné tout un coup. Peut-être pas aussi fort que pour Leclerc, dans le temps, mais presque. Et chaque fois que j'ai un coup de poésie comme celui-là, j'en perds les nerfs, m'excite, veux multiplier mes pas pour aller plus vite et arriver moi aussi dans ce lieu que je vois clair comme un paradis tellement l'expression est à point, inspirée, totale. Ai-je tort de me laisser emporter comme un billot sur l'eau? Pourtant non... On n'aime que ce qui nous ressemble. Brassens et sa façon de faire des pieds de nez à l'ordre établi et aux bonnes manières, c'est un peu moi. Brassens, un tendre, un timide, qui transpire d'angoisse, c'est moi aussi. Brassens, solitaire, écrivain, et qui cherche sa porte de sortie, et qui se bat contre le naufrage, comme Félix se bat contre la médiocrité, c'est encore moi. Toujours bibi en mal d'un monde plus beau où ce serait juste un peu plus vivable.

Reste que, choc après choc, leçon après leçon, j'en arrive tranquillement à mieux trouver les mots qui collent à ma vraie nature et c'est ce qui compte. Quand j'étais enfant, papa m'avait dit une fois: « Parle tant qu'tu voudras, mais conte jamais d'menteries. »

La vie me charrie. À Radio-Canada je rencontre une grande noire, genre agaceuse, qui m'invite chez elle et me fait sauter dans son lit. C'est humain. Mais je m'en sors avec du mal dans tous les recoins de mon corps. Je bouillonne: C't'aventure aurait pu m'coûter cher... J'suis fou d'avoir joué avec le feu. Qu'est-ce qui m'a pris d'la tromper? Elle doit avoir des doutes, j'trouve qu'elle est pas dans son assiette...

On est à table et c'est l'affreux silence. Écrasant. Communication coupée. Françoise rumine de son bord, moi du mien. Ça devient insupportable. Je prends une chance:

— T'as l'air drôle...

— C'est toi qui as l'air drôle... Tu penses m'avoir tout caché... j'ai tout su...

— Tout su quoi?

— Ton aventure...

— Qui t'a dit ça?

— Laisse faire... Tout c'que j'peux t'dire c'est qu'l'autre jour, j'ai fait ma valise...

Le silence n'est plus lourd, il ressemble à la mort. Me relever les yeux, la regarder en face et parler me demande toutes mes forces.

— Ç'a été une folie... Peux-tu m'pardonner?

Elle prend une longue respiration et m'emmène sans effort sur son terrain:

— J'veux plus qu'on parle de ça.

— J'pense que ça serait mieux...

— J'aimerais plutôt qu'on parle de notre logement... Tu peux pas savoir comment j'suis tannée d'vivre icitte...

— Moé aussi...

— On a même pas d'télévision...

— Ça va venir...

— Quand on va chez les amis, t'as pas remarqué qu'c'est toujours plus grand et mieux organisé?...

— Oui j'ai remarqué...

— T'en souffres pas?

— J'souffre surtout d'pas avoir le talent d'gagner assez d'argent pour t'offrir plus d'confort...

— C'pas ça que j'demande...

— Voyons donc... ces derniers temps, t'as parlé d'travailler pour aider à joindre les deux bouts, penses-tu qu'ça m'aide dans ma fierté?

— Prends pas ça d'même... j'ai dit qu'on arriverait mieux si...

Elle a tenu son bout et gagné. Elle s'est trouvé un emploi à temps partiel comme démonstratrice de produits de beauté. Le soir. Elle doit voyager en dehors de la ville et rentrer tard. Mener ça de front avec ses cours de danse qu'elle aime toujours et les travaux du ménage la fatigue. Elle rouspète à la moindre occasion. Surtout quand ses produits de beauté se vendent mal. Moi, j'avoue que j'ai le grain serré, de plus en plus, devant une situation que je trouve plutôt encombrante...

— Lâche donc ça, on peut s'arranger avec mon salaire, non?

Elle toffe encore un temps et finit par céder. Mais c'est pour aussitôt commencer autre chose ailleurs. Cette fois, il semble que ce soit un peu plus à son goût puisqu'elle se déniche quelque chose dans l'enseignement comme professeur de gymnastique. Ses cours chez madame Chiriaeff lui donnent tous les atouts pour ce genre de travail. Deux jours par semaine, l'agence qui l'emploie la trimbale donc dans les banlieues de Montréal et plus loin à la campagne, des fois jusqu'à Rawdon.

Au début, ça va. Tout beau tout nouveau. On fait garder Josée par les voisins. Je tiens le coup à Radio-Canada, avec d'autant plus de facilité que je viens d'avoir une promotion de dessinateur qui me donne droit à un bureau avec table à dessin, ce qui m'éloigne définitivement des studios qui commençaient à m'écraser le moral. Mes heures de travail sont carrément normales: 9 à 5. Mon salaire grimpe. J'en profite pour essayer encore une fois de libérer Françoise de son travail extérieur qui me donne mauvaise conscience chaque fois que je la vois rentrer à moitié morte...

— Pourquoi tu tiens tant à donner des cours? C'pas humain de t'fatiguer comme ça...

— J'peux pas abandonner mes groupes d'élèves, l'année est commencée, faut que j'la finisse.

— Bon...

À travers toutes mes broussailles, je viens quand même de réussir à casser la glace à la télévision. Enfin. Deux chansons pour l'émission « Rendez-vous avec Michèle ». Quand j'ai vu les grosses caméras foncer sur moi avec leur petite lumière rouge, j'ai failli tomber de trac. Mais j'ai tenu bon. Pas pire. Tout de suite le lendemain, je me suis dit: Le principal c'est que tu sois pas mort de peur...

Au téléphone, on m'invite déjà pour une autre émission, une demi-heure, complète celle-là, «Champ libre», réalisée par L.-G. Carrier. C'est un honneur, c'est la gloire. Je dis oui, avec la chienne dans la voix, mais en même temps je saute au plafond. Je leur passerai mes plus belles, mes plus poétiques. Et patati et patata.

Rue Saint-Denis, ça fait exprès. Françoise occupée comme une folle, moi comme un fou, un samedi midi voilà mon père qui nous arrive, dans la porte comme une apparition, lui qui n'est jamais venu... Mais qu'est-ce qu'il a? Il a bu?... Il déparle et chambranle comme à Saint-André quand j'étais jeune...

— D'où sortez-vous arrangé d'même?

— J'arrive de loin... J'm'ennuyais d'toé...

Il chante, veut manger, demande où se trouve la taverne du quartier. En deux minutes, je comprends tout. Il est allé à l'hôpital Saint-Michel-Archange de Québec pour une cure de désintoxication, il s'est sauvé, s'est acheté une bouteille dans une commission et l'a toute bue dans le train. C'est la deuxième fois qu'il fait une escapade pareille...

Françoise tourne en rond et ne sait trop quoi faire ni quoi dire. Je ne me sens pas mieux qu'elle.

— Qu'est-ce qui vous a pris de déserter l'hôpital?

— Toé, commence pas la chicane...

335

Subitement, le voilà en transe. Son visage devient comme bleu violacé, ses yeux sont vitreux et il n'arrête pas de gesticuler et de dire en bavant des choses incompréhensibles. À un moment donné, en plein corridor, il se tourne, face contre le mur, et se met à battre violemment de la tête en griffant à pleines mains le vide, la tapisserie, le vide, la tapisserie... Il hurle sans arrêt comme s'il se débattait contre des fantômes. Françoise me crie par la tête:

— Fais quelque chose...

Je bondis sur le téléphone et appelle direct à Saint-André:

— Marcel, monte vite chez nous, papa est icitte... ben malade...

Après sa crise, papa s'est mis à pleurer, à nous demander pardon, puis s'est en allé dormir dans notre chambre. Assis près de lui, je ne l'ai pas lâché des yeux. Sa respiration angoissée, son teint blême, sa maigreur, tout son corps me disait qu'il n'en avait plus pour longtemps...

Marcel s'est amené le plus tôt qu'il a pu et, sans perdre une minute, il a convaincu papa de se laisser remmener à Québec.

— Vous faites une cirrhose du foie, faut vous faire soigner...

Puis, désemparé, il m'a regardé avec insistance:

— As-tu l'temps d'faire le voyage avec moé?

Naturellement j'ai dit oui et fait à Québec, aller retour, le voyage le plus sombre de ma vie. À trois hommes, en s'en allant, le mot mort s'est prononcé au moins vingt fois. Au retour, Marcel et moi on a trop jonglé pour être capables d'ouvrir la bouche.

Ça fait à peine trois jours que la chose est arrivée et j'ai encore un mal de chien à retrouver mes sens. À Radio-Canada, ça travaille en boitant; à la maison, ça vit dans un silence de pierre. Mais, derrière tout ce mal, il y a un bien de caché qui finit par se montrer le nez. Une sorte de lumière en pleine nuit. La mort prochaine de papa, au lieu de me faire brailler, me ramène plutôt à lui, à Saint-André-Avellin, ma vraie source. En pensée, en émotion, en sentiment, je redécouvre toute l'affection que j'ai pour Marcel et ma mère. Tous les paysages tant aimés de mon enfance remontent en surface. Une grande chaleur m'envahit. Et ça m'inspire les meilleures choses...

J'écris. Avec un souffle tout différent. Riche. Plein d'une sève qui ne peut venir que de mon arbre à moi. Au lieu de parler de mon pain dur, de mes pleurs, mes angoisses, me voilà parti à faire des chansons aux couleurs campagnardes, avec poésie, fantaisie, humour. Sans honte, je remets au monde des personnages que j'ai connu: La Pitro, Monsieur Guindon. Rien qu'à penser au violon de papa et à ses reels, je réinvente des airs à partir d'une musique qui m'habite secrètement (moi aussi j'ai joué du violon plus jeune, mais en mettant les pieds à Montréal, ça a été fini... à cause de la gêne) et voilà des chansons qui naissent comme un folklore nouveau: *La Parenté, Su'l'chemin des habitants*. Françoîse en devient tout abasourdie :

— C'est drôle, avant t'écrivais beaucoup sur le mal de vivre, et te v'là rendu à faire des choses toutes fraîches, toutes légères...

— Faut croire que j'réagis contre l'espèce de défroqué qu'j'ai été...

Ces bonnes retrouvailles avec un monde que j'ai trop longtemps essayé d'oublier me collent une nostalgie maudite pour tout ce qui s'appelle la campagne. La ville, les tramways, notre troisième étage, tout me pue au nez comme jamais...

— Qu'est-ce que t'en dirais qu'on s'trouve une maison loin d'Montréal ?

— Pas trop loin...

— Disons, en banlieue...

— On a même pas d'voiture...

— On prendrait l'autobus...

L'idée germe et grandit. Bientôt, je serai nommé assistant-décorateur avec meilleur salaire, bientôt ce sera le mois de mai et Françoise achèvera son année d'enseignement. Tout m'aide à fouiller les annonces classées des journaux pour une place qui nous conviendrait et je suis sûr de ne pas rêver en couleur.

30

Châteauguay, sur la rive sud. La place voisine de Caughnawaga. À trois quarts d'heure de
mon ouvrage. La petite maison blanche avec
ouvertures rouges qu'on a trouvée à louer dépasse nos espérances. Devant, il y a une belle
pelouse, et à côté, un garage en ciment. On est
juste au bord de la grand-route mais ce n'est
pas grave, on s'habituera aux bruits du trafic.
Ce sera toujours moins pire qu'à Montréal. L'intérieur où nous aménageons est coquet et bien
arrangé : l'entrée donne sur une grande cuisine ;
à droite, deux belles chambres, une pour Josée
et une qui me servira de pièce de travail ; à
gauche, un salon avec fenêtres jusqu'au plancher où nous nous monterons une salle de séjour avec divan-lit.

— Quand on a visité, ça m'avait paru plus
grand qu'ça...

— Moé aussi... mais c'est plus clair que
j'pensais...

— J'vais trouver ça bon une belle salle de bain...

— Pis t'as une place dans la cave pour faire tes lavages...

L'optimisme l'emporte. Au moins ici on sera rois et maîtres sous notre toit. Pas de bâdrage de voisins qui nous cognent dans les murs au moindre bruit. Et puis, on est à deux pas du village et l'école pas trop loin pour Josée. Et le grand air, Seigneur, le grand air! On pourra aller marcher dans les champs et le long de la rivière quand on voudra, c'est beau partout dans les alentours. De grands sourires nous raniment le visage. Enfin, ce n'est pas trop tôt.

Françoise reprend ses couleurs et sa forme. Elle a abandonné ses cours de danse et terminé ses cours de gymnastique sans s'en plaindre. Elle respire, se tient beaucoup dehors et profite du commencement de l'été pour inviter plus souvent sa famille, maintenant qu'on a plus d'espace et que c'est tellement plus attrayant que sur la rue Saint-Denis.

Moi, cette nouvelle vie à la campagne, je n'en reviens pas encore. Chaque matin, je saute dans l'autobus Valleyfield-Montréal, me cale au fond d'un siège et je lis. Presque toujours de la poésie, ce qui est loin de me forcer car j'en ai régulièrement un besoin fou. Ma journée faite à Radio-Canada, je saute dans l'autobus Montréal-Valleyfield, me cale au fond d'un siège et je lis. Encore de la poésie. Les journées sont longues, je rentre à la maison de clarté et, après le souper, ma grande joie est de soigner mes plates-bandes d'alyssons ou d'aller marcher dans les champs de foin avec Françoise et Josée. Les couchers de soleil sont imbattables, le ciel et le vent nous soûlent, les odeurs nous guérissent de tous nos maux.

— T'aimes ça icitte?

— Oui mon Dieu!

Ma pièce de travail est la plus inspirante de toutes celles que j'ai eues. J'y passe mes fins de soirée et souvent des parties de nuit. Entre une heure de guitare classique et une heure de chanson, l'idée me prend de commencer un journal. Juste pour le fonne. Pour me défouler. Cette formule d'écriture ne me demande ni effort ni recherche, j'écris comme un autre va à confesse. J'invente des lettres à un ami imaginaire que j'appelle Djimo, et lui vide mon sac jusqu'au fond. Ça parle d'amour, de la nature, de religion, de sexe et de musique. En dehors de Djimo, j'écris des espèces de chroniques à tout le monde. Rien de gênant à ça vu que mon fourre-tout ne sera jamais publié. Allons-y donc. Je dénonce la poésie d'évasion et vante la poésie humaine de Pablo Neruda. Me pâme sur *Un simple soldat* de Marcel Dubé, que j'ai vu au théâtre. Raconte enfin que je viens de connaître Félix Leclerc dans un studio de télévision, que je l'ai trouvé rêveur et triste tout seul dans un coin avec sa guitare, qu'on a causé un peu ensemble et qu'il m'a invité à aller chez lui à Vaudreuil lui chanter mes chansons...

Pendant tout ce premier été à Châteauguay,

entre musique et poésie, ce sacré journal réussit quand même à me tenir la main sautillante.

L'automne nous arrive comme un cadeau, ce n'est pas tout le monde qui le voit comme ça... Pour nous, cela veut dire la mort du gros trafic devant la porte et un peu moins de visite. On rentre donc se mettre au chaud, dans la laine de l'intimité. J'ai acheté une télévision de seconde main qui nous vaut de l'or. Nous qui avons, sûrement par snobisme, tant gueulé contre et craché sur cet appareil mondain si méprisable, nous voilà tout à coup intéressés à voir des films, écouter les nouvelles, et même regarder les premières parties de hockey de la saison. Françoise, plus mordue que moi, y passe des heures. De mon côté, j'ai plutôt tendance à un moment donné à me sauver du salon pour gagner ma pièce de travail qui ne me part jamais de l'idée.

Derrière chez nous habite Ernest Pallascio-Morin, écrivain, dramaturge, auteur radiophonique, mais, avant tout pour moi, un personnage des plus sympathiques, drôle et attachant. Le plus naturellement du monde, lui et sa famille deviennent en un jour des amis irremplaçables...

Plus âgé que moi, Pallascio m'apprend beaucoup de choses sur nos réalités sociales et politiques. Moi qui fus toujours si loin de ces questions, je me laisse facilement emporter par les propos fougueux, passionnés d'un homme mûr, renseigné comme un pape, et qui ne manque pas d'influencer tout mon état d'esprit sans que je le dise à personne. Quand il m'apprend qu'il veut se présenter dans notre comté aux prochaines élections, ouf! je me dis que j'ai affaire à quelqu'un de sérieux et que c'est une chance pour moi d'avoir un voisin qui peut m'instruire de long en large sur le rôle des grandes compagnies américaines et canadiennes-anglaises dans notre société, sur l'industrialisation du Québec, sur Duplessis qui ne pourra plus longtemps, de connivence avec le clergé, maintenir le peuple dans l'ignorance, sur l'exploitation des travailleurs et quoi encore.

Jamais un sans deux: au même moment, je me fais ami à Radio-Canada avec Jean-Robert Rémillard, réalisateur, un original de la pure espèce qui, le jour, vient travailler en ville et, le soir, rentre chez lui au fond des campagnes, à Saint-Benoît, où il a une terre, des moutons, des chèvres et une famille de cinq. Lui aussi est écrivain, poète et dramaturge. Rustre, direct, gueulard, c'est un autre mordu de la chose sociale et politique. Plus jeune que Pallascio, plus bouillonnant, plus radical, je reçois à son contact de nouveaux enseignements sur la pourriture de notre système, sur les saloperies de nos colonisateurs capitalistes étrangers, et sur notre peuple aliéné jusqu'aux os. Il me présente sa femme, je lui présente la mienne et paf! une solide amitié s'installe. C'est le commencement d'un long dialogue sur Radio-Canada, le second métier de l'artiste, la poésie, la ville, le théâtre, la campagne, les animaux, la famille, l'engagement social de l'écrivain, la religion et le reste.

Jugeant cette amitié plus précieuse que tout — Saint-Benoît, c'est loin de Châteauguay et il faut bien y aller — je décide du jour au lendemain de m'acheter un char usagé. Trois cents piastres. Un gros montant. Comme Marcel est toujours plus en moyens que moi, je me fais baquer par lui. Encore une fois.

— On va trouver ça commode...

— Pourvu qu'y tienne le coup...

Un samedi soir, pour étrenner le tacot, on part donc veiller chez les Rémillard. J'emporte ma guitare. On pourra revenir tard dans la nuit, plus de problèmes maintenant qu'on peut se déplacer comme on veut...

Les Rémillard ont aimé mes chansons, on a conté des histoires autour de la table de cuisine, on est allé voir les bâtiments, les animaux, et la veillée s'est terminée avec un Jean-Robert en pleine forme qui nous a lu des passages d'une pièce qu'il est en train d'écrire, et qui nous a aussi fait la surprise de nous montrer les chansons qu'il composait. Étonnant comme tout. Ce sont des chansons câlées, sans musique, et Jean-Robert les gueule tout en tétant une rouleuse et en tapant du pied. J'ai écouté ça avec le plus grand emballement, surtout qu'il y avait dans tous les textes une portée sociale, un engagement que je ne retrouve nulle part dans ce que je fais.

Après la conscience politique de Pallascio-Morin, après le coup de foudre de la poésie engagée de Rémillard, me voilà en face d'un beau mur de questions dans le genre : Faut-il créer de la beauté à partir de l'inconscient, comme le voulaient mes anciens amis à Montréal, ou bien faut-il exprimer une poésie organique à partir du social qui nous entoure ? Quand la tête commence à me brûler à cause de niaiseries intellectuelles pareilles, je vendrais mon âme au diable. Et pourtant... Même s'il me semble ne pas avoir triché en rien depuis le temps que je fais des chansons, je ne peux pas empêcher ces questions-là de me retorturer l'esprit jusqu'à m'épuiser. Françoise, toujours plus forte que moi pour mesurer, juger, rationaliser, m'indique le chemin :

— T'as qu'à essayer d'en faire des chansons engagées, tu verras si ça t'vient naturellement... Moi j'sais plus...

Et je m'essaye. Et j'en fais. Trois, quatre. Sept, huit. Ça parle d'usines, de mineurs, d'ouvriers mal payés, d'injustice, de boîtes à lunch, de chantiers et de patrons à fusiller. Ça me fait un répertoire tout différent. Tellement que lorsque je tente de me montrer moi aussi poète engagé devant les intimes, je ne me reconnais plus moi-même. Il y a quelque chose qui cloche. Ces chansons détonnent et je les rends mal parce qu'elles me viennent plus de la tête que des tripes. Un bon ami se décide à me dire que ça fait « pas senti » et que la meilleure manière d'être engagé est de rester intègre et d'écouter ses intuitions.

Merci le bon ami. Sans tarder, je maudis là toutes mes prétentions littéraires et compose en un soir une chanson vraie que m'inspire la solitude de mon père, proche de la mort, qui ne vit plus qu'avec des chiens, loin du village et de la famille, et que j'intitule *Où c'est qu't'as mis ta blonde*. Quand je suis d'équerre avec mes éléments, c'est là que crèvent mes angoisses et que je goûte toutes les joies de la simplicité. Je me rends bien compte, au fond, que le vrai secret est de ne pas se prendre pour un autre.

Comme si de me sentir bien dans ma peau me préparait fatalement à passer un cap important, sur ces entrefaites Françoise m'apprend justement une grande nouvelle : elle est enceinte. Je deviens rouge, vert, blanc, souriant, pleurnichant. Et avec des yeux jamais assez écartillés pour tout voir d'un seul coup : le passé, le présent, l'avenir.

— Mais... Josée a six ans...

— C'est ça, ils en auront sept de différence...

Et l'on s'accroche, dos redressé, au ciel clair, à demain, à tout le temps que l'on regarde devant soi. Il faut se faire une nouvelle vision, essayer d'imaginer la nouvelle famille. Le dialogue va bon train :

— Deux, c'est toujours pas une grosse famille...

— Non, quand on voit les Bellefleur, les Pallascio-Morin, les Rémillard, tous des couples qui en ont eu cinq...

— Ça t'fait peur?

— Pas l'moins du monde...

— Où c'qu'on va l'coucher?

— On lui montera un lit dans la chambre de Josée...

— Pourvu qu'ce soit un garçon...

— Oui, on aurait l'couple...

L'hiver va bon train. Avant longtemps, j'attendrai la première corneille qui viendra m'aider à chanter encore plus fort et mieux que jamais.

À Radio-Canada, les semaines, les mois me trimbalent d'une situation à l'autre, on n'a qu'à se laisser faire. Être assistant-décorateur c'est être l'assistant de n'importe quel décorateur. J'ai été chanceux. Après un stage aux émissions d'enfants, me voilà rendu l'assistant de Fernand Paquette, un décorateur de talent qui n'a que de grosses émissions et avec qui je m'entends à merveille. Tous les deux, nous faisons spontanément une bonne paire d'amis et cela m'aide à gagner ma croûte avec le moins de frustration possible. Il est comme moi, il a un moyen d'expression qui le tiraille en dehors de son gagne-pain, c'est la sculpture. Lui aussi est allé aux Beaux-Arts. Lui aussi est marié, a des enfants et habite en dehors de la ville. On peut donc se parler et se comprendre de fond en comble à longueur de journée.

— Faut absolument qu'tu viennes veiller à Saint-Jean avec ta femme et que j'vous montre mes sculptures...

— Faut absolument qu'j'emporte ma guitare et que j'vous chante mes chansons...

347

Depuis qu'on a notre voiture, beau temps mauvais temps, on ne se fait pas prier pour sortir. Aucun mal à ça, au contraire. Moi, d'une fois à l'autre, chanter dans un salon ou une cuisine me donne du métier et je sens bien qu'avant longtemps je serai moins sauvage et que mon trac me laissera tranquille. Allons-y donc chez les Paquette puisque c'est en forgeant qu'on devient...

Et l'on y va, et j'y donne, tête baissée comme un bouc, mon tour de chant devant un groupe, un peu gênant, mais pas gêné pour applaudir.

De pâmage en pâmage, mon chemin se trace. Penché sur ma table à dessin à Radio-Canada, je suis souvent dérangé par le téléphone: des gens m'appellent pour des engagements qui commencent à faire mon affaire: le Cercle Universitaire pour que je chante à une réunion du mouvement de l'Alliance Laurentienne, une salle de collège à Saint-Eustache, un camp de jeunesse à Valleyfield, une soirée de folklore à Val-David et un tournage de film pour illustrer mes chansons... Fernand Paquette y va de son enthousiasme et me fait revenir à Saint-Jean pour chanter cette fois à la Pointe-au-café, ma première boîte à chansons. Je prends tout, j'accepte tout. Le monde aime ça, je lui en donne. Surtout qu'avec tout cet apprentissage de forgeron, j'ai une petite idée qui ne me lâche pas le derrière de la tête: il n'y a pas longtemps, Félix Leclerc m'a invité chez lui à Vaudreuil... Plus je chante, plus je serai capable d'y aller... S'il aime ce que je fais, je suis sauvé...

En attendant, comme un poisson agité, je n'arrête pas de grouiller, de voyager et de me morfondre en fendant mon temps en quatre. Ma vie: les décors, Françoise et l'enfant qui vient, la création et les tours de chant. Il y a des soirs où je me couche avec partout dans le sang de joyeux tourbillons rouges: Si ça continue d'même, j'vas p't-être pouvoir me tirer d'affaire tout seul avant longtemps... J'sais pas combien ça peut gagner par année un chansonnier?... C'est toffe à dire... Y en a pas gros dans l'Québec... Félix, Raymond Lévesque, Jacques Blanchet... Ah qu'j'aimerais ça lâcher ma djobbe et vivre libre!...

Pas de saint danger que ces rêves se réalisent... Surtout pas en levant le petit doigt. Toutes les fois que je me fais des chimères, que je vois ma vie en rose, le matin il faut me lever et gagner mon travail de faiseur de plans et de maquettes. Pas de saint danger que... Et quand j'ai à m'occuper de montage de décors en studio, cela se fait le soir, souvent jusque dans la nuit avancée. Heureusement qu'à ces moments-là je travaille avec des équipes de machinistes qui pour moi sont les gars que je préfère dans tout Radio-Canada, sans quoi ça serait intenable. Viateur Dubé, Gaston Beaudoin et tant d'autres sont d'une race avec laquelle je me sens à mon aise: des hommes simples, intègres, et avec du cœur au ventre à redonner. S'il est trois heures du matin et que je vais prendre une bouchée de l'autre côté de la rue dans un quick lunch, je pense à eux, je pense à mes

349

chansons et, le nez dans mon café, j'imagine encore ma vie en rose tant que je n'ai pas vu le fond de ma tasse. Pas de saint danger...

— Ça y est, j'm'en vas à Vaudreuil...
— Essaye de pas trop t'énerver...

Dans ces circonstances, Françoise fait toujours de son mieux. J'ai appelé Félix et il m'attend avec ma guitare. Malgré que j'ai beaucoup travaillé ces derniers temps, je ne peux pas dire que je me sens prêt à cent pour cent... on ne se sent jamais prêt tant que ça. La peur est là, dans mes yeux, dans ma peau, mais il ne faut surtout pas que ça paraisse. Lui aussi a dû connaître cette sorte de trac j'imagine... Bon. Sur un bout de papier, j'ai préparé la liste de tout ce que je veux chanter: pas les chansons folkloriques comme *La Parenté*, non, mes plus belles, les douces, les tendres, les poétiques. Ensuite, j'ai mis ma chemise en toile de jeune troubadour et me voilà parti sur la route de Vaudreuil dans ma vieille auto qui ne roule pas vite, ce qui fait bien mon affaire. Le plus tard sera le mieux...

Chemin faisant, j'ai donc tout le temps pour m'enlever les chats de la gorge, faire des vocalises et repasser mes chansons pour être bien sûr de ma mémoire. Quand je finis par m'arrêter devant une grosse maison blanche au bord du lac des Deux Montagnes et que j'entends un chien japper, je fais ce qu'il me reste à faire: prendre ma guitare, une grande respiration et entrer.

— Bonsoir...

— Salut, on t'attendait...

Félix, stature imposante, crinière grisonnante, me donne sa grosse main solide et me présente sa femme.

— Bonsoir madame...

Elle est petite, souriante, l'air discret. On commence par s'asseoir et jaser un peu devant un énorme foyer dont le feu pétille joliment. Ça sent bon. La chaleur est mangeable. C'est une maison qui ressemble à la poésie de Félix comme deux gouttes d'eau. Boiseries, meubles rustiques, tapis tressés, objets d'artisans, tout me tombe dans l'œil et n'en sort plus. Je rêve déjà: J'ai tout l'temps souhaité vivre dans une grande maison avec un foyer... Un jour j'en aurai une... Comment y a fait pour s'payer ça?... C't'à mon goût en maudit... Je me fais subitement tirer de ma lune:

— Viens voir le haut.

Félix tend le bras et m'indique l'escalier. Il passe devant, je salue sa femme et grimpe sur ses talons emportant ma guitare que je trouve lourde comme jamais. Nous débouchons sur sa pièce de travail, son grenier qu'il dit, et là je découvre une atmosphère qui doit bien inspirer les plus beaux poèmes du monde. À gauche, près d'une fenêtre, un bureau plein de pages écrites ou à moitié écrites, des étagères bourrées de livres, et aux murs: des belles grandes affiches, toutes de Félix à Paris; à droite: chaise, fauteuil, sofa.

— C't'icitte que j'travaille...

— Eh qu'c'est beau!

— Assis-toé, gêne-toé pas...

Ça me prend une éternité à sortir ma guitare de sa boîte et à prendre ma place sur le sofa. Félix est déjà calé dans son fauteuil... avec une cigarette au bec et l'oreille qui attend.

Il a beau être accueillant, chaleureux, sympathique au-delà de mes espérances, pas moyen d'empêcher mes mains de faire les folles et de trembler... Pour embrouiller les cartes, je plaque vite l'accord de *mi* et enchaîne avec une introduction que je dois recommencer deux fois. Enfin, la voix part et ça marche. J'ai les yeux baissés mais ce n'est pas grave, que je me dis, car lui aussi il les baisse quand il chante.

Ce soir-là, en rentrant à Châteauguay, en une heure de route il m'est passé dans la tête plus d'idées que si j'avais voyagé pendant une journée... Au début, j'l'ai pas trouvé jasant, mais y a fini par s'ouvrir avec beaucoup d'franchise. Y a aimé c'que j'fais et m'a dit qu'c'était du beau langage poétique, c'est tout c'qui compte. Qu'y m'ait fait comprendre que j'avais à faire un effort du côté d'ma voix et d'ma guitare, ça c'pas énervant. J'sais ben qu'y faut que j'travaille... Encore beaucoup... L'important est d'savoir que j'ai l'principal...

À Françoise, à Pallascio-Morin, à Rémillard, à Fernand Paquette, je ne mets pas de temps à raconter les honneurs que m'a faits Félix. Tout le monde comprend qu'un tel encou-

ragement va pouvoir me tenir les oreilles droi-
tes pour une bonne mèche.

Et j'en profite. Chez nous, mon coin de travail à côté de la chambre de Josée n'est peut-
être pas aussi beau que le grenier de Vaudreuil,
mais n'empêche que j'y file maintenant un sapré bon coton.

31

— On voit pas l'temps passer...
— T'es tellement occupé...
— Comment ça va dans ton ventre?
— Comme tu vois, c'est gros, ça bouge...
— On en a plus pour longtemps à c't'heure...
— Ça peut arriver plus vite qu'on pense...

L'instinct de Françoise ne l'a pas trompée. Un soir de fin de novembre, après être allé en ville faire une émission de radio et m'être trouvé pris dans la neige avec mon bazou gelé bien dur, ce qui m'a obligé à rentrer en autobus, j'arrive à la maison à une heure du matin et trouve ma femme pleurant d'inquiétude et se débattant déjà avec ses premières douleurs. À deux heures dans la nuit, on place Josée chez la voisine et nous voilà montés dans un taxi:

— En ville, au Montreal Children's Hospital, s'il vous plaît.

À la naissance de Josée on avait voyagé en truck, Saint-André-Lachute, par une poudrerie de tous les diables, cette fois-ci, on roule encore dans la neige par-dessus la tête. Comme si les ciels d'hiver voulaient nous faire plaisir en fêtant ça à leur manière.

L'hôpital. Des Anglais à pleines portes et à pleins bureaux. Admission, inscription, nom, prénom, occupation, religion...

— Who's your doctor?

— Wiseberg...

On nous guide. Corridor, ascenseur. On nous guide encore. Corridor encore. La chambre. Ouf! On flanque à la patiente une jaquette ridicule en coton fripé. Je l'aide à s'accoutrer, se coucher et m'installe à côté du lit dans un fauteuil pour attendre, le cœur en bascule, que le travail se fasse et qu'on sache bien la couleur d'un cadeau caché depuis neuf mois.

Françoise devient de plus en plus fatiguée. Moi aussi, rien que de la voir crisper son visage à tous moments. Qu'est-ce qu'un homme peut faire dans ce temps-là sinon sacrer après son impuissance?...

— Veux-tu qu'j'appelle la garde? Veux-tu une serviette mouillée su'l'front? Veux-tu çi, ça?...

Attendre, attendre. Une belle nuit blanche pareille à celle de l'hôpital de Lachute sept ans plus tôt. Nuit de silence, de petits mots rares, de brûlure au front, de cigarettes une après l'autre, et de longues respirations pour que le mal ne prenne pas toute la place.

Un verre d'eau? D'l'alcool sur tes reins?

C'est l'aube, le point du jour, le matin. Attendre encore et encore. Tous les deux on est cloués là comme deux victimes d'une loi qu'on ne comprend plus: elle qui souffre, tant que la nature n'a pas fait son travail comme elle l'entend, et moi qui me révolte contre tous les cris de douleur que peut coûter une naissance. Mon Dieu, qu'est-ce que vous attendez pour soulager celle qui met la vie au monde? Pourquoi la faire payer ce prix-là?...

Je n'ai plus de cigarettes, j'ai bu vingt verres d'eau sans avoir soif, je ne sais plus où donner de la tête tellement les douleurs me paraissent rapprochées. J'appelle une garde:

— Pourquoi vous l'emmenez pas?

— The doctor's not in yet...

L'avant-midi y passe. Intérieurement, j'ai le temps de sacrer tous les sacres que je peux avoir en mémoire. C'est comme ça qu'on fait quand la colère et la révolte sont bloquées et que ça nous fait comme une indigestion. Enfin, brouhaha dans la porte: deux gardes, une civière. Il est midi...

— Pleure pas, c'est fini, tu pars à la salle d'accouchement.

Seul, je peux enfin m'écraser à mon goût dans mon fauteuil et essayer de piquer un somme. Mais comment me sauver dans le sommeil. Je gigote de la tête aux pieds: Tout à coup qu'on a des jumeaux... Est-ce un gars ou une fille? L'bébé va-t-y être normal? L'anesthésie, moé j'ai toujours eu peur de ça...

Aussi bien me lever et arpenter le corridor sans trop m'éloigner. Bras dans le dos, bras sur le ventre, main dans les poches, doigts dans le nez, je marche. Le temps est long à n'en plus finir. Une porte claque, c'est le docteur Wiseberg. Grand sourire, il me tend une main excitée comme si c'était lui le père, je parle le premier :

— Pis, qu'est-ce que c'est ?

— Un beau gros garçon ! Félicitations !

— Et la mère ?

— Tout va très bien... Excusez-moi pour le retard, j'ai été pris dans la circulation à cause de la parade du Père Noël.

Ah ben, maudit baptême ! D'étonnement, de joie, de fatigue, de mille sentiments mêlés, je me laisserais tomber là comme une poche. Non, il faut attendre encore. Attendre le moment du réveil, le moment du grand sourire de la libération. Et puis, bien sûr, le moment de saluer « le beau garçon »...

Tumulte, tourmente, agitation, les rues de Montréal sont comme des feux d'artifice et le diable est pris dans tous les grands magasins. Le temps des Fêtes s'en vient, le trafic se multiplie par quatre, le frette et la neige s'en mêlent, et, pour finir, surcroît de travail à Radio-Canada. Ça fait exprès... (Françoise est revenue à la maison, on a mis le bébé bien au chaud dans son lit) moi qui aimerais tant que tout soit calme pour me remettre de mes émotions et mieux goûter une existence nouvelle qui ne fait que m'attirer. Si je m'écoutais, je me mettrais en quarantaine pour ne rien manquer d'une chaleur intime qui, je le sens bien, me rapprocherait de moi-même et des miens. Quelqu'un vient au monde, j'ai dans ma maison un gars qui ouvre à peine les yeux et on dirait que la vie du dehors veut crier cent fois plus fort que lui. Sans farce, j'aurais le goût de mettre la hache dans tout ce qui me dérange pour mieux m'occuper de l'essentiel...

— Y est beau, tu trouves pas?

— Josée fait la p'tite mère et veut toujours aider au moment du bain...

— J'pense ben qu'on va garder l'nom qu'on avait choisi...

— Claude... j'vois pas comment on pourrait l'appeler autrement.

Pour le baptême, la coutume veut qu'on ne perde pas de temps. Le premier dimanche que le curé de Châteauguay nous propose, on le prend sans discuter. Françoise sort le trousseau, les beaux-parents s'amènent avec leur bouteille de champagne et go pour l'église, tout le monde bien parfumé, toiletté, endimanché. Comme si Claude allait être baptisé dans une cathédrale.

La cérémonie n'est pas longue, juste le temps d'une ou deux réflexions sur le sens de *Je renonce à Satan*, c'est bien jeune pour faire des promesses, et voilà les cloches qui partent à sonner pour retentir jusqu'au village de Caughnawaga.

En mettant les pieds dans la maison, pendant que les invités ne pensent qu'au bon verre qui va leur rincer le gosier, moi je m'approche de Claude, déjà rendu dans son lit. Quand je vois sa menotte s'accrocher à mon doigt, je me sens tout réchauffé d'une richesse pas facile à exprimer. Aussi bien ne pas être capable de tout dire, on ne s'arrêterait plus...

Dans mon bureau d'assistant-décorateur, coup de téléphone. Radio-Canada devient de plus en plus, malgré moi, mon lieu de secrétariat pour la chanson. C'est Jacques Labrecque, folkloriste que je connais de réputation, qui m'explique qu'il arrive de Paris, qu'il veut se faire éditeur et qu'il est intéressé à me rencontrer pour écouter ce que je fais. Ni une ni deux, j'accepte son invitation pour tel jour telle heure.

Le moment venu, je suis là avec ma guitare, gorge claire et tout mon répertoire. Jacques Labrecque, planté comme un bûcheron, geste nerveux, l'œil pétillant, me reçoit avec un sourire plus grand que le visage et une main à me casser le poignet. Un homme est au salon, Labrecque me le présente comme un représentant de la compagnie Folkways de New York. Lui aussi veut entendre mes chansons.

— Bon ben, j'vas vous montrer ça...

Comme toujours, ce genre de récital intime pour officiels m'énerve de long en large, mais à chaque fois c'est pareil: le trac me lâche à la troisième chanson, après quoi ça chante tout seul.

Le diable m'emporte si je n'en ai pas chanté une vingtaine. Mes deux auditeurs, attentifs, inquiétants, m'ont regardé, se sont regardés, ont souri, ont ri et applaudi. Mes chansons d'inspiration folklorique comme *La Parenté* les ont intéressés nettement plus que toutes les autres. Ça se comprend, j'ai en face de moi deux mangeux de folklore qui ne veulent entendre parler que de ça. Labrecque m'aborde de front :

— Si ça t'intéresse, on va passer des contrats pis j'vais devenir ton éditeur...

— Ça m'intéresse.

Folkways parle le deuxième :

— Vous... intéressé faire long playing pour mon company ?

— Non.

Ma raison est bien simple. J'ai toujours eu horreur qu'on me prenne pour un chanteur de folklore et qu'on lève le nez sur mes chansons sentimentales et poétiques. Ce n'est pas aujourd'hui, devant deux hommes que je connais à peine, que je vais changer d'idée. Donc, messieurs, oui pour l'éditeur et non pour le long playing.

— Salut... à bientôt.

— Tous les contrats seront prêts dans une semaine.

Labrecque me reconduit à la porte avec la plus grande politesse. Il ne porte pas à terre et ne se gêne pas pour le montrer.

Revenu à Châteauguay, je débite mes bonnes nouvelles. À Françoise qui s'en réjouit. À Josée qui rit sans comprendre. Et à Claude, mon gars, qui a le droit que je lui parle comme à tout le monde.

— Patientez mes enfants, ça fait rien que commencer à ben aller!

Je n'ai pas aussitôt passé une dizaine de contrats avec mon éditeur Labrecque qu'un autre coup de téléphone vient m'émoustiller de plus belle. Un représentant de la compagnie Pathé à Montréal se dit intéressé à m'endisquer, un long-jeu, et m'invite à passer à son bureau. J'y cours, on en parle, je bats le fer et signe des papiers, en anglais s'il vous plaît, sans rien comprendre à part l'interprétation qu'on veut bien m'en faire. Le représentant pourrait me faire signer mon arrêt de mort en japonais que ça ne serait pas pire. Enfin, entente conclue. J'aurai la semaine prochaine une séance d'enregistrement de trois heures, un guitariste professionnel à côté de moi, on fera quatorze chansons et je jouerai de la guitare aussi. Il suffira de chanter au micro « quand la p'tite lumière rouge va s'allumer », m'explique mon homme d'affaires.

Franchement, lui, il m'a mis l'eau à la bouche. En revenant à la maison, je repasse dans ma tête tout ce qu'il m'a dit: « Il faut une photo pour la pochette... Du grand ruban, on va tirer les chansons les plus commerciales et on va les produire en 45 et 78 tours... Votre édi-

teur devra sortir les musiques en feuille...
Nous nous occuperons de la publicité... » Ça
me fait bien des choses à comprendre ensemble. C'est peut-être la gloire, que je me dis.
C'est peut-être la fin d'ma djobbe à Radio-
Canada, que je me dis encore. La tête me
chauffe... C'qui m'mêle le plus dans tout ça,
c'est la patente des contrats... Sur les en-têtes,
c'était marqué Capitol, le gars me dit qu'on
fait un disque Pathé, et qu'on va enregistrer
dans un studio de la compagnie RCA Victor
et que les disques seront distribués par
Trans-Canada... Ça c'est fourrant en pas pour
rire.

Après avoir placoté de mon disque et pratiqué comme un fou, arrive enfin le moment de
la « p'tite lumière rouge » dans un studio plein
de fils électriques sur son plancher. Mon guitariste est là avec sa guitare, je suis là avec la
mienne. Il me demande mes feuilles de musique, je n'en ai pas.

— O.K. bonhomme, j'vas suivre à l'oreille...

— Parfait.

Mon éditeur et mon producteur sont avec
le technicien derrière une grande vitre. Ils me
font des signes qui ont l'air de me dire: C'est
parti, ça tourne, feu, chante. J'attaque de ma
plus belle voix et de mes plus beaux accords.
Mon guitariste s'embarque, me suit, improvise
de son mieux. Heureusement qu'il connaît la
musique sur le bout de ses doigts, sans quoi je
ne garantirais rien. Une, deux. Au bout de

trois heures, il y a quatorze chansons de faites, imprimées, finies...

Tout le monde a chaud, on est tous contents. Du dos de la main, je m'essuie le front aller retour. Le bon Dieu a été de mon bord en tabarnouche... même si je ne lui ai pas parlé depuis longtemps. Mon premier long-jeu, ce sera une fête, un des plus beaux cadeaux de ma vie. Qui aurait dit ça?... Marcel va être fier de moi... Pourvu que ça pogne et que ça se vende un peu...

— Quand est-ce qu'y va sortir?

— Dans un mois... Faut envoyer ça à Toronto...

Jacques Labrecque me raccompagne en m'assurant qu'il a des gros espoirs et que si ça va bien, il fera de son côté quelques disques, mais pour la compagnie London. Encore une affaire pour m'embrouiller...

Le bon Dieu a été de mon bord, ça c'est vrai. Aussitôt mon microsillon sorti, avec des 45 et des 78 tours, le diable est aux vaches. Tous les postes de radio passent mes chansons à cœur de jour. De CKVL à CKAC, je reçois plein d'invitations pour des interviews. Les disc-jockeys sont tout feu tout flammes. Jacques Duval surtout. C'est *La Parenté* qui marche le plus fort. *La Pitro*, elle, fait scandale en partant et se fait censurer partout parce qu'il s'agit du portrait d'une femme de mauvaise vie. La publicité s'en mêle. Tout ça est bon pour moi, qu'on me dit... En quelques semaines, me voilà comme un chien fou. L'éditeur Archambault me sort un bel album piano-chant, je cours partout et n'ai plus le temps de voir ma famille, ni de composer. Quant à mon travail d'assistant-décorateur, je le fais moins qu'à moitié. Heureusement que Fernand Paquette est là pour me couvrir et m'épauler...

— Oui, allô... pardon? Georges Guétary endisquerait de mes chansons? Êtes-vous sérieux?...

C'est ça. Je ne me suis pas trompé: Guétary va m'interpréter et ça va se vendre comme des pains chauds. Ce n'est pas moi qui décide, c'est mon producteur. Et Labrecque qui y va à son tour et se met à enregistrer *Monsieur Guindon* et tout ce que j'ai fait qui peut sentir le folklore. Mais la meilleure qui m'arrive c'est le hit parade. Là, je n'en crois ni mes yeux ni mes oreilles. Un beau matin, me voilà numéro 1 sur les palmarès des hebdos comme *Radio-Monde* et compagnie. Sans même que j'aie le temps de comprendre ce qui se passe, je me retrouve sur le hit parade avec cinq chansons qui voisinent avec *Le minou de ma blonde* de Roger Miron, *Cœur de maman* d'Armand Desrochers et *Rock'n'roll à cheval* de Willie Lamothe.

Un grand tourbillon m'envahit. Pauline Julien est avec Jacques Normand au Saint-Germain-des-Prés et chante de mes chansons; à son Théâtre-Club, Monique Lepage monte un spectacle qu'elle intitule: *À la Parenté* et j'y chante aux côtés de Clémence Desrochers qui fait rire le monde, et Pauline Julien, encore elle, qui fait brailler l'assistance avec des chansons de Brecht. Partout, je signe des autographes. Mon éditeur m'emmène même en signer dans un magasin de « 15 cennes » dans l'est de la ville. Je ne sais plus où donner de la main. Des poètes puristes m'écrivent une lettre ouverte dans *Le Devoir* pour cracher sur *La Parenté* en m'accusant de faire « populacier ». Les journaux disent que je suis un « phénomène », un « chef de file de la chanson néo-réaliste », un ci, un ça. Un critique dit que j'ai la santé de Félix Leclerc, un autre trouve que j'ai le physique de Charles Ray des films silencieux américains.

— Françoise, moé j'en peux p'us... Y vont m'tuer...

— Plains-toi pas... c'est peut-être le commencement d'une grande délivrance...

Bagne! Coup de théâtre à Radio-Canada: une grève générale. Assemblées, réunions, piquetage. Patrons et syndicats ont pris le mors aux dents. René Lévesque est notre porte-parole à tous et fait entendre la voix des syndiqués dans tous les journaux et les postes de radio de Montréal. On organise un grand show d'information à la Comédie-Canadienne. Des artistes se produisent, c'est plein de monde. Jean Marchand, président de la CSN, vient nous faire un speech, et moi, je fais ma part en y chantant quelques chansons dans un coin de l'avant-scène.

Profitant de cette vacance inespérée, j'accepte tous les engagements que je peux. Ça fait de l'eau au moulin pendant que je suis coupé de mon salaire. Mes disques me payent, sans se forcer, une Volkswagen toute neuve. Côté matériel, on ne peut pas dire que ça va mal; côté moral, c'est un peu moins bon: ma popularité commence à me coûter cher. Composer quand on est pris de tous bords tous côtés n'est pas possible. J'en souffre en baptême parce qu'il est clair que je suis plus heureux à créer qu'à parader. Et l'amour, lui, qu'est-ce qu'il lui reste dans tout ça pour se nourrir? J'en parle sérieusement avec Françoise que je sens loin loin et qui me dit se trouver bien seule dans son coin à toujours s'occuper des enfants.

— Qu'est-ce que t'aimerais qu'on fasse?

— J'sais pas... Qu'on aille ensemble chez des amis, qu'on reçoive comme on l'faisait avant...

— Oui... ça nous ferait p't-être du bien...

32

Un party, deux partys, trois et quatre. À Saint-Hilaire, chez Gilles Carle, à Montréal, chez Gilles Hénault, à Sainte-Adèle, chez Claude Vermette, chez nous pour rendre les politesses.

Un party c'est un party. On boit, on grignote, on boit encore, on cause de poésie, du cinéma et de politique. On conte des histoires, on boit toujours, on écoute Léo Ferré, ce mal-aimé qui blasphème avec amour et dont le verbe coupant va très bien avec notre mal de vivre. Puis on continue à boire, et finalement c'est la danse. Souliers enlevés, corps collés, couples mélangés. Sur des musiques langoureuses, des slows, jusqu'aux petites heures du matin.

Je l'avoue franchement, de ces veillées-là je m'en passerais avec la plus grande joie. Parce que c'est toujours pareil et que ça finit toujours de la même maudite manière: les couples mélangés vont trop loin, Françoise et moi comme

tout le monde, ça crée des malaises, des boude-
ries, des jalouseries, et le lendemain, quand on
a la tête grosse comme ça, ce n'est jamais facile
de réparer les dégâts...

— Qu'est-ce que t'avais à l'embrasser si
longtemps?

— Tu t'es pas vu, toi, avec...

— C'était pour me venger...

— T'es jaloux... tu manques de largesse
d'esprit...

— Ça fait des blessures...

— T'es trop possessif...

À chaque fois je mets un terme à ce genre
de conversation en partant tout seul marcher le
long de la rivière Châteauguay. Nez en l'air,
l'œil au large, le cœur gros, j'essaie de
comprendre... de me comprendre. C'est quoi la
liberté?... Comment aimer dans le vrai sens du
mot?... Elle est pas heureuse dans son cadre
de vie... Pis moé, qu'est-ce que j'ai à toujours
avoir besoin de m'vider l'corps et la tête d'une
oppression que j'comprends pas?... Être ben
dans sa peau, ça doit quand même pas être si
difficile... Pourtant, les enfants grandissent et
j'les aime...

Cette fois-ci, je rentre à la maison avec
deux idées précises qui pourraient arranger pas
mal d'affaires:

— La grève de Radio-Canada est à la veille
de s'régler, j'envoie des chansons au concours
d'la Chanson canadienne.

— T'as rien à perdre...

— C'est pas tout, j'demande une bourse au Conseil des Arts à Ottawa... y paraît qu'j'aurais des chances. On pourrait partir en Europe...

— Es-tu sérieux?

— Ça serait trop beau...

— Fais-moi pas rêver...

La semaine d'après, homme de parole, je mets à la poste deux grandes enveloppes contenant chansons, demande de bourse, aussi beaucoup de foi et d'espérance.

Sous tous les ponts que je connais, je laisse couler l'eau tant qu'elle veut. Je suis peut-être nerveux, tourmenté, mais j'ai une patience d'ange, comme ma mère. Pour mon plus grand bonheur, les enfants poussent, Claude marche depuis belle lurette, Françoise et moi, ça va, Radio-Canada et moi, grève terminée, ça va aussi. J'avance sans hauts, sans bas, m'arrangeant au jour le jour avec l'air du temps et beaucoup d'espoir au fond de la caboche.

Maintenant, je peux me permettre de choisir mes tours de chant. Pour ce que j'aime chanter, aussi bien me donner la liberté de n'accepter que les endroits les plus sympathiques. Cela me donne en même temps la chance de réapprivoiser mon coin de travail et de retrouver ma joie d'écrire. Je relis des poèmes à moitié finis, des textes de chansons mal ébauchés. J'essaie de mon mieux d'y travailler, mais, vraiment, j'ai affaire à des choses quasiment pas terminables. Des strophes et des couplets où ça ne parle que de Canadien français écrasé, d'homme pogné dans sa nuit, de moi me débattant dans l'étau de la solitude. Non, baptême! ce genre de complaisance dans la « délectation morose » comme disent les intellectuels, c'est fini, c'est mort, je ne veux plus entendre parler de ça pour le restant de mes jours.

Comme la fois que j'avais fait un grand ménage dans mes peintures, rue Saint-Denis, j'entreprends un nettoyage de paperasses comme jamais je n'en ai fait. Les feuilles raturées, griffonnées, barbouillées, revolent partout. J'en remplis une pleine poubelle que je mets au chemin avec le plus grand soulagement. Si je ne suis pas capable d'oublier la mort pour écrire sur la vie, aussi bien me fermer la gueule à tout jamais. Ce n'est pas possible que seul le mal existe à ce point-là. Je comprends tout à coup que c'est mon regard à moi qui doit changer avant tout. Et ça, mon Dieu, ça me repose de bien des fatigues.

Tu récoltes ce que tu sèmes… Comme pour me récompenser de m'être viré de bord en essayant de regarder le jour plutôt que la nuit, à Châteauguay je reçois le plus beau téléphone de ma vie: le responsable à Radio-Canada du Gala de la Chanson canadienne m'apprend que je remporte le premier prix du concours avec une de mes chansons envoyées et qui a pour titre: *La Folle*. Il me prie de n'en rien dire à personne et de me présenter, avec ma femme, en tuxédo s'il vous plaît, telle date, telle heure au studio de télévision de Ville Saint-Laurent où il y aura un show télévisé avec gros orchestre, public, chanteurs, danseurs et tout le clinquant nécessaire à la circonstance. Ma chanson sera interprétée par Lyse Roy, le Président de Radio-Canada me remettra un chèque de quinze cents dollars, plus un magnifique disque en or...

— Françoise! Tiens-toé ben!...

Puis, je lui conte tout... riant, pleurant, la face en explosion comme si on venait de m'annoncer que j'étais devenu millionnaire.

— Et l'pire, c'est qu'y va falloir garder ça secret...

Les journalistes, qui ont le nez encore plus fin que je pensais, commencent à m'appeler parce qu'ils savent déjà tout. Ils ont besoin de venir prendre des photos, ils ont besoin de filmer ma maison, besoin de faire des interviews, préparer des reportages et quoi encore. Des plans pour me rendre fou juste avant le Gala. Qu'ils viennent. Je dis oui, je n'ai pas le choix. Quand on est pris, on n'a plus le temps de reculer...

Ils s'amènent, comme des mouches, et je fais les beaux yeux à chacun, poliment, pour être aimable, mais au fond, je sens bien que tout ça ne m'avient pas pantoute. Que je n'ai rien d'une tête de vedette et que jamais je ne pourrai ressembler à Jen Roger ou à Robert L'Herbier. Quel monde!...

La veille du Gala, en rentrant de la ville où

je suis allé me louer un tuxédo, l'air bête me
pogne et je commence à rétifer en levant le cul:

— J'y vas pas... Me vois-tu dans c't'habit-
là? C'pas mon genre une maudite miette...
Brassens, y ferait pas ça, lui... Félix non plus...

— Un prix c'est un prix. Tu peux pas refuser un honneur pareil.

Ma femme, mes amis, mon éditeur, mon
producteur, mon diffuseur, c'est effrayant de
sentir tout ce monde me pousser dans le dos
avec autant d'insistance.

— Si tu y vas pas, c'est ta perte...

Alors, je me ferme les yeux, prends mon
courage et mon sourire à deux mains et j'y vais.
Comme un grand garçon. Un homme. Mais,
maudit que c'est dur!...

Le Gala s'est déroulé comme un rêve. Dans
mon tuxédo, la chaleur a failli m'emporter.
Lyse Roy a bien chanté *La Folle*, avec danseurs,
décors fabuleux et nuages de fumée. Quand je
suis monté sur la scène, devant les caméras,
pour recevoir mon disque en or et mon chèque
des mains du Président de Radio-Canada, j'ai
fait le beau, j'ai souri et une blague m'est sortie
toute seule de la bouche:

— Monsieur le Président, croyez-vous que
votre chèque aura des fonds?

Le Président a ri jaune, le public a applaudi
et ce fut la fin. Réception au champagne,
odeurs de parfum, robes longues, cent tuxédos
comme le mien, propos mondains sans rime ni
raison, têtes parties, achalanteries. Enfin, re-

tour à la maison pour le repos mérité. Le lendemain, trente-six journaux parlent de *La Folle* comme d'une chanson pas commerciale, une chanson intellectuelle, belle, incompréhensible, poétique, idiote, surréaliste, de haute qualité musicale, de basse qualité verbale, et encore et encore. La chicane est pognée entre les « pour » et les « contre ». Dans les journaux, les lettres ouvertes se mettent à pleuvoir : les unes pour me traiter de tous les noms; les autres pour me monter aux nues.

— Me v'là plus mal arrangé qu'avant...

— Mais non, qu'on en parle en bien ou en mal, pourvu qu'on en parle...

— Ah...

Une colère sourde gronde dans tous les coins de mon corps.

— Calvaire de monde que j'comprendrai jamais. Pourquoi c'te tempête dans un verre d'eau? Qu'y m'laissent la paix, bon Yeu, qu'y m'laissent la paix! J'ai rien d'une vedette et j'ai rien fait à personne. Ma vie privée, c'est à moé... Qu'y aillent tous au diable pis qu'y mangent d'la marde...

— Calme-toi, j't'en prie.

— Si au moins ça m'donnait assez pour que j'lâche ma djobbe d'assistant-décorateur...

— Ça va venir...

— J'suis pas plus avancé qu'j'étais...

— Tu seras jamais content...

Ils ont peut-être raison, mais ma peau c'est ma peau. Mon rêve ce n'est pas le hit parade, la première page du journal *Vedette*, mes chansons dans les juke-boxes et des invitations pour aller me produire dans des clubs comme le Casa Loma parce que je suis l'auteur de *La Parenté*, non... mon rêve est simple comme bonjour : gagner ma vie en chantant mes plus belles chansons pour des publics capables de bien les écouter.

En attendant cette sainte bénédiction, je donne un autre coup de collier. J'accepte d'aller chanter au Palais Montcalm à Québec avec Clémence Desrochers et Hervé Brousseau. Chacun donnera son numéro, ça fera un spectacle de deux heures et tout le monde sera comblé. Guitare au bout du bras, je fais le voyage en train et m'installe dans un hôtel de la « Vieille Capitale » où les journalistes, encore ces nez fins, m'attrapent pour que je leur raconte ma vie. « Lâchez-moé tranquille pis laissez-moé chanter... »

Quand les feux de la rampe du Palais Montcalm s'allument pour mon tour, je fais de la coulisse au milieu de la scène la marche la plus longue de toute ma vie. Silence. Patte sur la chaise. Accords de guitare. Je chante, yeux baissés, yeux au large, avec le meilleur de mon cœur. Toutes mes sueurs y passent. À ma dernière chanson, je fête la note finale avec un grand sourire et, sans saluer, c'est une chose à laquelle je ne pense jamais, je me sauve en nage jusqu'au fond de ma loge. Des jeunes commencent à m'arriver comme des teignes. Ils veulent un autographe, une poignée de mains, me toucher, ou je ne sais plus quoi. Parmi eux, un grand gars au long nez crochu se colle pour me confier d'une voix éraillée :

— Vous savez, moé aussi j'fais des chansons...

— Ah bon...

J'ai la tête folle et ne pense qu'à regagner ma chambre d'hôtel. En quittant le théâtre, quelqu'un me parle du grand gars au nez crochu me disant que c'était un poète, qu'il s'était occupé avec zèle des éclairages du spectacle et qu'il s'appelait Gilles Vigneault.

Rentrant de Québec, une lettre d'Ottawa m'attend à Châteauguay. C'est le Conseil des Arts. J'ouvre l'enveloppe en tremblant. Mes yeux courent sur deux lignes et je saute en l'air :

— J'ai ma bourse ! Françoise... les enfants... lisez ça, c'est formidable !

La nouvelle est là. C'est écrit sur papier. Ma demande a été acceptée et je profite de la plus grosse somme accordée pour la création littéraire à l'étranger.

— Merci mon Dieu ! On va pouvoir partir à Paris pour deux ans. Ils payent même le bateau pour la famille...

— On est sauvés !...

— Fini Radio-Canada, fini Montréal, fini partout.

— Tu t'rends compte ?...

— Tu parles...

Grand cap, gros tournant. Rien n'est plus pareil. Et le plus beau, c'est qu'on est libres de faire vite, de s'organiser comme on veut et de partir n'importe quand. Puisqu'on est en avril, le temps des résurrections, on avise donc notre propriétaire et l'on réserve nos billets de bateau sur l'*Homéric* pour les premiers jours de septembre, ce qui me donne juste le temps de remplir quelques engagements et de donner ma démission à Radio-Canada. Le Seigneur soit loué! Nous passerons l'été dans un chalet au bord de la rivière Châteauguay où nous pourrons prendre du soleil et nous baigner à notre goût.

— Es-tu contente?

— J'suis folle...

— Josée ira à l'école à Paris...

— Et Claude en pré-maternelle...

J'appelle à Saint-André-Avellin et Marcel me garantit qu'il n'y aura aucun problème si je lui envoie mes meubles pour entreposage et de ne m'inquiéter de rien. «Nous s'rons su'l'quai l'matin du départ», qu'il me dit d'une voix chantante.

Les beaux-parents, les amis, les voisins, les journalistes, tous mes proches à Radio-Canada, un monde fou s'énerve à notre sujet:

— Vous êtes pas sérieux d'partir si loin avec des jeunes enfants...

— Ça allait si ben pour toé dans la chanson...

— Qui c'est qu't'as graissé pour avoir une bourse de même?

— Chanceux, va!

Les journaux s'en mêlent: *JEAN-PAUL FI-LION NOUS QUITTE POUR LA FRANCE...*

Ils peuvent en dire de toutes les sortes, toutes les couleurs, je m'en sacre. Maintenant, et pour la première fois, ma vie m'appartient. Plus de mur devant moi, mais l'horizon à perte de vue. Quand je reviendrai, j'aurai gagné mes épaulettes et pourrai marcher la tête bien haute.

Un matin, début septembre, il y a mille mouchoirs qui bougent sur le pont de l'*Homéric*. Françoise, Josée, Claude et moi on agite les nôtres de la main gauche, tandis que notre main droite tient le long ruban de papier qui nous relie aux parents et amis plantés en bas sur le quai. Maman et Marcel sont là. La belle-mère et le beau-frère sont là. Patrick Straram, Gaston Miron sont là. Tous chantent en chœur les plus connues de mes chansons. De haut, l'émotion ne se voit pas, mais elle se sent en baptême! Tant pis si nous avons les larmes aux yeux, de loin ils ne peuvent rien voir...

Quand le bateau se met enfin à crier à pleine cheminée, tous les rubans se cassent ensemble et le quai s'éloigne. Nos mouchoirs et nos mains font comme des papillons qui ne peuvent plus s'arrêter.

33

Long séjour à Paris. C'est le même *Homéric* qui nous a ramenés à Montréal. Heureux, contents, fous comme des braques. Les familles nous ont reçus avec tambours et trompettes, ont trouvé les enfants grandis, Françoise et moi changés. Nous ne savons rien de la vie qui nous attend, nos espérances nous suffisent. Chose certaine c'est que nous aurons tout à rebâtir à neuf.

Paris. Que s'est-il passé dans cette ville miroitante et riche de toutes les promesses? Nous y avons vécu des moments de haut soleil et d'autres de dures bourrasques. Ciel blanc, ciel noir; cœur en fête, cœur en larmes, comme pour apprendre que le dépaysement fait autant de mal que de bien, que le déracinement est aussi difficile que l'enracinement; enfin, que les grandes batailles sont avant tout intérieures et qu'elles n'ont rien à voir avec les rivages ou les lointains horizons.

Pour des prunes, j'ai chanté à Paris, dans un cabaret de la rive gauche... Cauchemar, trac, solitude. J'ai trouvé si bête, ridicule et stupide d'avoir à donner tous les soirs, à la même heure, mes sept chansons entre un numéro de mime et un de monologuiste qu'après un mois j'ai tout sacré là pour ne plus jamais toucher à ma guitare, — elle, la pauvre, avec laquelle j'avais tant pratiqué dans ma salle de toilettes, un pied sur le bol, parce que l'appartement était trop petit pour que je répète ailleurs.

— Qu'est-ce que tu vas faire si t'arrêtes de chanter?

— Ça va m'libérer d'mes angoisses pis j'vas écrire...

— Écrire quoi?

— Laisse faire...

Oui, j'ai écrit. À fond de train. Sans relâche. Une pièce de théâtre pour la télévision: *La Grand-gigue.* Un roman: *Un homme en laisse.* Un recueil de poèmes: *Demain les herbes rouges.* Pour plus de silence, j'ai même dû me louer une minuscule chambre d'hôtel, sombre et minable, à deux pas de l'appartement. Mon raisonnement était simple: si je ne chante plus, ah les maudits spectables, il faut bien que je me rattrape autrement, sinon je meurs à Paris.

Dans cette ville d'enfer et de paradis mélangés, j'ai marché de long en large, vertige dans la tête, les trottoirs se dérobant sous mes pieds, comme un perdu peut battre toutes les forêts du Québec pour trouver son oasis. Dans cette ville, j'ai goûté à tous les vins, savouré les meilleurs plats et lu tous les journaux. Côté amis, j'ai rencontré: Félix Leclerc avec qui j'ai jasé de chansons, de la mort de Duplessis, de la révolution tranquille de Lesage, et de la guerre d'Algérie; Pauline Julien, la pathétique, cherchant elle aussi son oasis, par le spectacle et par l'amour; Lise et André Payette rêvant de grandes réalisations; Claude Léveillée qui m'a tout dit sur ses longues heures passées au piano d'Édith Piaf; Pierre Emmanuel qui m'a gentiment parlé de mes poèmes; Roland Giguère qui m'a étonné avec sa passion des machines à boules dans les bistros; Thérèse et Fernand Leduc qui m'ont comblé de leur amitié; Gaston Miron, un vrai diable dans l'eau bénite, et qui n'a jamais manqué de gémir sur son néant en me lisant sur les Grands Boulevards des extraits de sa *Vie agonique* qu'il tirait toujours du fond de sa poche:

j'écris, j'écris, à faire un fou de moi
à me faire le fou du roi de chacun...

Paris a voulu me montrer tellement de choses que j'en aurais eu pour un siècle à y vivre si je l'avais écouté. *La Joconde* au Louvre, le Sacré-Cœur à Montmartre, Félix à Bobino, *Carmen* à l'Opéra, le coup d'œil de la Tour Eiffel, Brassens à l'Olympia et Segovia au théâtre des Champs-Élysées. Sur les scènes: Adamov, Ionesco, Sartre, Claudel. Sur les écrans: Bergman, Rossellini, Truffaut, Fellini. La peinture: des musées, des galeries, des ateliers. En parlant d'atelier, le dernier que j'ai vu fut celui de Paul-Émile Borduas, rue Rousselet. C'était plein de toutes ses peintures, récentes, fraîches, vivantes. J'étais en compagnie de Charles Lussier de la Maison Canadienne. Nous étions montés ensemble, rue Rousselet, parce que Borduas avait été trouvé mort dans son lit et que, ce matin-là, nous avions voulu accompagner le cortège jusqu'au cimetière de Bagneux, en banlieue de Paris.

Côté amour, cette ville que j'ai envie de maudire autant que de bénir m'aura coûté des plumes que j'aime autant ne pas compter. Mes vertiges, la phobie des foules, le mal de m'adapter, ma déroute de chansonnier défroqué, mes transes d'écriture, la rage de vivre malgré mille agressions, une putain comme on saute une brosse, une maîtresse d'un jour rien que pour se faire des «accroires», autant d'éléments capables de détraquer en un rien de temps le plus sain des hommes.

Pour Françoise, je fus la cause de plus d'un chagrin et j'ai mis une éternité à ne plus penser au mois de «vacances conjugales» qu'elle a dû passer à Honfleur en Normandie, pendant que j'étais resté seul à Vincennes avec mon chien, ne sortant de l'appartement que pour aller m'acheter un pain.

Paris... Hier, ville vivante de tous les commencements; aujourd'hui, ville à cacher bien creux au fond de ma mémoire.

Il faut trouver un logement, emprunter des sous, faire retransporter à Montréal tous nos meubles laissés à Saint-André-Avellin. Je m'attelle. Un cousin nous aide, les beaux-parents, deux amis et Marcel nous aident aussi. On en a besoin et l'on ne refuse aucun coup de cœur.

En douze couchers de soleil, notre nic est refait. Appartement trouvé, meubles rendus, malles de voyage déballées. On habite derrière le boulevard Décarie au nord de Queen Mary Road. Un quartier de riches et d'Anglais qui n'est quasiment pas fait pour nous autres, mais quand on ne trouve pas ailleurs... Puis, à part de ça, bien au fond de moi-même, j'ai confiance qu'un boursier du Conseil des Arts qui revient d'Europe avec trois beaux manuscrits sous son bras est bien placé pour ne pas avoir de misère. Surtout que dans mon cas, je fus un peu vedette avant de partir, ce qui ne peut toujours pas me nuire...

Sur le plan professionnel, première chose à faire est d'aller à Radio-Canada proposer mon téléthéâtre *La Grand-gigue*. Pendant que Gérard Robert la lit, la tâte, la fait lire et la fait tâter par les spécialistes de son département, moi j'attends, me ronge les ongles, marche dans ma pièce de travail comme un ours en cage, et quand c'est trop petit j'arpente vingt rues pour aider ma patience.

Téléphone. Des nouvelles. «Oui, on la prendrait... on pourrait l'accepter, à condition cependant d'y apporter certains changements...» Je vole au bureau de Robert, c'est mille dollars qui parlent, et me fais expliquer les «certains changements» puis reviens à la maison avec assez de changements à faire qu'aussi bien dire que je dois récrire toute la pièce. Encore une fois, je m'attelle. Mais, il n'y a plus personne qui peut m'aider. Ni ma femme, ni Marcel, ni mon cousin. Quand on dit personne... Je suis tout fin seul avec mon stylo, mes 120 pages, ma tête, ma main...

Je récris ma *Grand-gigue* comme ma mère recommençait une catalogne mal tissée. Mes jours sont mêlés de stress, de calme, d'angoisse, de sécurité. Françoise me suit de l'œil, m'attend, invite des amis pour créer un peu de diversion. Même si on n'a pas encore de rideaux dans nos fenêtres de salon, les gens viennent veiller, histoire de bavarder, jacasser, placoter comme cela se fait dans toutes bonnes soirées de salon. Pauline Julien, qui est aussi rentrée de Paris, vient nous voir. Même chose pour Lise et André Payette. Les journalistes s'amènent tous pour me poser les mêmes questions: «Pourquoi avoir abandonné la chanson? Un poète peut-il vivre de sa plume? Qu'allez-vous faire pour gagner votre vie?»

Quand enfin mon téléthéâtre est bien à point et au goût des spécialistes de Radio-Canada, il est acheté, payé, comme il se doit. Ça nous sauve la vie, nos nerfs se détendent. Le soir de la télédiffusion, Françoise, les enfants et moi, on regarde ça avec appréhension, attention, émotion. C'est l'histoire d'un jeune gigueur de campagne dont le père est violoneux et qui quitte son village pour venir tenter sa chance à la ville. Après déboires et désillusions dans un grand monde pas du tout fait à sa mesure, le jeune homme décide de revenir dans son milieu d'enfance où son père, sans perdre une minute, le fait giguer de plus belle, comme autrefois, devant ses amis d'hôtel. Cette histoire est tout à fait la mienne, mon seul mérite fut de l'avoir écrite pour qu'elle convienne aux techniques de la télévision.

Dans notre salon, une fois l'émission terminée, j'ai à peine le temps de reprendre mon souffle que le téléphone sonne. C'est un appel de Québec. Au bout du fil, il y a un gars emballé qui vient de voir *La Grand-gigue* et qui n'arrête pas de me dire comment il a trouvé ça de son goût. C'est Gilles Vigneault. Après lui, le téléphone ne sonne plus... Le lendemain, dans les journaux, très mauvaise critique. Mon moral baisse d'un cran et je me mets aussitôt à d'autres projets. Il le faut bien... Une roue c'est fait pour tourner.

Françoise prépare un party. Elle a besoin de voir des amis, de s'amuser, et, en même temps, je vois bien qu'elle cherche à me tirer de mes états de tension.

— Un homme angoissé dans une maison, c'est pas une vie...

Bien sûr. Mais j'ai mes raisons. Mes obsessions sont toujours les mêmes: combien de temps vais-je pouvoir tenir le coup? Suis-je vraiment capable de gagner ma vie en écrivant? À moins que je me relance dans la chanson...

Le soir du party arrive. J'en profite pour me mêler aux gens et prendre un verre. Ah les amis!... Comme moi, ils ont tous le crâne bourré de complexes et de problèmes. Une bande d'insatisfaits, de frustrés. Poète ou peintre, professeur ou journaliste, ils boivent pour se conter des menteries et dansent toujours avec une femme qui n'est pas la leur. Ce qui fait qu'aux petites heures du matin, quand toutes les bouteilles sont vidées, les provocations vont si loin qu'elles engendrent toujours des crises de jalousie et de larmes. Des maris crânent, des femmes tempêtent. Les uns rient, les autres non. De voir Françoise chercher ses échappées en s'amusant joliment sans moi me met les sangs tout à l'envers. Me fait brailler comme un enfant, par en dedans, sans que personne le sache.

Party pour mieux vivre. Party pour mieux souffrir. Et le lendemain, lorsqu'il s'agit de s'expliquer sur l'audace d'une certaine conduite et sur mes colères contenues, nous en sortons toujours le cœur défait et les yeux braqués sur un fossé qui se creuse. Maudite boisson, disait ma mère. Maudits partys, que je pourrais dire à mon tour.

Le Mouvement Laïque de Langue Française est né chez nous, en plein dans notre salon. Lyse Hénault, Françoise, Pierre Lebeuf, le docteur Jacques Mackay et d'autres ont parti l'affaire avec fougue et dynamisme. Ils veulent se battre pour l'implantation de l'école neutre au Québec. Moi je suis présent, mais de biais, et, pour mieux dire, le dos tourné. La non-confessionnalité dans l'enseignement, je suis pour, cent pour cent, mais devenir militant actif dans un mouvement de contestation pendant que l'insécurité de mon avenir me brûle la tête d'anxiété, c'est franchement trop me demander. Je comprends Françoise de s'engager de plain-pied dans une activité qui convient parfaitement à sa personnalité. Elle est sociale, aime les discussions, les réunions, le monde comme jamais je n'y arriverai. Je la laisse donc à ses longs téléphones, ses soirées du MLF et ses préparations de congrès sans dire un mot. Si, par condescendance, je participe à quelques travaux de groupe, je le fais toujours sans le moindre entrain. Chaque fois que le salon se remplit de « travailleurs sociaux », je reste caché dans mon coin, le nez dans mes écritures que j'aimerais tant voir devenir assez payantes pour que je n'aie plus à me casser la cervelle avec des problèmes d'argent.

Mon voyage à Paris, qu'est-ce qu'il m'aura apporté au fond? Des portes plus fermées qu'ouvertes? Le front dans les mains, je peux passer des heures à chercher l'issue, l'entrebâillement, la lueur. Les enfants sont là, ils vont à l'école, il faut manger, s'habiller, payer le loyer, rien de plus réaliste que ça. Quoi faire? Françoise peut bien s'adonner tant qu'elle voudra à son Mouvement Laïque, moi ce n'est pas ça qui va mettre de l'eau dans mon moulin. Un matin, ni une ni deux, et avant de me laisser caler comme un déprimé, je prends la chance d'aller frapper à la porte du *Nouveau Journal*, une grosse affaire très dynamique qui vient de démarrer à Montréal. Comme je suis un revenant de Paris, un poète, un ex-peintre, et un ex-chansonnier, on me confie pour un petit salaire une chronique habdomadaire dans laquelle j'aurai pleine liberté d'écrire sur les sujets de mon choix.

Cette trouvaille me fait comme un rayon de soleil au visage, ma respiration va mieux et mon teint prend de la couleur. J'écris. Et ma dignité finit par y trouver son compte.

Voulant profiter de ce bon vent, je porte aux Éditions de l'Hexagone mon manuscrit de poèmes *Demain les herbes rouges* rapporté de Paris. Gaston Miron, un autre revenant comme moi, dit oui à ma plaquette et promet de la publier dans les mois à venir. Ce sont des poèmes qui tentent de prendre possession du pays, il n'en faut donc pas plus pour que Miron, poète qui veut consacrer sa poésie au destin de l'homme, s'emballe et s'embarque. Ça me fait un autre morceau de soleil au visage et un autre coup de vent dans les voiles. Je me sens plus fort et marche plus droit. Le Mouvement Laïque de Langue Française de Françoise me paraît moins lourd. Sur cet élan, je me rends au bureau des Éditions du Jour et propose à Jacques Hébert mon manuscrit de roman *Un homme en*

laisse écrit en Europe. Comme Miron, Hébert
s'emballe et s'embarque, avec la promesse d'une
publication prochaine. Vive la vie!... Vive l'écriture. Et mon courage. Et toutes mes espérances
avec.

Le train file. Je passe mes jours à flâner,
rêvasser, tourner en rond. Attendre, m'inquiéter. Dans la rue, je joue un peu à la balle avec
Claude, mais sans entrain. Aux repas, mon
humeur n'a pas bonne mine. Le train file encore...

Un beau matin, mes deux éditeurs me font
la surprise de m'annoncer la parution de mes
livres. Ma plaquette à l'Hexagone et mon roman aux Éditions du Jour. Deux lancements
dans le même mois. Une grosse affaire. Deux
fêtes, deux séances de dédicaces, deux rencontres avec le beau monde, les photographes, les
journalistes. Je suis prêt. Moralement, ça me
sort du trou et j'espère qu'un certain succès littéraire pourra m'ouvrir une porte qui me permettrait de mieux m'en tirer financièrement
qu'avec mes seules et minces chroniques au
Nouveau Journal.

Et voilà, c'est arrivé. Encore une fois,
comme au temps de la chanson, j'ai à me mettre beau et à répondre à mille questions:

— Écrivez-vous pour le public ou pour votre seul plaisir?

— Pourquoi vous adonnez-vous à la poésie
et au roman en même temps?

— Espérez-vous vivre de votre plume? Êtes-vous heureux? Reviendrez-vous un jour à la chanson?

Dans ces moments-là, je suis toujours poli. Mais, bon Dieu, que je les trouve tannants!... Comme si j'étais un génie qui aurait réponse à tout, un prophète de mon destin, un voyant pouvant lire cent ans en avant les yeux fermés. De toute façon, je fais de mon mieux pour être le plus Filion possible. Ma simplicité rachète bien des emberlificotages. Je ne me sens quand même pas né pour monter à l'Académie canadienne-française...

Les lancements terminés, les critiques arrivent et c'est bon pour moi. Pas mal meilleur que celles que j'avais eues pour *La Grand-gigue*. Comme quoi les critiques se suivent et ne se ressemblent pas. Je les reçois, flatteuses, encourageantes, positives, comme des récompenses longtemps attendues. Moi l'émotif, l'hypersensible, je ne peux jamais me passer d'être rassuré. Quand j'étais enfant à Saint-André-Avellin et que j'allais avec Marcel couper du bois de chauffage, j'aimais bien que mon père en soit content et que le bois serve à faire du vrai feu dans un vrai poêle. C'est encore pareil aujourd'hui...

L'intégrité, l'enthousiasme, la foi, ont de tout temps fait partie de mon petit bagage de vertus, mais, il faut bien que je l'admette, la confiance naïve et la témérité innocente commencent pourtant à prendre en moi sérieusement la vedette. Ce qui n'est pas sans me créer des problèmes. Qui a bien pu me faire la promesse que deux publications feraient tomber sur moi et ma famille une manne céleste comme on en voit dans les rêves? Comment ai-je pu croire une seule seconde que deux petits livres auraient le pouvoir magique de mettre sur ma table le pain nécessaire pour longtemps à venir? Beau niaiseux de pauvre de moi! Le bilan est là, devant ma face, et je n'ai qu'à le regarder froidement: un journal fait un jour une bonne critique de mes œuvres et le lendemain personne n'y pense plus. C'est éphémère, c'est bête comme ça. J'ai été absent du Québec durant de longs mois, mes disques se sont moins vendus, j'ai donc moins de revenus en droits d'auteur. Mes éditeurs Labrecque et Archambault ne m'envoient plus que des rapports qui valent à peine une pinotte. Mes deux plaquettes de poèmes à l'Hexagone, si j'ai de la chance, me donneront peut-être ensemble cinquante dollars en deux ans. Quant à mon roman, Jacques Hébert me fera un rapport des ventes dans un an et je toucherai quoi? Tout dépendra du succès du livre en librairie d'un côté, et de l'honnêteté de l'éditeur de l'autre. Quel dieu ai-je donc prié pour croire dur comme fer qu'un boursier rentrant de Paris avait devant lui la voie libre et sans tracas?...

Sans m'en apercevoir, je suis devenu ce que je n'ai jamais été de ma vie: un chômeur. Ma famille en souffre et j'en bave avec. Nuit et jour je fouille dans ma tête pour trouver une sortie. Les insomnies maganent la santé de mes journées. À la maison, on manque de tout, nos fenêtres de salon sont toujours sans rideaux, les dettes s'empilent comme des briques assommantes. Écrire d'autres livres ou d'autres pièces pour la télévision? Je suis plus à sec d'inspiration qu'un puits abandonné. Reprendre ma guitare et me remettre à faire des chansons? Peut-être, mais en ai-je présentement la force? Et les spectacles? Et les tours de chant avec tous les tracs qu'ils contiennent? Non... ce serait jouer au fou.

Ma sortie, mon dernier salut, je l'ai. Bien caché au fond de la caboche, mais n'ose encore le dire à personne. À peine à moi-même. C'est un retour à Radio-Canada comme assistant-décorateur. Ce serait humiliant, oui d'accord, d'aller quêter une djobbe qui m'a autrefois rendu si peu heureux, mais au moins, en pilant un peu sur mon orgueil, je pourrais retrouver un salaire de base indispensable qui me laverait d'un coup de toutes mes inquiétudes. Ce qui me permettrait, une fois la paye entrée, de faire comme avant: écrire ce que je voudrais, quand je le voudrais, et sans soucis du lendemain pour les besoins de la maison.

J'y pense, j'y pense... Comment s'accoutumer à toujours avoir la face contre une barricade?... Je me joue dans le nez, me ronge les ongles et les sangs. J'y pense encore. Françoise s'impatiente, ne veut plus rien savoir de mes crises d'anxiété, qui parfois me clouent au lit, et se garroche de plus belle dans son Mouvement Laïque de Langue Française. Un soir que le salon est rempli de ses amis militants, j'ai les nerfs si crispés que je ne peux strictement pas me mêler à personne. Encore moins rester dans ma pièce où je n'arrive plus à écrire une traître ligne. Je sors donc marcher dans la rue, comme je le fais si souvent. Dos voûté, mains au fond des poches, le pas traînard, l'esprit comme une chanterelle de violon, je jongle, rumine, broie du gris et marche vingt rues en attendant que ma maison se vide et que je puisse rentrer dormir en paix...

À mon retour, il est minuit, toutes les voitures du MLF sont encore devant ma porte, j'entends les voix gicler des fenêtres, je tourne les talons et reprends une marche deux fois plus longue que ma première. Avec dans ma tête ma maudite chanterelle de violon... Pourtant... Radio-Canada... ça serait finalement une solution pas trop pire. Tu serais plus chômeur... plus dans la rue comme un chien. T'arrêterais de t'faire du mal parce que ta femme et tes enfants manquent du nécessaire... Pis, on sait jamais, ça t'donnerait p't-être l'envie de refaire quelques chansons... rien qu'pour passer l'temps...

34

— C'est fait... y m'acceptent...

— T'as pas l'air plus content qu'ça...

— Oui, oui... Tu sais, y auraient ben pu m'refuser...

— Tu m'caches quelque chose...

— Ben, c'est à cause du salaire...

— Quoi l'salaire?...

— Parce que j'ai été parti deux ans, l'service du personnel m'a fait savoir que j'avais perdu tous mes droits d'ancienneté... pis qu'j'étais obligé d'recommencer au bas d'l'échelle...

— Ah les salauds!

— Ça m'met en Christ, tu peux pas savoir...

— Qu'est-ce qu'ils te proposent comme salaire?

— Même chose qu'un débutant: 3,900 piastres par année.

— C'est écœurant!

Françoise est rouge de colère, moi rouge de honte. Mais, mais... Coup dur tant qu'on voudra, il faut voir la réalité en face. Je relève la tête, j'annonce que je laisserai tomber mes chroniques au *Nouveau Journal* et parle de Radio-Canada le plus posément que je peux:

— C't'encore Gaston Sarault qui est chef d'la scénographie. Au fond, c't'une chance. Y m'a reçu l'plus gentiment du monde... Y m'aime ben pis moé aussi. Y a toujours été pour moé plus qu'un patron...

C'est ça. En plein ça la vie. J'ai rêvé haut, j'ai grimpé jusqu'au faîte de mon imagination. Suis allé en France croyant pouvoir refaire mon existence de A à Z, ai trimé pendant des années pour essayer de vivre de mon art, puis, tout à coup, paf! tout pète, tout craque et s'écroule. Je me retrouve le cul par terre, pas plus gros que rien. Et plus rien qu'auparavant. En bas du bas de l'échelle, comme disent les gens.

— J'ai p't-être un destin d'même...

— Fais pas l'fataliste...

— Pourquoi c'est si toffe de réussir?

— On dirait qu'tu veux trop, c'est ça ton tort...

On cause, on cause. Du passé, du destin, du bonheur des uns, du malheur des autres, de la difficulté d'être et de celle d'aimer... et l'on finit par rogner une bonne partie de la nuit.

Le lendemain, à la première heure, je me retrousse les manches et j'arrive «su'a djobbe», comme on s'exprime dans le monde du travail.

Je passe prendre ma carte jaune et m'en vais tout dret au punch clock: une horloge et un geste qui m'ont fait mal pendant des années...

— Tiens, te v'là r'venu icitte?

— Ç'a pas marché pour toé en Europe?

— À ta place, j'me relancerais dans la chanson... C'est plus comme c'était, à c't'heure y a Gilles Vigneault, y a les Bozos...

— C'est qui ça les Bozos?

— Une gang de chansonniers: Léveillée, Ferland...

— Ah...

Je ravale, me renfrogne et m'occupe plutôt d'attaquer de front mon ouvrage. Tu gagneras ton pain... D'un coup je retrouve ma table à dessin, règle triangulaire, équerres, crayons, compas. Et les studios, et les amis, et le milieu, toujours le même. Les premiers jours, je me sens les oreilles un peu basses, mais en crânant un peu, je crois que ça ne paraît pas trop.

Contrairement aux anciennes structures du service des décorateurs, il y a maintenant quelque chose de changé dans le statut des assistants qui est loin de me plaire. Avant, un assistant travaillait toujours avec le même décorateur, tandis qu'aujourd'hui il peut être appelé à travailler pour n'importe qui, selon les besoins de Pierre, Jean, Jacques. Ce qui veut dire qu'au moment même où j'ai besoin de tous mes efforts pour me refaire la main et me réadapter, on me garroche sans pitié dans les pattes des décorateurs les plus réputés: Rinfret, Aras, Chiriaeff, Prévost. Une semaine, je me tords la cervelle sur les plans et maquettes de *Hansel et Gretel* ; la suivante, je m'arrache les yeux sur les plans et maquettes du *Procès* de Kafka. Allant de l'un à l'autre — à votre service, messieurs — je me sens ballotté comme un vulgaire bout de bois au milieu des vagues. On se joue de moi. Ma gorge se serre. Une sorte d'étau commence à m'étrangler.

— Viens, on va faire le budget, j'ai eu ma première paye...

— Pour avoir l'esprit plus tranquille, on devrait s'faire des enveloppes : une pour le loyer, une pour l'électricité, une pour le téléphone...

— Comme tu voudras...

C'était vrai ce qu'on m'avait dit sur les Bozos. Je suis allé voir leur spectacle dans une boîte à chansons en plein cœur de la ville. (Clémence Desrochers, Jacques Blanchet, Claude Léveillée et les autres, je les connais tous et aime sincèrement ce qu'ils font.) Au beau milieu de leur show, ils m'ont fait monter sur la scène — l'auteur d'*La Parenté* est avec nous autres ! — m'ont flanqué une guitare dans les mains et m'ont dit : « Chante-nous quelque chose ».

Mon cher vieux trac s'est remonté la face comme jamais. Moi qui n'avais pas chanté depuis Paris... Mais je leur en ai donné une, rien qu'une... et quand j'ai entendu crier dans la salle : « Un autre Bozo », je me suis sauvé dans les coulisses pour ne plus me faire achaler.

N'empêche que tout à coup... le monde de la chanson, ces jeunes fous débordant de vitalité, et le fait d'avoir retouché à une guitare en public, me secoue comme si j'avais pris de la drogue : À c't'heure que j'consens à retravailler à Radio-Canada... pis qu'j'ai un salaire régulier, qu'est-ce qui m'empêcherait d'en refaire des chansons ? J'ai pas besoin d'en parler à personne... j'en ferais rien qu'pour mon plaisir... mon désennui...

Le premier soir que Françoise entend sonner ma guitare derrière ma porte fermée, elle entre dans ma pièce en souriant :

— Tu fais bien, c'est ça ta voie. Cherche pas ailleurs...

— Tu penses ?

— J'en suis sûre.

— Mais j'ai dit à tout le monde que j'avais lâché...

— Laisse faire les autres.

En l'espace d'une minute, j'ai la tête tout allumée et pleine d'idées nouvelles. Je soupire comme un enfant.

— Ça m'aiderait à mieux faire mes journées à ma table à dessin.

— Moi, ça m'soulagerait de t'savoir moins malheureux...

— Ça t'dérangera pas puisque l'Mouvement Laïque t'occupe déjà beaucoup...

— Tout pour que tu t'épanouisses et moi aussi.

Pour le meilleur ou pour le pire, je m'embarque, yeux fermés, cœur grand ouvert, dans la composition de poèmes, de textes de chansons et retravaille ma guitare comme on retrouve ses amours. Mais j'ai les doigts rouillés et le stylo engourdi. Tout est raide, réticent, dur, difficile. Ai-je raison? Tort? Suis-je heureux? Oui, non, ça dépend des soirs. Il y a maintenant au Québec un public pour la chanson, les Bozos sont là, Gilles Vigneault chante au Chat Noir, Pauline Julien fait parler d'elle, Monique Leyrac fait fureur, Félix grandit dans le cœur des gens: toutes ces pensées sont étalées pêle-mêle sur ma table de travail, à travers mes propres choses, et ça me crée des tensions qui me bloquent, m'enfargent à tous moments. Si j'ai pas plus d'sérénité qu'ça, que je me dis, aussi ben passer mes veillées à lire ou ben aller aider les gens du MLF... Ah non, pas ça, quand même!...

L'espace de quelques semaines, je me fends en quatre, sang bouillonnant, sueurs partout et arrive à pondre quelques chansons pas pires, les unes d'inspiration folklorique: *La Mélisa, Le carême s'en vient*; les autres à caractère social: *Ti-Jean Québec, Time is money*; et d'autres aux couleurs franchement poétiques, comme *Les Mains.* Mais ce que je réussis le mieux pendant cette saison, que je dirais presque au bord de l'enfer à cause de mon retour à Radio-Canada que je ne peux digérer, est un long monologue de neuf strophes, en hommage à mon père, entrecoupé de neuf bouts de reel joués au violon. Récit et musique font dix minutes et ça s'appelle *La Grondeuse*, à cause du dernier reel interprété et qui porte ce nom. Ça fait près de vingt ans que je vis à Montréal et c'est la première fois que j'ai le courage, ou plutôt la simplicité, de sortir mon violon du fond de mon garde-robe et de me remettre dans les doigts les plus belles gigues apprises de papa et que je jouais si bien, enfant, à Saint-André-Avellin.

En plus de mes nouvelles chansons que je répète à la guitare, je ne sais trop dans quelle intention, je pratique le plus souvent que je peux *La Grondeuse*, en récitant mes strophes à voix haute et troublée, et en jouant mes reels qui, ma foi, finissent par être écoutables. Les enfants sont étonnés, Françoise aussi:

— On dirait pas qu't'as été si longtemps sans jouer...

— Quand on a une musique comme ça dans l'sang, c'est comme de l'encre, ça part p'us...

Je me rends compte que je viens peut-être de prononcer les paroles les plus sincères de ma vie. C'est comme si je venais de faire un pied de nez géant à vingt ans de recherche et de murs abattus dans une ville que je n'ai jamais aimée. En tout cas, je sens que ces paroles me sont venues du fond des tripes et que le bien que j'en éprouve me vaut cent voyages à Paris et tout l'or du monde. *La Grondeuse*... Aurais-je seulement eu le pouvoir d'écrire un témoignage pareil le mois passé, le mois d'avant? Les masques des autres ont souvent cherché à déteindre sur mon visage, il me semble vivre en ce moment ma minute de vérité. Oui, je me dirai tel que je suis, sans fard, sans honte, et ce sera à prendre ou à laisser. Je ne veux plus écrire que des choses enracinées, habitées. À mon âge, on ne triche plus.

Maintenant que je me suis fait un certain bagage de nouvelles choses, il ne me reste plus qu'à me les dire, me les chanter, en attendant de nouvelles inspirations. En attendant aussi, peut-être, un récital à donner quelque part, loin dans le temps...

Pratiquer, répéter... Tout ça est bien beau, mais le faire à la maison le soir quand les enfants dorment, l'appartement n'est pas grand, et quand Françoise reçoit de plus en plus souvent ses amis du Mouvement Laïque de Langue Française, ça n'est quasiment pas possible. Alors, le plus naturellement du monde, je trouve mon lieu de répétition dans les rues: celles qui se cachent derrière le boulevard Décarie et celles du quartier des Juifs millionnaires appelé Ville de Hampstead tout à côté de chez nous.

Longer des centaines de façades de maison derrière lesquelles je sais les gens rivés à leur télévision, chanter tout seul en marchant, mains au creux des poches et tête en l'air, me fait un bien incroyable. Après ma journée de travail, le souper, la vaisselle; aussitôt la noirceur arrivée, je me sauve chaque soir dans des rues désertes, qui sont pour moi des refuges rêvés, pour faire en paix mes vocalises et répé-

ter inlassablement à voix haute mes deux dou-
zaines de nouvelles chansons. Quand je vois de
loin venir un piéton, je baisse la voix progressivement jusqu'à me taire complètement au
moment où je le croise. Aussitôt que je le sens
s'éloigner derrière mon dos, je raccroche le fil
de mon couplet et poursuis mon récital pour
les perrons, les galeries, les poteaux, les arbres
et tous les morceaux de ciel que je peux déni-
cher des yeux. Tout ça peut durer deux heures,
mais quand je rentre, ma fatigue est saine et
j'ai le sentiment de moins étouffer...

— T'aimes ça marcher...

— Oui... plus j'marche, plus j'chante. Plus
j'chante, plus ça m'défoule...

À la longue, cette technique de travail finit
par me créer de sérieux problèmes. On s'habitue à tout, même aux attitudes les plus stupi-
des et aux comportements les plus vicieux. Je
me pose donc des questions maudidement importantes sur ma façon sauvage d'aller comme
ça, la nuit, me cacher dans le noir des rues,
comme un vrai schizophrène. De plus en plus,
je trouve la chose anormale et quand je
comprends clairement que c'est la peur qui me
fait agir ainsi — peur de chanter en pleine lumière, peur d'être vu et entendu par les gens —
là, toute la face me tombe et les deux bras avec...
Espèce de névrosé... tu sais plus où t'cacher...
Ta femme te fait trembler, ses amis t'énervent,
ton travail t'assomme et tu passes ton temps à
tout fuir... Penses-tu sérieusement que tu vas

t'donner des forces et du courage en allant chanter en cachette comme tu l'fais?... Gnochon d'idiot!

Suis-je devant un autre mur? Non, ce n'est pas possible, il ne doit plus en rester... Au fond, je ne sais plus. Je ne sais plus rien. Tout ce que je peux maintenant nommer avec certitude, ce sont des symptômes d'épuisement physique et nerveux qui viennent d'apparaître en moi et qui me font sérieusement souffrir. Comment en parler? À qui le dire? À Radio-Canada, les efforts qui me sont demandés me paraissent de plus en plus insupportables; à la maison, mes oppressions cachées me coupent de plus en plus la parole; ma pièce de travail, mon violon, ma guitare, la rue, tout m'est devenu contraire, souvent jusqu'à la nausée.

Mon seul recours momentané, je le trouve en tournant le dos à tout et en me garrochant corps et âme dans la lecture. C'est sans doute par désœuvrement, mais je me mets à dévorer des revues et des journaux comme jamais je l'ai fait de ma vie. Un vrai maniaque. Pierre Bourgault a lancé son mouvement R.I.N. qui veut lutter pour l'indépendance du Québec: je lis tout ce qui peut se publier sur la question. J'avale tous les numéros de la revue *Cité libre* qui m'instruisent sur le syndicalisme et la politique provinciale; même chose pour la revue *Parti Pris* qui sort des analyses terriblement convaincantes sur l'état de domination, de colonisation et d'aliénation du peuple québécois. Sous le nom de F.L.Q. quelques jeunes passionnés commencent à faire sauter des bombes dans des boîtes aux lettres dans les rues de Montréal, il y a plusieurs arrestations. Je m'intéresse à la chose — je ne suis peut-être pas si individualiste que j'en ai l'air — au point de faire signer à Radio-Canada, à la suggestion de Pauline Julien, une pétition, 80 signatures en un jour, réclamant des autorités la libération des jeunes felquistes. Non content d'avoir rédigé le texte de la pétition et d'avoir recueilli mes signatures prestigieuses, je prends le téléphone et appelle Pierre Elliott Trudeau, que je sais être journaliste à *Cité libre* et avocat en plus, pour lui lire mon texte et lui demander si, juridiquement parlant, il le trouve correct ou dangereux. Après m'avoir écouté attentivement au téléphone, Trudeau me dit que tout a l'air bon et que la pétition peut être envoyée aux journaux sans danger. Ce que je fais sans perdre une minute...

35

Peu de temps après les bombes du F.L.Q.
— je lis les journaux plus que jamais — la
reine d'Angleterre vient voir ses fidèles sujets à
Québec, des étudiants font une manifestation
anti-reine, les policiers, défenseurs de l'ordre
de notre ministre de la Justice, Wagner, tapent
férocement dans le tas de « têtes chaudes » à
coups de bâton. La scène se passe un samedi.
Les commentateurs de la presse nomment tous
cette cochonnerie : « Le samedi de la matraque ».
Moi, j'ai mon voyage. Brusquement, je décide de ne plus me mêler, ni comme acteur ni
comme spectateur, de toutes ces histoires qui,
finalement, ne riment à rien si je m'en tiens
à mes aspirations de toujours. Faire signer des
pétitions, ce n'est pas moi ; aller faire du piquetage, pancarte à la main, devant l'École
Normale pour contester en faveur des professeurs mécontents de leur institution, ce n'est
pas encore moi. Non, je n'ai rien d'un don

quichotte et m'en rends compte sans le moindre effort. Vite mes moutons, et qu'on n'en parle plus.

Au lieu d'aller chanter à tue-tête dans la rue comme un malade, ou de faire du bruit dans la maison avec ma guitare et mon violon, je risque une période de création avec ma plume. Au moins, une plume, quand ça travaille, ça ne dérange personne. Après quelques veillées de tâtonnement et de gribouillage, je me mets à sacrer d'impuissance et de désespoir. Rien ne veut sortir ni de mon ventre gonflé ni de mon esprit en feu. Tout est barricadé, barré, djammé raide. J'ai beau déchirer des pages, recommencer, redéchirer, donner des coups de poing sur la table, rien n'y fait. C'est comme si je voulais faire le miracle de faire parler des pierres. Je me souviens tout à coup de la réflexion d'un ami: «Quand on n'a plus rien à dire, on s'ferme la gueule pis on dort.» Ce que je fais, mais en grinçant des dents.

Le lendemain et les autres lendemains, à Radio-Canada, accoudé sur ma table à dessin devant une maquette pour un téléthéâtre, mon anxiété, mon angoisse, je ne sais plus comment nommer la bête qui me dévore, en tout cas ma tension est si forte que j'éclate en sanglots et fais une bonne crise de larmes, la tête dans les bras et les bras écrasés sur ma maquette, ce qui ne manque pas de m'attirer la présence d'une bonne dizaine de compagnons de travail...

— T'es malade?

— Veux-tu qu'on appelle un médecin?

C'est mon patron-ami, Gaston Sarault, qui prend la chose en mains.

— On va demander un taxi, tu rentres chez toi et tu prends une semaine ou deux pour te reposer...

Un enfant. Un vrai enfant. C'est comme ça que je me sens d'avoir braillé à la face de tout le monde. Même pas capable de me contrôler... Je m'habille en vitesse, honte au visage, et file dehors attendre mon taxi.

Rendu à la maison, obsédé par le mot dépression, je fais une chose que j'hésite à faire depuis quelque temps: appeler le docteur Mackay qui fait partie de l'exécutif du Mouvement Laïque de Langue Française et que je connais un peu. Il est psychiatre et pourra peut-être m'aider. (Il faut bien que ce fameux MLF finisse par me servir à quelque chose...) La réponse que j'ai au téléphone est claire et nette: « Il serait plus efficace que tu voies un médecin qui ne te connaît pas... » Il me réfère donc à un de ses confrères que je rencontre à la course dès le lendemain.

Brusquement, ai-je seulement le choix d'attendre? me voilà entre les mains et dans les pattes du confrère du docteur Mackay pour commencer à son bureau des séances de psychothérapie lesquelles, me dit-il avec un calme révoltant, devront durer au moins six mois à raison d'une visite par semaine à quinze dollars chacune et payable comptant. Cette situation me maudit un autre coup de faiblesse, m'humilie et me gêne assez que je m'en irais dret-là dans un bois de Saint-André pour ne plus jamais en ressortir. Je me dis un tas de choses : Six mois, c'pas des maudites farces... pis ça va faire un baptême de trou dans mes payes qui sont déjà pas assez grosses. Comment la famille va prendre ça?... Pourtant, faut que quelqu'un m'aide, j'me sens l'moral comme une planche...

— Si c'est pour ton bien, vas-y...

Françoise est prête à tout pour que je guérisse et m'épanouisse. Elle me l'a dit cent fois. Mais un homme malade, c'est comme un chien, ça ne cherche qu'à se cacher. Ma vanité, ma dignité, ma nature, tout ce que je fus comme être prend en un jour la pire des leçons. Mais, j'avale la pilule...

Je ne connaissais rien à la psychothérapie mais je découvre que ce n'est pas si mauvais. À chaque semaine, c'est comme si j'allais pendant une heure me confesser à quelqu'un, lui vider mon sac, tout lui dire mes secrets, tout lui cracher mes révoltes. Rien de plus épuisant mais rien de plus réconfortant.

— Prenez vos tranquillisants, ce sont des béquilles nécessaires...

Vive les béquilles. En peu de temps, je remonte la pente et peux me remettre à fonctionner, retrouver par-ci par-là mon sourire et mon goût de l'humour. À Radio-Canada, je reprends mon souffle; à la maison, ma guitare et mes chansons. Tranquillement, je sens monter en moi une sorte de renaissance que je n'avais plus crue possible. Sortir d'une nuit de braillage et apercevoir une moitié de soleil à cheval sur une montagne est peut-être le plus beau spectacle à voir au monde.

Pendant que je continue à me faire psychothérapier comme un enfant docile, il m'arrive de mon éditeur Jacques Hébert une nouvelle qui fait grimper le soleil pas mal haut au-dessus de la montagne : mon roman *Un homme en laisse* gagne un Prix de la Province. Je saute, je crie. Pleure de joie.

— Calme-toi. Il faudra te préparer et descendre à Québec avec Jean Lemoyne et Gilles Hénault qui ont aussi des prix. Vous passerez devant la télévision et c'est le ministre des Affaires Culturelles, Georges-Émile Lapalme, qui vous remettra vos chèques...

— Combien ?

— Pour toi, c'est 1,500 dollars...

Mon vieux désespoir prend d'un coup sec la plus belle des débarques. Françoise, les amis, les familles, mon psychiatre, tout le monde me sort des mots de félicitations qui font plus de bien à ma santé que tous les tranquillisants de toutes les pharmacies de Montréal.

— Faut pas abandonner ta cure chez ton médecin...

— Non, non, on continue...

Sur l'invitation des Affaires Culturelles, Jean Lemoyne, Gilles Hénault et nos femmes, on descend donc à Québec, parés, astiqués comme si la reine d'Angleterre allait en personne nous décorer des plus précieuses médailles. La réception officielle, avec télévision, journalistes et photographes a lieu au Musée de la ville. Tout est chic, édifiant, ronflant, artificiel, sans reproche. À la table d'honneur, le ministre Lapalme nous donne à chacun un beau chèque d'une main, et nous serre la patte de l'autre. On fait tous, chacun son tour, un vrai beau sourire de lauréat pour contenter les caméras et tout le monde, puis on s'en revient à Montréal au galop, contents, légers comme des plumes.

— Tu vois ça, Françoise, on va pouvoir s'acheter une voiture neuve.

— Puis déménager, Seigneur, déménager...

— Oui, c'est vrai, ça serait pas mauvais qu'on s'paye un appartement plus grand...

Physiquement, moralement, psychologiquement, le temps est au beau. Ce prix me donne une poussée dans le dos et un élan au cœur qui me font nourrir encore une fois les plus beaux projets. Dans peu de temps je serai assez fort pour me relancer en chanson; dans peu de temps j'écrirai un nouveau téléthéâtre qui me trotte dans la tête; dans peu de temps je...

Première fête pour toute la famille: j'achète ma voiture neuve, une petite... Il n'est pas trop tôt, ça nous a tant manqué depuis notre retour de Paris. Deuxième fête, nous nous trouvons, rue Casgrain, dans le nord de la ville, pas loin du parc Jarry, un grand appartement, plus cher, plus beau et à notre goût que tous ceux que l'on a eus jusqu'ici. On s'organise, on en profite puisque le vent souffle du bon bord... Pendant qu'on casse notre vieux bail et qu'on se prépare à déménager, j'ai de Radio-Canada une proposition des plus intéressantes : « Nous te nommons décorateur et tu pars en tournée de Sorel à Beauceville avec l'équipe de la grande tente pour l'émission « Dans tous les cantons ». Acceptes-tu ? »

— Oui, bon Yeu, certain qu'j'accepte !

Cette nouvelle veut dire ma dernière visite chez mon psychothérapeute, ma force nouvelle, ma santé revenue, ma guérison de la tête aux pieds. On a juste le temps d'emménager dans notre nouveau quartier et je quitte la famille pour un mois.

— Fais attention à toi et téléphone-nous...

— J'y manquerai pas...

— Profite de tout, ça va t'faire du bien un peu d'liberté...

— Toé aussi profite de tout pis repose-toé d'mes découragements...

Ces quelques semaines de juin au large, loin de ma routine quotidienne, libre, m'ont rendu plus fou qu'un poulain qu'on lâche lousse dans un pacage au printemps. Ça c'est de la psycho-thérapie ! La tente de Radio-Canada, grande pour mille spectateurs bien assis, fut montée de semaine en semaine dans des villes différentes à partir de Sorel jusqu'au fond de la Beauce. Au centre se donnaient les spectacles enregistrés pour la télévision. Les animateurs étaient Clémence Desrochers et Hervé Brousseau. Un orchestre, un artiste invité, plus des talents locaux formaient le menu de chaque émission. Jamais de ma vie je n'ai vu autant de monde ni frayé avec autant de musiciens et de chanteurs tout à la fois. Chaque jour, le travail fut mêlé à un feu roulant de blagues, d'histoires et de rires. Chaque nuit fut à moitié remplie, verre à la main, de chansons et de danses effrénées dans tous les hôtels que notre bande pouvait assiéger.

À Beauceville, dernière place que j'ai faite avant de revenir à Montréal, un après-midi j'étais sous la tente en compagnie de Gilles Vigneault et nous avions tous les deux les yeux braqués sur une fort jolie fille qui répétait des chansons avec le pianiste de l'orchestre. Vigneault me tire par la manche et me dit de sa voix râleuse:

— Approche pis viens écouter ça...

— Tu la connais?

— Oui, c't'une fille de Québec pis a fait des maudites belles chansons...

Rue Casgrain, maintenant que j'ai repris en mains ma réalité: le nouvel appartement, la vie de famille et mon travail régulier à Radio-Canada, je ne me plains de rien sinon d'une certaine nostalgie de ma vie au grand air, des plaisirs vécus, des coins de pays enchanteurs et, par-dessus tout, de cette jeune chanteuse, poète jusqu'au bout des ongles, que Vigneault m'a montrée, m'a présentée et à qui j'ai parlé longuement, longuement...

Quand même... une nostalgie, ce n'est rien de grave. Ça passe comme du vent, et puis... on n'y pense plus. C'est ce que je me dis, mais au bout de plusieurs jours, je m'aperçois que le vent peut avoir parfois des côtés mauditement tenaces. Et si ma nostalgie venait aussi, un peu beaucoup, du monde de la chanson avec lequel je viens de passer des moments si exaltants qu'ils m'auraient donné le dernier coup de fouet pour que je me redise, à la face de tous, chansonnier pour le restant de mes jours?...

Ni une ni deux, au diable les rues où j'ai tant chanté comme un idiot, au diable toutes mes vieilles frousses, aujourd'hui j'ai en plein l'appartement qu'il me faut pour jouir d'un bon coin où me faire aller, jouer de la guitare et chanter à pleine voix tant que je veux. Je serais donc fou de ne pas en jouir. Pour me partir, je me trace un plan qui est plein d'allure: sortir toutes mes chansons inédites et aller les faire noter et harmoniser par le guitariste Marcel Gervais que je viens de connaître dans un studio de télévision et qui serait très heureux qu'on travaille ensemble. Quand, avec lui, j'aurai encore amélioré mes accords, j'engagerai Stephan Fentok et nous ferons à trois un enregistrement vraiment professionnel que je ferai entendre aux producteurs des disques Gamma. Je suis sûr d'avance que tout peut bien aller. Enfin...

Têtu comme une mule, buté comme je ne sais quoi, pendant des semaines et des semaines je passe tous mes temps libres à réaliser mon plan. Tout se déroule sans incidents ni accrocs, sans bavures ni chicanes. Tout concourt à me ramener à pleine vapeur sur la voie de la chanson qui n'a jamais cessé de me fasciner et qui me tiraille encore plus depuis ce merveilleux temps passé avec les chansonniers sous la tente de Radio-Canada : Marcel Gervais se pâme pour mes compositions et me fait à la guitare les plus belles trouvailles. Émerveillement comme dans les premiers temps, coup de foudre, redécouverte. Avec ma foi nouvelle, je pratique sans jamais sentir le bout de ma fatigue.

Période d'hyperactivité. J'en suis rendu à ne plus qu'entrevoir Françoise et les enfants. Est-ce une fuite devant un échec amoureux que je n'ose m'avouer ? J'ai à peine le temps de me poser la question. Tout ce que je sais faire c'est de m'étourdir et m'anesthésier dans les engagements. Suivant le plan que je m'étais tracé, je fais avec les guitaristes Gervais et Fentok un enregistrement de mes meilleures chansons que je fais entendre au directeur des disques Gamma qui me donne aussitôt à signer un contrat pour un microsillon. Comme toujours, je mets ma griffe, les yeux fermés, au bas de longs papiers bourrés de chinoiseries. Ça ne fait rien, pourvu que tout soit mis en branle pour ma « rentrée » comme ils disent.

À la Butte à Mathieu, dans les Laurentides, je remonte sur la scène pour lancer mon nouveau spectacle avec guitare, violon, et un trio dirigé par le pianiste Pierre Brabant, mon vieil ami des tout premiers jours. C'est dur, mais je parviens à casser la glace sans trop me maganer les sangs. Les gens aiment ça. Sur mon passage : un nommé Furtado qui se dit agent et veut s'occuper de moi. Je dis oui, je dis non, ne sachant trop ce que cela pourrait vouloir dire pour moi... (Je n'ai quand même pas la crinière ni le panache pour les grands spectacles et les longues tournées, je le sais trop bien.)

Un autre bonhomme veut m'aider côté « interprétation et présentation scénique » : c'est Claude Jobin, un régisseur de Radio-Canada qui se dit prêt à me consacrer le meilleur de son temps. À lui je dis oui, croyant qu'une sorte d'entraîneur ou de metteur en scène pourra m'assouplir et me délurer. Mais ça ne dure qu'un temps : Jobin cherche trop à me faire faire des choses que je sens mal, et moi je ne cherche qu'à rester purement moi-même, répugnant à donner dans les fausses mimiques et les artifices...

Un beau jour, ça y est pour la date d'enregistrement de mon disque. On me dit que ça se fera avec orchestre et que tous les arrangements seront faits par Pierre Brabant. Un adon merveilleux. Avec Pierre, je n'ai peur de rien : il vient de faire des arrangements pour un disque de Félix Leclerc, il saura bien aussi créer de belles choses qui conviennent à mes chansons qu'il sent beaucoup. Pendant un certain temps, je me rends donc chez lui pour lui mettre dans l'oreille chacune des chansons à endisquer, après quoi il fera son travail d'arrangeur en toute paix.

Quand vient enfin le jour de la session d'enregistrement, je suis tellement impressionné et flatté de voir tant de musiciens et de techniciens s'occuper de moi que je n'ai qu'à me rappeler une seconde l'atmosphère chenue de la session de mon premier disque pour me sentir tout de suite en confiance, d'aplomb et heureux. Je chante pour un micro qui me demande le meilleur de mes tripes...

Grosse journée de sueurs, mais quand tout est fini et que je rentre chez moi, je n'ai qu'une phrase à la bouche: « Les paroles sont tellement plus belles quand y a beaucoup d'musique pour les aider. »

Au moment de la sortie du disque, Gamma m'a fait faire de grandes affiches en couleur, mes premières, qui me serviront pour la publicité partout où j'irai chanter. J'en suis tellement fier et cela me grandit tant à mes propres yeux que je décide en toute confiance de proposer à Pierre Brabant de devenir mon accompagnateur. Il ne se fait pas tirer l'oreille et moi je n'y vois qu'avantages. Avec un piano à mes côtés, ça me permettra tranquillement de délaisser ma guitare car un jour j'aimerais bien en arriver à chanter debout, mains libres et bras ouverts comme font Vigneault et tous les Bozos.

— Tu pars encore?

— Oui, à Sainte-Agathe...

Des Laurentides au Lac-Mégantic; de Sherbrooke à Percé, toutes les boîtes à chansons me sont ouvertes. Je les fais les fins de semaine, pendant qu'en semaine je garde toujours mon poste de décorateur à la télévision. Pour les grosses places, Pierre s'entoure d'une contre-basse et d'une batterie; pour les petites, il reste seul au piano pendant que je garde ma guitare, des fois oui, des fois non. D'une ville à l'autre, d'un tour de chant à l'autre, je commence sé-rieusement à me dégêner: mon interprétation prend du mieux et mon trac me fait de moins en moins mal.

Un jour que je chante à Québec, c'est plus fort que moi, j'ai tellement pensé à elle, il faut absolument que j'appelle la jeune chanteuse, poète jusqu'au bout des ongles, que Vigneault m'avait présentée à Beauceville sous la tente de Radio-Canada, et avec qui j'avais jasé longue-ment, longuement... Je la rencontre, nous fai-sons ensemble un tour de l'Île d'Orléans, nous placotons de poésie et de chansons, elle me par-le de ses spectacles, car elle aussi fait les boîtes à chansons, et me dit toute son admiration pour mes disques qu'elle connaît par cœur. Quand je la quitte pour revenir à Montréal, je ramène avec moi des yeux, une voix, un visage, qui me sont entrés par tous les pores de la peau et qui ne veulent plus en sortir. Je rapporte aussi dans ma tête sens dessus dessous un nom: Yolande. J'aime mieux dire Yo tout court. Et je sens bien que cette présence ne peut pas s'appeler idylle ou coup de foudre, c'est beaucoup plus que ça, beaucoup plus grave, beaucoup plus grand. Sur la route transcanadienne, après des milles de silence, Pierre Brabant, à mes côtés, finit par me dire:

— Parle-moé un peu, on dirait que j'suis tout seul.

Arrivé rue Casgrain, mon regard rôde dans mon appartement comme s'il revenait de voyage complètement égarouillé. Je parle aux enfants, à Françoise, mais au fond de chacun de mes mots, il y a comme un déchirement que j'essaie de camoufler... du mieux que je peux.

— T'as pas l'air dans ton assiette...

— C'est la fatigue...

— Tu pourras pas tenir longtemps du même coup Radio-Canada et la chanson... Tu vas t'faire mourir...

— Oui... faudra ben que j'choisisse un jour...

36

— T'inquiète pas, le temps arrange toujours les choses...

— Tu peux pas savoir comment j'me sens bouleversé par c'te rencontre-là...

J'arrive de Saint-André. Un voyage exprès pour me confier à Marcel. Il a tout écouté de mon histoire à Québec et a tenté de me comprendre et de m'encourager avec un cœur grand comme ça.

Comment dire tout le branle-bas qui s'est installé en moi et qui chambarde toute ma vie?... À mon ouvrage, je fais des décors moitié dans la lune, moitié sur la terre. À la maison, je me sens moitié chez nous, moitié ailleurs. Si le temps arrange les choses, comme dit Marcel, il n'a pas l'air de se presser pour les arranger dans le sens qu'il voulait dire. J'écris à Yo, elle me répond; j'écris encore à Yo, elle me répond de plus belle. Un matin, au lieu d'entrer à Radio-Canada, je file carrément à Québec, juste pour luncher avec elle, la voir deux heures et revenir à Montréal en vitesse pour être à la maison à l'heure du souper comme si de rien n'était. Pour un homme pogné entre deux aspirations, deux mondes, j'avais souvent entendu et lu l'expression : être scié en deux. Maintenant, je n'ai plus besoin de personne pour me faire un dessin. J'ai compris et c'est plus douloureux que la plus violente des migraines. Et le pire à endurer, dans une situation comme celle-là, c'est l'état de solitude dans laquelle ça vous met...

Une inspiration du ciel ! Il me vient une idée de pièce pour la télévision que je n'ai pas cherchée une seule seconde. Dieu soit béni. Comme disait un génie : Je ne cherche pas, je trouve. Tout un scénario me tombe un soir dans la tête comme une manne inespérée. Je commence à écrire et les mots sont si pressés que mon stylo a du mal à suivre.

Mon idée m'est venue de mes séances de psychothérapie d'il y a un an. J'imagine un homme et une femme dans une clinique psychiatrique. Ils souffrent tous les deux d'une dépression majeure, viennent de milieux différents et sont mariés. Ils se parlent, s'entendent bien, deviennent de bons amis, puis de grands amoureux. À longueur de journée, tout en marchant dans les interminables corridors de leur clinique, ils se livrent tellement l'un à l'autre que leur maladie se transforme progressivement en état de parfaite santé. La fin de cette pièce, que j'intitule *Une marche au soleil*, pose le dilemme suivant: mes personnages vont-ils demeurer en clinique pour sauver leur amour ou vont-ils rentrer chacun dans leur ancienne réalité qui fut la cause de tous leurs maux? Le dernier mot est finalement dit par une image éloquente lorsqu'on voit l'homme et la femme sortir de clinique et, au bord de la rue, poser leurs valises par terre, se regarder longuement comme s'ils étaient pour se quitter, puis reprendre leurs valises et partir ensemble, très doucement, dans la même direction, main dans la main...

Jamais je n'ai écrit une chose avec autant de facilité et de précision. Aussitôt terminée, je fais lire la pièce à Louis-Georges Carrier, l'excellent réalisateur de Radio-Canada, qui l'aime et s'engage à la réaliser immédiatement.

Promesse tenue. Mon téléthéâtre est acheté, payé et produit en moins de temps qu'il ne faut pour le dire. Beau succès. Malgré l'effet scandaleux que produit un tel sujet auprès des jansénistes... Et Dieu sait qu'on n'en manque pas dans notre bonne société.

En dehors de mes tours de chant, de mes décors, l'accouchement d'*Une marche au soleil* n'aura été pour moi qu'une courte diversion. Il y a toujours cette femme de Québec, cette Yo qui m'habite encore et toujours et bien davantage. Une maison hantée, c'est moi. Un gros soleil levant juste derrière le cœur, c'est moi. Du sang neuf dans des veines fatiguées, c'est moi. Des nuits noires et blanches en même temps, c'est toujours moi. Écartelé, voilà le vrai mot. Toute ma vie est écartelée. Je suis un homme fendu en quatre quartiers : un pour la famille, un pour Radio-Canada, un pour la chanson et un, le plus gros, pour une femme plantée sur ma voie et qui ressemble à une masse d'or. Pour elle, je fais, comme si ce n'était plus moi qui écrivais, les plus beaux poèmes et les plus belles chansons :

> *Le feu qui chauffe le matin*
> *C'est toi*
> *Le feu que le nuage éteint*
> *Que le nuage éteint*
> *C'est toi*
> *Le pain que je tiens dans ma main*
> *Le pain que je tiens dans ma main*
> *Le pain au large de ma faim*
> *C'est toi*
> *C'est toi...*

Paroles qui disent le oui, le non ; le possible et l'impossible de chaque jour. Paroles qui me donnent quand même force et vie rien qu'à les prononcer. Mieux vaut laisser couler mon eau plutôt que de m'y noyer.

Trois-Rivières ou Drummondville sont comme le nombril de la route entre Québec et Montréal. Elle est loin, elle fait la moitié de son chemin ; je suis loin, je fais de même. Nous nous voyons à la sauvette, en cachette, hôtels, motels, comme deux coupables qui ont vite appris à autant pleurnicher qu'à rire. Elle vient de s'engager comme chanteuse et animatrice pour une émission de variétés à la télévision de Radio-

Canada à Québec, je la regarde au petit écran de mon salon à Montréal sans rien dire, le cœur mouillé, embrouillé, chiffonné. Et le pire, c'est que Françoise, Josée et Claude l'aiment et la trouvent jolie et bourrée de talent... Mon secret, ma solitude m'étranglent.

Des mois et des mois passent. Des saisons tour à tour soleilleuses et tourmentées. Dans ma maison, je ne suis plus qu'une ombre et le silence est devenu mon refuge. Un soir, Françoise, avec raison, me pousse au pied du mur...

— Qu'est-ce que t'as? Faut tout m'dire, j'en peux plus...

Et je lui dis tout parce que moi aussi je n'en peux plus. Le choc se fait comme une grosse pierre qui tombe. Elle pleure, je m'explique, essayant de toutes mes forces de lui faire comprendre qu'il n'y a jamais eu de haine entre nous et que tout ça est arrivé sans que je l'aie le moindrement cherché.

— Pourquoi tu me l'as si longtemps caché?

— La peur... le déchirement.

— C'est d'la cruauté mentale...

— J'ai jamais voulu ça...

Le dialogue s'engage. Il dure une nuit, des nuits, pour un temps qui n'en finit plus. Françoise ne cherche d'aucune manière à me reposséder ou à m'encarcaner, elle choisit plutôt de me laisser libre...

— Tout ça est d'ma faute... si j'avais pu mater mon caractère difficile...

— Personne te parle ni d'ton caractère ni d'ta nature... Depuis Paris, on s'atteint p'us... On s'est comme retrouvés chacun d'son bord avec des besoins différents et des aspirations tellement pas pareilles qu'on a fini par se perdre de vue...

— Maudit Mouvement Laïque de Langue Française...

— Dis pas ça...

Je le vois bien, elle est fatiguée et n'a nulle envie de se battre. Tout ce qu'elle sait me dire ressemble à: Tu l'aimes trop, y a plus rien à faire. Tout ce que je sais répondre ressemble à: Elle est devenue pour moi souffle nouveau, salut, amour comme il n'est pas possible de le définir.

Josée a maintenant 15 ans, Claude 9. Avec des mots à leur mesure, je leur dévoile un mystère qu'ils sentent depuis longtemps. Claude a une réaction de colère contenue; quant à Josée, elle ne met pas de temps à me dire: « J'aimerais mieux t'savoir heureux en dehors d'la maison plutôt que de t'voir toujours le nez dans ton assiette, sans parler, comme un chien battu... »

Pour réfléchir, demander l'inspiration, ronger mon frein, chercher la lumière, je me suis trouvé en pleine ville et en plein air un endroit idéal. À chaque soir je vais passer mes deux heures dans le parc Jarry à marcher dans les allées et à tourner autour des arbres. L'âme prise comme dans un étau, entre le devoir et l'amour, cherchant mon échappée, je veux d'abord écrire quelque chose sur mon état profond et ma situation pas facile à démêler. Il y a belle lurette que mes écritures n'inventent plus rien, je n'ai qu'à puiser mots et images à même le jus de ma vie et j'en ai déjà trop.

En un rien de temps, le parc Jarry me dicte une pièce que je sens comme tout écrite d'avance. Elle comprendra deux personnages, le couple, Françoise et moi, bien sûr, et une longue scène qui durera une nuit entière. Comme décor, je vois un seul élément: un lit tout blanc, sans pied ni tête, en plein milieu d'une chambre aux murs perdus dans le noir. Le couple évoluera sur le lit, dedans, autour, loin, toujours selon les exigences d'un dialogue dense, tendu, mais jamais mélodramatique. Je sens que tout ce que je vais écrire va annoncer pour moi le commencement d'une fin. Ou, peut-être mieux, le commencement d'un commencement.

BERTRAND
On ne peut demander à une rivière de remonter à sa source...

DIANE
C'est quand même bon de pouvoir échanger comme on le fait...

BERTRAND
Aucun mépris entre nous...

DIANE
Au contraire...

BERTRAND

Je veux ton bonheur...

DIANE

Comme je veux le tien...

BERTRAND

Là-dessus, on a bien compris tous les deux que le malheur peut être immoral.

DIANE

Je te l'ai déjà dit, il y a longtemps que je sens que ton cœur n'est plus là... J'accepterai tout pour que tu te sentes bien dans ta peau. Jusqu'ici, j'ai fait ce que j'ai pu... maintenant, c'est fini, je ne peux plus rien. Je ne pourrai jamais souffrir de me sentir un obstacle... Que Marie-Claude t'apporte ce que je n'ai pu te donner, c'est tout à fait normal puisque tu l'as choisie. Profite de sa jeunesse, ça te donnera de la santé...

BERTRAND

C'est drôle, Diane, tout ce que tu me dis, je peux te le dire à toi-même exactement de la même façon. (*La fixant avec sincérité.*) Sois heureuse avec Jacques... Qu'il te remette au monde lui aussi chaque jour... (*Rêveur.*) Vivre n'est pas subir... Le temps nous a usés. Nous étions devenus deux habitudes dans un état de condamnation, dans un carré de solitude... Et comment rendre l'autre heureux si on ne l'est pas soi-même?...

Ma pièce se .nomme *Le Remous*. C'est un long dialogue engagé à minuit et qui se poursuit jusqu'à l'aube, rien de plus. Je la porte à lire à Louis-Georges Carrier, mon réalisateur d'*Une marche au soleil*. Il m'en dit du bien mais me demande de retravailler certaines scènes. Pour le moment, je n'ai de toute évidence pas le temps de m'y mettre car j'ai trop de chats à fouetter. (Je venais à peine de commencer à écrire mon téléthéâtre que Françoise m'a avoué qu'elle avait quelqu'un dans sa vie, ce qui donna une dimension très inattendue à tout mon travail. J'avais donc maintenant à faire parler un homme et une femme en train de se séparer puisque dans les deux cas il y avait naissance d'un nouvel amour. Donc, fidèle copie de ma réalité...)

Françoise sort de son côté, et moi je vais à Québec le plus souvent que je peux. Je suis d'accord avec le fait qu'elle retrouve confiance et respiration auprès d'une autre homme, ça me donne bonne conscience, et elle est d'accord avec mes voyages, loin de Montréal, qui, re-connaît-elle, me font le plus grand bien.

Les premiers temps, nous avons beau, co-pain copain, tout nous raconter, ou à peu près, sur « nos conversations avec l'autre », arrive vite le moment où nous trouvons stupide et absurde, et finalement intolérable de partager un appar-tement, surtout une chambre qui ne nous sert plus depuis longtemps qu'à y dormir.

— Vaudrait mieux qu'tu partes...

— Yo m'a jamais demandé d'laisser ma famille pour elle...

— De toute façon, tout est confus, faut qu'ça change...

— Et les enfants?...

— Tu viendras les voir quand tu voudras...

Josée est avec nous et elle est assez grande pour avoir le droit d'intervenir:

— Maman a raison, les choses seraient plus claires comme ça.

Ma foi, je me sens comme mis à la porte avec la plus grande compréhension, mais un sentiment de lâcheté me monte à la face: Pourquoi j'ai pas eu l'courage de partir avant?...

Je connais bien ma réponse, va: toujours ma grande peur de faire mal... Après avoir donné ma démission à Radio-Canada, c'est la deuxième fois, je pars donc, sans crise ni larmes et sans ma valise: autant dire que c'est un faux départ. Comme une sorte de départ raté qu'on sait d'avance avoir à recommencer pour le vrai.

Trois jours plus tard, deux Volkswagen se suivent de près sur la transcanadienne, roulant de Québec à Montréal. Moi devant, Yo derrière. D'une voiture à l'autre, on s'envoie la main comme deux enfants heureux. On vient de se trouver une belle maison ancienne, à notre goût comme dans un rêve, au bord du fleuve, derrière Beaupré et Saint-Joachim, juste en face de la pointe de l'Île d'Orléans et des battures tapissées d'oies blanches. Roulons, roulons...

Chaque mille déboulé est un pas de fait pour notre commencement.

Arrivés en ville, sur un coin du parc Lafontaine, nous nous quittons comme nous l'avons fait cent fois, la larme à l'œil, le cœur en balance...

— Attends-moé chez ton frère, nous repartirons le plus tôt possible...

— Ça veut dire quand?

— Une couple de jours...

Je me sauve pour que tout aille plus vite. Rue Casgrain, je sonne à ma porte comme un étranger. C'est Françoise qui me répond:

— Tiens, déjà toi?

— Bonjour...

— Qu'est-ce qui s'passe?

— J'suis venu t'offrir la Volks... pis... voir les enfants...

— Tu m'laisses la voiture?

— Pourquoi pas...

Les enfants me sautent au cou et nous jacassons d'une voix mêlée de joie et d'embarras...

— Tu restes à souper?

— Si tu veux...

La table est déjà mise, nous prenons une bière, les mots se font rares. C'est p't-être un sursis inutile, que je ne cesse de me répéter pendant tout le repas...

La soirée se passe comme on peut, les enfants disparaissent dans leur chambre, Françoise et moi on s'en tire en tuant le temps avec des rabâchages. Minuit venu, je ne veux dormir dans la chambre pour tout l'or du monde, je demande donc à m'allonger sur le divan du salon avec une simple couverture.

Oui, faudra ben que j'vienne voir les enfants... mais, comment faire dans une atmosphère si... étouffante? J'espère qu'ça sera pas toujours de même... Sur mon divan dur, dans la noirceur, je jongle pendant une grosse heure avant de m'endormir, presque mort comme du bois mort, mais sauvé par la seule pensée de Yo qui m'attend.

Le surlendemain, c'est le bout du rouleau. Dans l'après-midi, je fais le saut. De moi-même et sans qu'on m'ouvre la porte. Comme un homme. Après le dîner, j'ai embrassé Josée et Claude qui partaient pour l'école, leur promettant de revenir les voir bientôt. Quant à Françoise, en matinée, elle m'a gentiment salué et s'est esquivée en ville, un rendez-vous, ce qui m'a donné la chance d'appeler Yo et de préparer mes affaires tout à mon aise. Ma sœur Huguette, habitant tout près, est venue m'encourager de ses bons mots et m'aider à faire mes bagages. C'est elle qui a appelé le taxi: quand j'y suis monté avec ma valise, guitare et violon, elle m'a fait une grosse caresse:

— Quand tu viendras à Montréal pour les enfants, viens coucher à la maison...

— Bonne idée...

— Pars vite, sois heureux et tâche d'oublier tes cauchemars...

— Bye... merci pour tout.

Le taxi m'emmène et en un rien de temps me laisse au coin de Duluth et Parc Lafontaine. Je descends mes affaires à la course. Yo est là, sur le trottoir, près de sa Volks, et m'accueille les bras ouverts et le visage ébloui comme je ne l'ai jamais vu. On s'embrasse, voix bloquée, joues en feu, les yeux dans l'eau. Enfin, les mots peuvent sortir:

— On part tout d'suite... Montréal me traque.

— Ton frère est là?

— Y est à son travail...

Même si le temps nous appartient, on n'a plus une seule minute à perdre dans une ville qui pour nous ne veut plus rien dire. Je lance mes bagages sur la banquette arrière de la voiture et go, on sort de Montréal par le pont Jacques-Cartier et l'on dévore la transcanadienne à une vitesse folle.

— T'es heureux?

— Oui, la page est tournée.

— On va faire d'la chanson ensemble?

— Oui pis on va s'monter un spectacle qu'on va donner dans tout l'Québec... Faut réussir le coup...

— T'en fais pas, not' succès on l'a dans l'cœur...

Plus Montréal, où j'ai passé vingt ans de ma vie à franchir des murs, s'éloigne dans mon dos, plus la lumière de l'est me semble claire et chaude. Roulons, roulons...

Deux heures plus tard, au volant de ma nouvelle Volks, j'embarque sur le pont de Québec en prenant la respiration la plus profonde de ma vie. En plein milieu du pont, une idée en l'air, je stoppe la voiture, j'en sors et arrête le trafic qui me suit de près. Pendant que ça klaxonne à me fendre les oreilles, je fouille tranquillement dans ma poche, j'en retire ma clé de bureau de Radio-Canada et, par une fente du pavé métallique, la maudis dans le fleuve Saint-Laurent. Quand je l'ai bien vue s'engouffrer dans le courant, je regrimpe dans l'auto et décolle comme un fou en direction de la rive nord.

J'aurai mis un temps incroyable à sauter d'une rive à l'autre. Le temps d'une mer traversée à pied. Le temps d'un continent battu et exploré de long en large. Maintenant, c'est fini. Non, ça commence. Derrière Saint-Joachim, au bord du fleuve aux battures tapissées d'oies blanches, nous attend la plus belle maison du monde. Une maison protégée par le plus beau cap du monde aussi: le cap Tourmente.

FIN

L'Ange-Gardien, P. Qué.
Vence, France.
L'Ange-Gardien, P. Qué.
4 février 1976 — 21 juin 1977.

ACHEVÉ D'IMPRIMER SUR
LES PRESSES DES ATELIERS
MARQUIS DE MONTMAGNY
LE 9 SEPTEMBRE 1977 POUR
LES ÉDITIONS LEMÉAC INC.